Saint Laurent, mauvais garçon

Du même auteur

GAINSBOURG SANS FILTRE
Flammarion, 1994; nouvelle édition, 2008

MARTINE FAIT DU SENTIMENT
Actes Sud, 1999; J'ai lu, 2001

JE VAIS DE MIEUX EN MIEUX
Flammarion, 2006

PORTRAITS PLEINE PAGE: 13 ANS DE LIBRE ENQUÊTE
J'ai lu, 2007

SAGAN À TOUTE ALLURE
Denoël, 2008; Folio, 2009

MARIE-DOMINIQUE
LELIÈVRE

Saint Laurent, mauvais garçon

BIOGRAPHIE

À Charles Genton

« Je pense qu'il n'y a sur terre qu'un seul bonheur possible. Celui de s'oublier et de se consacrer aux autres. En essayant de faire le bonheur des autres, on finit par en recevoir quelques éclats. »

Yves Saint Laurent

Il ne fut qu'un couturier. Il n'a pas inventé le cœur artificiel, n'a pas conduit de révolution, n'est l'auteur d'aucun chef-d'œuvre. Ses robes, conservées en chambre froide, s'éteignent en même temps que les femmes qui les portaient. Pourtant, il a régné sur son époque. Les images de ses créations hantent la mode d'aujourd'hui. Il fut le plus grand couturier de son temps, qui dura à peu près une décennie. Comme Dior, son maître. Il n'était propre à rien d'autre. Chanel avait plus d'autorité, Madeleine Vionnet plus de virtuosité, Schiaparelli plus de fantaisie, Balenciaga plus de technique, Courrèges plus de modernité. Cependant, il fut la somme algébrique de tout ça, et plus encore, puisqu'on fabriqua pour lui le mythe du grand couturier tourmenté, figure qui lui allait comme un gant.

Approcher de l'église Saint-Roch n'est pas facile : toutes les rues sont fermées par des policiers en tenue de gala, gants blancs et cordelière rouge, comme si la maison Saint Laurent avait fourni les accessoires. J'assiste à ses obsèques comme à celles d'un oncle fragile. Tout comme Serge Gainsbourg, le père pervers, ou Françoise Sagan, la petite sœur foldingue, il appartient à la famille d'après-guerre qui a façonné la société actuelle. Yves Saint Laurent, c'est le tonton pédé de province. « La tante de province », raille un ami.

Devant le kiosque à journaux joli comme un jouet, un écran géant a été déployé. Dès l'aube, des Parisiens sont venus veiller dans l'église avec le curé de Saint-Roch. À la demande de Pierre Bergé, le prêtre, bien embarrassé, leur demande de quitter l'église. C'est un enterrement sur carton d'invitation. La petite Simone, l'amie d'enfance d'Yves, n'en a pas. Elle assiste à la cérémonie dans la foule anonyme des Parisiens tenue à distance.

Le jeudi 5 juin 2008, c'est le dernier défilé d'Yves Saint Laurent. Pierre Bergé, son régisseur, répète souvent la formule de Beisteigui : ce qui est important, dans une fête, ce n'est pas qui on invite, mais qui on n'invite pas. Il a convié les notables et expulsé le peuple. C'est un homme de gauche qui n'aime pas les pauvres. Il a privilégié l'entre-soi de la bourgeoisie française : président de la République, maire de Paris, ministres, patrons du luxe, grands couturiers et stylistes, académiciens et écrivains officiels, ex-impératrice Farah, et tout un échantillonnage[1] que Saint Laurent n'a parfois jamais rencontré. Aucun artiste, pas un seul poète. Les *happy few* entrent un à un, s'inclinant devant Pierre Bergé.

Coincés contre les barrières anti-émeutes, photographes et cameramen en *battle-dress* ferraillent pour ne pas manquer une célébrité. Une fois de plus, Pierre Bergé montre son sens du spectacle. Seul sur les marches, il accueille le cercueil. Sur les photos, on ne voit que lui. Lucienne Mathieu Saint Laurent, la mère d'Yves, Brigitte et Michèle, ses sœurs, ses neveux, ses nièces ont été priés d'arriver discrètement par la sacristie.

Cinq gerbes de lys surplombent le chœur, les chapelles latérales sont aussi fleuries qu'un jardin en Méditerranée. Moulié Savart, le fleuriste de la place du Palais Bourbon, a réquisitionné les plus somptueuses des fleurs blanches : des champs entiers de lys de Casablanca, de roses, de pivoines. L'autre artisan enterré ici il y a trois siècles, le jardinier André

Le Nôtre, doit être drôlement épaté. Sous une haie de jasmins, les invités gagnent les rangs de petites chaises Napoléon III utilisées habituellement pour les défilés, dont chacune porte un nom. Il y a la famille de cœur, Anne-Marie Muñoz et Betty Catroux, qui ont accompagné Yves jusqu'à son dernier souffle, rue de Babylone, Loulou de La Falaise et son mari Thadée. Et les gens de la maison, premiers d'atelier, collaboratrices, responsables des relations publiques, directrices, mannequins de toutes les époques.

Lorsque, précédé de Pierre Bergé, le cercueil entre dans l'église, les mannequins forment une chaîne de leurs mains. De Victoire, sa première égérie rencontrée en 1954, à Kewe, la toute dernière recrutée en 1999, quarante années de beautés Saint Laurent sont regroupées autour de Nicole Dorier, la chef de cabine, vêtue de marine parce qu'Yves l'aimait dans cette couleur : Jacqueline, Anna Pavlowski, Mounia l'Antillaise, Dothi, Kirat, Violeta Sanchez, Lætitia Casta, Sadiya Gueye venue avec Kewe de Dakar et vêtue de blanc, Amalia, la dernière princesse du sérail.

« Nous allons demander à Dieu de lui redonner sa flamme », dit le prêtre avant de ranimer le cierge pascal.

La flamme d'Yves Saint Laurent s'était éteinte bien avant sa mort. Si sa joie de vivre s'était dissoute, dans son enfance, il avait été plein de gaieté.

Une étoffe safran cousue de gerbes de blé recouvre le cercueil, rappelant qu'Yves Saint Laurent fut un homme de la Méditerranée.

« Laurent signifie "lauriers", ceux de la souffrance et de la gloire, la souffrance n'effrayait pas Yves Saint Laurent, il aimait citer les mots de Proust, "la famille lamentable des nerveux est le sel de la terre" », continue le prêtre.

La phrase résonne dans la rue soudain silencieuse. Et lorsque s'élève la voix de la Callas, des larmes coulent. À l'extérieur, la foule est si recueillie qu'une sonnerie de portable déclenche un : « C'est un enterrement, enfin ! » Aux balcons, rue Saint-Honoré, les visages se tendent pour apercevoir sur l'écran géant Catherine Deneuve lire, avec une dignité de reine mère, un poème de Whitman. Puis c'est au tour de Pierre Bergé de déclamer un texte dans lequel il s'adresse au couturier avec une voix chevrotante à la Jouvet.

« C'est la dernière fois que je te parle, Yves… »

Derrière le couple présidentiel, très Louis XVI et Marie-Antoinette sur leurs trônes, la nef est loin d'être remplie : les travées, vides, auraient pu contenir les amoureux du couturier venus à l'aube.

« Avec Chanel, car si un nom doit être cité aujourd'hui, et un seul, c'est bien le sien, Chanel, qui t'avait désigné comme son successeur, tu auras été le couturier le plus important du vingtième siècle, elle de la première moitié, toi de la seconde… »

Avec véhémence, Saint Pierre attribue les places au paradis glorieux des couturiers, comme autrefois les places dans les défilés. Là-haut, Madeleine Vionnet, Madame Grès, Cristobal Balenciaga, Poiret, Christian Dior, Schiaparelli et bien d'autres, vont bizuter le petit Saint Laurent. Au fait, Chanel a-t-elle adoubé son jeune confrère ? Un geste si altruiste ne lui ressemble pas. Bergé arrange un peu. L'ordalie, en fait, était perfide. Une vacherie de couturière. Si Chanel, le 11 février 1968, dans l'émission télévisée « Dim Dam Dom », admet qu'Yves est son successeur, c'est pour le démolir. « Yves Saint Laurent a bien raison. Il me copie. Et plus il me copiera, plus il aura de succès[2]. »

Puis, évoquant sa propre mort, Bergé retient un sanglot avant d'ajouter que, sur la stèle, il fera graver ces simples mots : *Yves Saint Laurent, couturier français*. Si français, oui. Si provincial, aussi.

Au moment de la bénédiction, le père Roland Letteron, aumônier des artistes, s'emmêle les burettes et appelle à se recueillir sur le cercueil… de Pierre Bergé. Malgré sa tristesse, la petite Simone retient un rire. Bergé a dû diablement persécuter l'ecclésiastique pour qu'il l'enterre prématurément. Un « oh » de stupeur parcourt la foule. Ce lapsus n'est pas absurde. Bergé semble avoir organisé ses propres obsèques. D'ailleurs Brigitte Mathieu Saint Laurent, la petite sœur d'Yves, regrette que le doux choral qu'aimait son frère n'ait pas été chanté :

> Jésus que ma joie demeure
> À ton nom, à tout jamais
> Il guérit toutes les blessures
> Et ma force vient de sa grandeur
> Dans l'espoir puis la lumière
> Il éclaire
> Mon cœur et mon âme
> Jour et nuit, il m'accompagne
> Doux Jésus, oh Doux Seigneur.

De sa place, la petite Simone n'apercevra même pas le cercueil. Enveloppé du drapeau tricolore, il a été posé au milieu de la rue où on lui rend les honneurs militaires, ce qui peut sembler surprenant aux obsèques d'un couturier qui accuse l'armée de lui avoir administré des électrochocs. Toutefois Saint Laurent, à sa façon, était un guerrier : fragile et combatif, il était hyper-agressif. Très intelligent, il a utilisé sa timidité comme une arme. Peu de gens lui résistaient. Le matin même, on a enterré dans cette même église Christine Fersen, une sociétaire de la Comédie-Française. Ce hasard n'aurait pas déplu au couturier.

Le samedi 6 mai 1950, à Oran, Yves Mathieu Saint Laurent assiste à une représentation de *L'École des femmes,* de Molière, avec Louis Jouvet dans le rôle d'Arnolphe, dans des décors de

Christian Bérard. À treize ans, il va au théâtre pour la première fois. Tandis que s'ouvre la maison d'Agnès, cinq lustres tombent des nuages peints, qui déversent sur le jeune spectateur ébloui les sortilèges lumineux du théâtre. Transporté, son cœur d'enfant souhaite aussitôt offrir à ses petites sœurs le même émerveillement.

Yves apprend des passages entiers de la pièce et, dans une caisse en bois, fabrique un petit théâtre. La scène est un décor peint avec un rideau en trompe-l'œil. Il découpe des silhouettes dans du carton qu'il habille de vieux draps peints à la gouache[3] et donne des représentations pour ses sœurs. C'est une façon d'entrer en relation avec elles, de partager des jeux avec deux fillettes plus jeunes que lui. En jouant *Sainte Jeanne* de Bernard Shaw, il met feu au bûcher et le théâtre brûle.

Chez lui il est gai, joyeux, « déconneur[4] », dit Brigitte. Au collège, c'est une autre histoire. Ses camarades raillent son allure efféminée. À la récréation, Yves reste seul, adossé à un mur. Sans jouer avec personne. Il ne recherche pas l'amitié. « À partir de la sixième, l'école a été pour moi une chose atroce[5]. »

Le petit théâtre est son refuge dans les nuages. Pour se consoler, il s'invente des scénarios de revanche et déclare, rageur : « Un jour, j'aurai mon nom en lettres de feu sur les Champs-Élysées. » Il se gave de best-sellers historico-sentimentaux tels que *Ambre*, de Kathleen Winsor, *Caroline Chérie*, de Cécil Saint-Laurent, dont il peint les personnages à l'aquarelle, avec tous les détails de leur toilette.

En décembre 1953, le petit Français d'Algérie vient à Paris avec sa mère recevoir le troisième prix du concours du Secrétariat général de la laine, dont il a trouvé l'annonce dans *Paris Match*. Paris est une ville qu'il ne connaît que par le Monopoly. Grâce à sa famille, il a un protecteur, Michel de Brunhoff, qui dirige le magazine *Vogue*. L'année suivante, Yves s'installe à Paris pour suivre les cours de la Chambre syndicale de la couture, dont il ne passera jamais le diplôme. Il dit vouloir dessiner des décors et des costumes et passe sa vie à la Comédie-Française. Michel de Brunhoff ne parvient pas à le pistonner au Français, une place imprenable. Le 20 juin 1955, Yves entre chez Dior et revêt la blouse blanche des dessinateurs. Lors du défilé du 5 juillet 1955, il signe la robe n° 335 : un fourreau de velours noir à décolleté très profond, ceinturé au-dessus de la taille par un bandeau de satin. Pour le *Harper's Bazaar*, Richard Avedon la photographie au Cirque d'Hiver entre deux éléphants. C'est son célèbre cliché *Dovima et les éléphants*. Premier coup de maître, Yves Mathieu Saint Laurent a dix-huit ans.

À la mort de Christian Dior trois ans plus tard, Yves prend sa succession. Christian Dior est inhumé à Callian, dans le Var, près de son château de Montauroux. Dans le cortège, deux jeunes hommes qui ne se connaissent pas : Pierre Bergé et Yves Saint Laurent. Une photo les montre mêlés à la foule. En janvier 1958, lorsqu'Yves présente sa première collection avenue Montaigne, Pierre est dans la salle.

Je connais Yves Saint Laurent depuis longtemps. J'avais dix ans quand ma mère a défilé à Douala en robe Mondrian. Réalisée par sa couturière, comme ses robes ou tailleurs Balenciaga, Balmain, Givenchy, Courrèges. Des pièces bien faites, j'en porte encore certaines. Je retourne une robe. Dans une couture, je découvre l'étiquette : Florence, Douala. Ce qui m'émeut, dans ces vêtements, c'est l'envers. L'ourlet et les coutures surfilés à la main, les minuscules boutons-pression cousus de façon irrégulière. La trace de la main humaine, les maladresses, quelque chose de brut et de raffiné. La Couture.

C'est une enquête qui commence mal. Des portes se referment, tout de suite. Même celles qui, quelques semaines auparavant, s'ouvraient grand pour parler de Françoise Sagan. Pour évoquer Yves Saint Laurent, qu'elle a aussi bien connu que Françoise, leur amie Charlotte Aillaud me donne un rendez-vous. Vieille dame charmante et raffinée d'un autre monde, Charlotte est la grande sœur de Juliette Gréco. Son époque *vintage* à elle, c'est Proust. À chaque visite rue Jacob, une soubrette en tablier m'accueille, sert le thé dans une tasse aussi fragile qu'une coquille d'œuf, et m'abandonne au milieu de photos encadrées, amis que Charlotte a perdus sur les champs de bataille de la mondanité. La lumière fait le teint joli, Charlotte entre impeccablement mise, l'automne en total look ébène, le printemps en marron glacé. Elle s'exprime bien, termine ses phrases, ce qui est rare, et, dans un nuage de Guerlain, je remonte le temps avec celle qui fut la dernière compagne du baron de Rédé.

La veille de notre rencontre, Charlotte décommande avec courtoisie. Me voici expulsée de son royaume.

« Pierre ne veut pas que je parle. »

Elle prononce cette phrase-là, mot pour mot. Pierre, c'est Pierre Bergé. Comment peut-on interdire à quelqu'un de s'exprimer ?

« Essayez de le convaincre, et je vous recevrai. Mais de grâce, ne comparez pas Françoise et Yves, ce serait une erreur : aux yeux de Pierre, Yves était un génie ! » Un génie ! Ouah ! Michel-Ange, Léonard de Vinci, Einstein, Newton, Shakespeare…

Abandonner ? Voilà des années que je pense à ce livre. Dans la série de portraits de famille que j'ai entreprise, Yves Saint Laurent a sa place. Une grande et belle place, bien qu'on sache peu de chose sur lui. Il se prête à toutes les suppositions parce qu'il a donné peu d'entretiens. Lorsque j'ai assisté pour la première fois à un défilé Saint Laurent, j'ai eu les larmes aux yeux. J'aimerais comprendre pourquoi.

D'autres vont se défiler. Comme l'a dit John Fairchild, l'ancien patron du *Women's Wear Daily*, dire la vérité est dans la mode quasi illégal. Rencontrer un biographe non autorisé, c'est prendre le risque d'une excommunication.

La mode est un milieu conformiste. Le pire des conformismes, celui de la nouveauté. Courtisans d'ancien régime, les gens de mode sont toujours prêts à retourner leur veste, laquelle n'est pas doublée de vison. Jamais les gens de mode ne s'habillent comme il leur chante. Survivre dans ce panier de crabes contraint à revêtir une seconde nature, toute d'apparence. On y change d'avis comme de chemise. En route, on oublie qui l'on est.

« Vous connaissez Pierre, il est susceptible et violent » m'a dit Charlotte. Non, je ne connais pas « Pierre ». Si j'ai rencontré Bergé à plusieurs reprises, je ne le connais pas. Une fois, c'était pour parler de Françoise Sagan. Il m'a reçue avenue Marceau dans un grand bureau solennel, s'est montré courtois, peu loquace, irritable. Comme dans le documentaire où William Klein filme les débuts de la maison de couture, rue Spontini, et montre un jeune Pierre bourré d'impatience et de tics, croisement irascible de Rastapopoulos, le héros de Tintin, et de Louis de Funès. Il compose un personnage et n'en sort pas. Une autre fois, je l'ai croisé dans un restaurant. Venu célébrer le départ en retraite de Lulu, la célèbre cuisinière de la Mitterrandie, qui quittait son restaurant l'Assiette, rue du Château, il avait imposé le menu au détachement de minets qui l'accompagnaient et nul n'avait moufté. Lorsque la salle a entonné un chant en l'honneur de Lulu, la cuisinière a attrapé sous son bras le crâne de Pierre Bergé qui a ronronné de contentement. Pierre Bergé ne fait pas peur à tout le monde.

Travailler avec un handicap, c'est stimulant. Quand la porte est fermée, on entre par la fenêtre. Et il y a beaucoup de fenêtres, dans la maison. Yves Saint Laurent vivait dans un monde de femmes. Autour de lui, elles ont tissé une seconde peau protectrice sans laquelle cet écorché vif n'aurait pu se réaliser. Amies d'enfance, sœur, muses, bras droit et petites mains, clientes, elles ont accepté de me voir et revoir, de raconter leurs souvenirs et d'ouvrir leurs albums de photos. Ce livre est une trame dont les femmes tissent le fil rouge : Yves Saint Laurent, qui n'a jamais quitté leurs jupes, y apparaît en transparence.

Je n'ai pas rencontré toutes les personnes qui, à un moment ou à un autre, ont gravité dans son orbite, préférant creuser les filons qui semblaient les plus riches. Ses ouvrières, ses mannequins, ses proches m'ont permis de reconstituer trois défilés majeurs et l'histoire de la photo de la rue Aubriot, prise par Helmut Newton. Banquiers, médecin, valet de chambre m'ont également éclairée. Pierre Bergé m'a accordé deux longues interviews pour… son portrait dans le journal *Libération.* À cette occasion, j'ai pu éclaircir quelques points et Charlotte Aillaud ou d'autres ont accepté de me recevoir.

La très complète biographie de Laurence Benaïm, l'enquête d'Alicia Drake sur les années soixante-dix du couturier, ou l'investigation économique rigoureuse d'Alice Rawsthorn m'ont été fort utiles.

Yves Saint Laurent a si peu parlé que ce livre pourrait s'intituler « TAIS-TOI YVES » si je n'avais cherché à entendre sa voix. Il a obtenu tous les biens que convoitent aujourd'hui les juniors, gloire, amour, richesse, beauté. Pourtant, il était affreusement malheureux. Devenu un monstre, un monstre sacré, il vivait seul depuis des années, recroquevillé dans un mastaba de possessions.

Yves Saint Laurent était un as des médias. De son vivant, il a fabriqué et laissé se fabriquer un mythe qui arrangeait ses affaires. Lui qui, dès l'enfance, a enjolivé sa vie, serait sans doute consterné de voir son existence livrée à l'investigation d'une femme dont la garde-robe se compose, pour l'essentiel, de jeans et de pulls marins. Il n'était ni gentil ni généreux et instrumentalisait les autres pour réussir. Mais il a tout donné à son métier et il a embelli la vie.

Ceci est mon carnet de route.

Victoire, rue de Verneuil

« À vingt et un ans, je pénétrais dans une sorte de forteresse de célébrité qui devint le piège de ma vie. »

Yves Saint Laurent

La porte s'entrebâille sur un regard intense souligné de khôl dans un beau visage aux pommettes hautes. Victoire, la seule femme qu'Yves Saint Laurent ait songé à épouser. Un mythe. Elle a été le premier top model de l'histoire de la mode, avec Bettina Graziani. Malcolm McLaren, l'ex-manager des Sex Pistols, envisage de monter une comédie musicale sur son histoire qu'il trouve rock'n'roll. L'amour-amitié avec des super-stars de la haute couture, l'homosexualité, la droguc, l'alcool, la nuit...

Des souvenirs, photos, coupures de presse, programmes de défilé, dessins, il n'y en a pas seulement sur les murs chez Victoire, rue de Verneuil, mais aussi dans la valise Vuitton glissée sous le lit à baldaquin, dans chaque tiroir de la haute commode italienne de son bureau et dans sa tête. Elle est intelligente, Victoire. Elle pense toute seule, ce qui est rare dans ce milieu à l'esprit aussi étriqué qu'un jean *slim*.

Victoire est une célébrité quand elle rencontre deux gamins, Yves Mathieu Saint Laurent et Karl Lagerfeld, qui se disputent ses faveurs. Rivalité qui saute aux yeux, rue de Verneuil. À droite de l'entrée, Victoire dessinée par Yves. À gauche, Victoire par Karl. Yves rencontre Victoire en arrivant chez Dior en 1956 et la présente à son ami Karl, l'autre vainqueur du concours de stylisme organisé par le Secrétariat international de la laine en 1954. Les deux débutants admirent la jeune femme, archétype de la Parisienne primesautière, plus lancée qu'eux. La vedette, c'est elle. À Oran, Yves l'a vue photographiée dans les pages de *Vogue* par Irving Penn, Willy Maywald ou André Ostier. En l'engageant, Christian Dior a transformé son nom de Jeanne Devis en Victoire. La première fois qu'un défilé a été retransmis à la télévision française, c'est elle qui présente. Née en 1932, elle est l'aînée de la bande : Karl est né en 1933, Yves trois ans plus tard, le 1er août 1936.

Lorsqu'ils sortent, Victoire prend les choses en main. Yves fait des plaisanteries, Karl conduit la voiture, un coupé Mercedes offert par son père, et prend les photos avec un Minox. Par exemple au Bar des Théâtres, leur QG de l'avenue Montaigne : Victoire, un paquet de Gitanes sous la main, sophistiquée, un brin femme fatale. Sur la banquette, Karl, en polo, arbore une tête de gosse andalou bien peigné et Anne-Marie Poupard (qui deviendra Muñoz), termine un yaourt Danone. Autre photo, à Deauville. Le quatuor fait la gueule, chacun regarde dans une direction différente.

Tendrons à peine sortis de l'enfance, Yves et Karl sont deux fils uniques gâtés qui se disputent l'attention d'une diva. Laquelle diva est aussi leur nounou, leur protectrice et leur meilleur copain. Ils la surnomment Vishnou. Hardie, Victoire entre à la Closerie des Lilas où ils vont dîner, à la Coupole, où ils prennent des verres, tout comme elle mène la danse dans les cabarets de travestis, l'Hélicoptère, rue Notre-Dame-de-Lorette, le Fiacre, place Saint Sulpice ou le Caroll's, une boîte de lesbiennes.

Lorsqu'elle danse avec Yves, il colle au corps de cette belle brune admirablement faite. Victoire n'est pas grande, même pour l'époque, mais elle a une taille, des hanches, des seins, tous les avantages capables de faire chanter une robe *new look*. Sur les hommes comme sur les femmes, elle a un pouvoir aphrodisiaque : les unes désirent ses tenues, les autres désirent son corps. Toutefois c'est Victoire qui chavire, pas Yves. Le grand jeune homme sent délicieusement bon. L'« Eau fraîche » dont il s'asperge, une Cologne de Dior, lui va bien. Avec son charme inoffensif, il lui rappelle l'amour de ses dix ans. Ce n'est pas l'homme qu'elle aime, mais le grand enfant passif qu'elle tient dans ses bras. Le premier amour de Victoire s'est tué à vingt ans, la laissant avec le regret d'une histoire impossible. Yves aussi, c'est l'amour chaste et impossible. Il la serre de plus en plus fort avant de partir d'un rire de fille chatouillée. Elle sent contre elle un grand chat sans os et très nerveux.

« Nous avions une relation proche du flirt. Mais jamais synchrone[6]... »

Victoire n'est pas conventionnelle. Élevée par une mère anarchiste, elle n'a pas froid aux yeux. Chez Yves, tout est féminin, pense-t-elle, dépitée. Pourtant, elle est amoureuse.

Karl, lui, les regarde en buvant un Coca : il ne boit pas, il ne danse pas, il ne drague pas. Il les reconduit en voiture.

Yves loue boulevard Pereire une chambre chez une vieille dame qui, prétend-il, l'espionne par le trou de la serrure lorsqu'il se déshabille. Karl, lui, habite un appartement rue de Tournon où Victoire, Anne-Marie Poupard, Yves et Fernando Sanchez, un autre étudiant de l'école de la Chambre syndicale, le rejoignent. Sur la cheminée, Karl a posé un dessin d'Yves.

« Jamais Yves n'aurait fait la même chose, dit Victoire. Il ne s'intéressait qu'à lui-même. »

Rue de Verneuil, elle a accroché plusieurs photos de Karl, sur le mur gauche. Karl aujourd'hui, avec son catogan poudré. Karl tout jeune, quand il avait sa tête d'enfant aimable.

« Karl était gentil, contrairement à Yves. Il a des élans de générosité que je n'ai jamais connus à Yves. On dit qu'il aimait les femmes. Non, il ne les aimait pas. Il les utilisait. »

Pourtant il y a aussi, sur le mur droit, des photos d'Yves, mêlées à celles des fils et de la petite-fille de Victoire. Vishnou a l'amour vache.

Une nuit, en rentrant de boîte, le trio s'endort tout habillé sur le tapis turc, rue de Tournon. Incapables de se décider, incapables de se séparer. Il ne se passe rien. Yves aime que Victoire le domine en lui tordant le poignet, qu'elle le bascule sur le lit où il tombe en gloussant. L'assurance féminine l'émoustille en même temps qu'elle le prive de ses moyens. Victoire le croit impuissant.

« Nous avions, à travers la robe, une relation qui n'aboutit jamais », dit-elle. Il fait corps avec la robe qu'il crée, pas avec la femme qu'il habille. Couvrant d'étoffes le corps féminin, il cache ce sein qu'il ne saurait voir.

« Yves regrettait de ne pas avoir envie des femmes, mais il ne les désirait pas », ajoute Victoire.

Finalement, c'est avec Gaston Berthelot, un autre dessinateur de Dior, homosexuel lui aussi, que la jeune femme entame une liaison.

Quand Victoire épouse Roger Thérond, le rédacteur en chef de *Paris Match* de neuf ans son aîné, Karl et Yves sont ses témoins. En mars 1958, lorsqu'il succède à Dior, Yves fait la une de *Paris Match* avec Victoire, vêtue d'une courte robe de mariée de la collection Trapèze. « Dior sans Dior » titre le magazine. Quelque temps après son mariage, Victoire s'envole pour Oran et passe quinze jours dans la famille d'Yves. Encore sous le charme de cette jeune proie qui lui échappe, intriguée par son narcissisme, elle espère percer un peu de son énigme.

Sur le plateau Saint-Michel, la maison du 11, rue Stora, ne l'impressionne pas : des meubles bourgeois de style Empire, une belle vue sur la ville. On l'installe dans la chambre d'Yves : dessus de lit imprimé panthère, dais de velours vert au-dessus du lit Empire. Une simple table en bois a été drapée d'une étoffe de velours turquoise. Yves utilise les tissus pour recouvrir, masquer, embellir l'insignifiante réalité. Victoire dort dans son lit. La tête sur son oreiller, devinera-t-elle ses songes ? Oui, d'une certaine façon. Elle passe ses journées en compagnie de Michèle et Brigitte, entre la villa sur les hauteurs et celle de Trouville, la plage fréquentée par la bourgeoisie d'Oran. Victoire découvre les Mathieu Saint Laurent, des bourgeois aisés et chaleureux au mode de vie méridional :

apéro à tout prix, parties de canasta à gogo, plage bon enfant. Au contact de cette famille joyeuse et sans mystère, Victoire perce le secret de son ami : Yves en a construit un, de mystère. En habillant de voiles sa mère, qu'il dépeignait éblouissante, il a fabriqué une enfance conforme à ses goûts.

29 janvier 1962, rue Spontini

En cabine, ce 29 janvier 1962, Yves et Victoire se crêpent le chignon : elle a eu l'audace de se couper les cheveux. Pour leur premier duo sur la patinoire, il voulait son mannequin-vedette en chignon haute coiffure. Les cheveux, il les considère comme une pièce de vêtement et la décoiffante initiative le déstabilise. Depuis que, le vendredi soir, elle assiste aux Tremplins du Golf-Drouot, Victoire a de nouveaux désirs. Une fille qui danse le twist en jupe plissée, petit chandail manches courtes et bottes, n'a que faire des coiffures sophistiquées, trop de laque, trop de bouffant.

« Croyant qu'Yves m'approuverait et irait lui aussi vers la nouveauté, j'avais raccourci mes cheveux. »

Lui, justement, ne l'aime que sophistiquée. Christian Dior a initié la métamorphose, lui l'accentue : sous son règne, Victoire se transforme en déesse hypnotisante. Après lui avoir donné l'ordre de laisser repousser ses cheveux pour le prochain défilé, il l'affuble d'un postiche.

« Yves se figeait dans le monde de la baronne de Rothschild et d'Arturo Lopez », dit Victoire.

Ce n'est pas le moment de le lui reprocher, il est au bord de la crise de nerfs.

La mode, par nature éphémère, grave ses mythes dans la pierre. Blanche, celle de l'hôtel particulier aux formes nettes du 30 bis, rue Spontini, où naît la maison Yves Saint Laurent en 1962. Deux étages percés de larges ouvertures, un balcon d'opérette et un toit Mansart qui abrite les ateliers : une maison de poupée dans une rue sage à la lisière du bois de Boulogne, qui résonne d'un pépiement obstiné. En face du 30 bis, des immeubles modernes et vides, un décor à la Antonioni où rien ne se passe dans les halls vitrés. Au 19, le couturier Jacques Doucet a possédé un hôtel particulier.

Dans les salons, les clientes s'installent sur des chaises en skaï noir, version suédoise de la chaise Napoléon III employée chez Christian Dior. Pour calculer la jauge du salon, Gabrielle Buchaert, la jeune attachée de presse, a dessiné un plan de la salle grandeur nature en plaçant en U les sièges côte à côte. Au premier rang, d'un côté, les amies et clientes : l'écrivain Françoise Sagan, qui vient de publier *Les Merveilleux Nuages*, accompagnée de sa grande sœur Suzanne Defforey, Marie-Hélène de Rothschild et Jacqueline de Ribes, épouses de banquier, Charlotte Aillaud, femme d'architecte, Hélène Rochas, veuve de grand couturier. Des Américaines comme Lee Radziwill, belle-sœur du jeune président John Kennedy ou la jeune Nan Kempner. La vieille Helena Rubinstein, princesse Gourielli, est assise au premier rang.

En face, les professionnels, gros bonnets de la fringue new-yorkaise, acheteurs de grands magasins comme Neiman Marcus ou Macy's, *tycoons* du chiffon tel David Zelinka qui pèse cinq millions de dollars ou Ben Reig qui en vaut trois. Au fond du U, les stars : sur un grand canapé tendu de toile tête-de-nègre, la duchesse de Windsor voisine avec la danseuse Zizi Jeanmaire qui a allumé un cigare. Et puis les reines de *Vogue*, Edmonde Charles-Roux et Jessica Dave.

Chacun est installé selon son rang : la place attribuée au défilé est un marqueur de position sociale. La mode, trafic de mondanités, accorde une grande attention aux préséances. Le plan de salle est contresigné par Pierre Bergé. Garçon qui se cherche anxieusement une position, il a trouvé une place…

en assignant aux autres la leur. Avide de reconnaissance, il sait que le système de la mondanité est sectaire.

« De ce premier jour jusqu'à la fin, aucune place n'a été attribuée sans l'aval de Pierre[7] », dit son amie Charlotte Aillaud.

Jusqu'au dernier défilé d'Yves, et même à son enterrement. La notoriété croissante de son compagnon permit à Bergé de raffiner les supplices et d'affermir son pouvoir. Défilés ou anniversaires d'Yves, même chose : tout en étant prévenu, chacun (sauf s'il est journaliste ou acheteur) jusqu'à la dernière minute ignorait si un carton arriverait.

Sur leurs sièges en skaï, les teignes de la mode attendent le grand frisson du renouveau. Colliers de perles trois rangs, mises en plis amidonnées à la bombe L'Oréal, pieds bombés dans les escarpins, elles veulent un bain de jouvence. Elles examinent les murs blancs, le tapis havane, le lustre signé César. Tout le mobilier de la jeune maison est contemporain, bureaux inclus : sièges Mallet-Stevens, bureaux Knoll, tables Mobilier International. C'est l'époque enthousiaste où Brasilia, la radieuse cité voulue par Oscar Niemeyer et Lucio Costa, se matérialise comme un songe mathématique.

« C'était la volonté d'Yves. Il voulait inscrire sa maison dans son époque. Marquer la jeunesse et la nouveauté de cette histoire[8] », dit Pierre Bergé.

Pour lui-même, Yves a voulu une planche de bois quasi monastique posée sur des tréteaux. Tendue d'une étoffe laineuse, elle est protégée par une plaque de verre. Exactement celle de Christian Dior, qui rêvait d'être architecte.

« En dehors de celui où j'ai rencontré Yves, ce jour de 1962 est le souvenir le plus fort que j'aie gardé de notre vie commune. Nous avions des mois de lutte, de rêves, de travail derrière nous. Yves jouait sa peau[9] », dit Pierre Bergé.

Françoise Sagan ne dit pas autre chose : « La rue Spontini, c'est le passé d'Yves Saint Laurent. C'est là où il a connu la pire émotion, alors qu'il venait de quitter Dior et qu'il se lançait lui-même, tout reposant sur lui, dans sa propre maison. Là, il le savait, ce coup d'essai devait être un coup de maître, faute de quoi, il serait le premier et le dernier[10]. » Françoise est une copine de Pierre, rencontré plusieurs années auparavant. Il était l'amant du peintre Bernard Buffet et elle, l'amie d'Annabel Schwob de Lure, qui devint Mme Buffet.

Flatté de connaître le jeune écrivain à la renommée mondiale, Yves a engagé sa sœur Suzanne pour diriger la boutique de couture. Compter Françoise parmi ses relations, c'est faire partie du phénomène Sagan. Garçon qui rêve de se réinventer, Yves aime les vedettes.

Paraître aux côtés de l'écrivain, c'est remporter le label « jeune » qu'invente la période. D'ailleurs *Match* les photographie tous ensemble dans le nouvel appartement de Pierre et d'Yves, place Vauban : Sagan, son nouveau mari Bob Westhoff et sa sœur Suzanne, Victoire, Pierre et Yves.

« Yves ne vivait pas. Il se vivait », dit drôlement Victoire.

Elle veut dire qu'il se regarde en train de vivre la célébrité.

Soigneusement protégée dans des housses blanches, la collection a été acheminée rue Spontini la nuit précédente. Caché derrière le rideau, Pierre lance le premier modèle.

« Un caban surdimensionné porté sur un simple pantalon de shantung blanc », se souvient Bergé.

Derrière un paravent, Yves – comme Christian Dior – épie les réactions de la salle. Attention polie du public. Ni murmures d'approbation ni applaudissements. Les journalistes de mode veulent du vif, du décousu, de l'acrobatique, du saignant. Lèvres pincées, elles expertisent les modèles qui s'égrènent un à un, sobrement précédés de leur numéro. Les locaux sont si étroits que les mannequins défilent jusque dans le hall. Tailleurs de tweed, imper léopard, robes d'organza, rien ne déride les rédactrices.

Pommettes hautes, Victoire, pharaonne de trente ans, déjoue la sagesse des modèles avec une désinvolture naturelle. Sa beauté a quelque chose de si exotique, de si voluptueux que le photographe Jerry Schatzberg, envoûté par son sex-appeal, ne la quitte pas des yeux[11]. Il y a de la concurrence, ce jour-là : Helmut Newton, Hiro, Norman Parkinson reluquent les filles. Coiffée par Alexandre de Paris, Victoire, qui fume deux paquets de cigarettes par jour, tire sur une Gitane tandis qu'Alla, la Russe mandchoue qui parle sept langues et que la fin de carrière rend mélancolique, carbure au Moët.

Cravate à pois et pochette assortie, très Gilbert Bécaud, Yves en coulisse ne respire plus. Pour sa toute première collection, il a fait preuve de retenue : nulle esbroufe, ni clinquant, ni provocation. Du formalisme. Il ne se laisse pas aller. C'est un très jeune couturier en train de s'échauffer. Bûcheur, il ne s'est pas encore forgé un style. Élève appliqué de Christian Dior, il propose cent quatre figures que son maître n'aurait pas reniées. Pour composer son personnage, il lui emprunte tout : la pose derrière le rideau, ses mannequins Victoire et Alla, son mètre en bois qui ne le quitte pas, le protocole de sa maison.

Les allusions exotiques, turbans et tuniques indiennes, ne provoquent aucune réaction chez les rédactrices. Elles décrètent que le junior manque de jeunesse, qu'il est trop bridé, pas assez casse-cou. Tout cela est soigneux et un peu plat. Ailleurs, elles ont vu plus frais, plus émoustillant. Des tailleurs blancs minimalistes chez le jeune André Courrèges qui vient d'ouvrir sa maison, des redingotes futuristes chez Pierre Cardin et chez Nina Ricci, d'impertinents tailleurs d'écolier dessinés par le subtil Jules-François Crahay.

« Yves aurait pu proposer un vestiaire plus radical. Il s'est contenté de faire une couture pour dame qui voyage avec femme de chambre, une couture pour mondaine... » dit Victoire.

Des femmes de ce genre, il en existe encore : au début du mois, Yvonne de Gaulle a inauguré le paquebot *France*. Elles se changent plusieurs fois par jour au gré de leurs obligations : tailleur en tweed au déjeuner, imper de satin pour les emplettes, robe d'organza pour un vernissage, fourreau au dîner...

Si Yves s'est montré frileux, c'est qu'il est tenu par les besoins des clientes privées. Aux pâmoisons dans la tribune il préfère un carnet de commandes rempli. Il n'a pas le choix : les servitudes financières l'y contraignent. Le plus désarmé, le plus angoissé des couturiers a accepté une redoutable responsabilité.

Au final, persuadé d'avoir tout raté, paralysé de trac, il refuse de sortir de la cabine pour saluer. Victoire le tire par le bras. Une extraordinaire photo, qu'elle conserve rue de Verneuil, a capturé cet instant : lèvres rétractées, un Yves Saint Laurent tétanisé se cramponne à une tablette. Son regard affolé se révulse, comme celui d'un animal épileptique. Victoire tente de lui faire violence. Elle lui force littéralement la main pour l'obliger à se montrer.

« Il doutait tellement de lui. »

Il finit par sortir puis, se réfugiant en coulisse, s'effondre en pleurs dans les bras de Zizi Jeanmaire. Incrédules, Brigitte et Michèle, qui ont fait le voyage d'Oran en Caravelle avec leur mère Lucienne, sont désorientées.

« Au milieu de ces gens qui idolâtraient mon frère, de femmes inconnues qu'il embrasse, je me sentais déphasée : quarante-huit heures auparavant, j'étais à Oran au milieu des bombes et des assassinats[12] », dit Brigitte.

Elle sent comme une distance grandir entre elle et lui.

Si la presse reste prudente devant un talent présomptif qui ne tient pas encore en main les rênes d'un style, les clientes applaudissent. « En France, on préfère reconnaître que connaître », a dit Cocteau. Pas de doute, les clientes ont reconnu... Dior. Et Chanel, Balenciaga. Dans la mode, rien ne marche mieux que les redites. Rue Spontini, Pierre prend des commandes à tour de bras. Charlotte Aillaud choisit un ensemble en shantung hindouisant, tunique au décolleté brodé de perles et de jais, jupe assortie :

« Jusque-là, je m'habillais chez Chanel. Ça a été fini. Yves faisait un pas en avant[13]. »

Elle restera cliente jusqu'à la fin et n'assistera plus qu'aux défilés d'Yves Saint Laurent.

L'affaire est dans le *shopping bag*. Deux emballeuses, recrutées par la maison pour plier avec soin les achats dans un feuilleté de papier de soie avant de les ranger dans de belles boîtes en carton frappées du monogramme YSL, ne chôment pas.

Esbroufe n° 1

Et pourtant, tout a commencé par un bluff. Un simulacre. Yves Saint Laurent n'a rien présenté depuis son départ de la maison Christian Dior dix-huit mois plus tôt, le 1er septembre 1960. On l'a extrait du rêve dans lequel il venait d'entrer, envoyé sous les drapeaux comme soldat de seconde classe pour servir en Algérie, puis hospitalisé au Val-de-Grâce le 20 septembre pour une « dépression nerveuse ». Lorsqu'en mai 1961 il est revenu chez Dior, la maison l'avait remplacé. À vingt-cinq ans, il prend un coup. L'enfant gâté de la mode n'est plus personne. Il s'enfonce dans le découragement tandis que ses amis se démènent pour l'aider.

Durant cette traversée du désert, Yves ne dessine que cinq modèles, deux pour Zizi Jeanmaire, deux pour Victoire[14] et la robe de mariée de la petite Simone, son amie d'enfance. La mère de Victoire, couturière de métier, les a réalisés. Avec un sens futé du *buzz*, Victoire convainc son mari, Roger Thérond, le jeune rédacteur en chef de *Paris Match*, de faire photographier les tenues pour les publier dans son journal. Victoire est le premier agent publicitaire d'Yves Saint Laurent.

« Deux Parisiennes semblent porter du Saint Laurent », dit la légende du *Paris Match* n° 643. Les photos paraissent volées aux deux jeunes femmes, Zizi et Victoire, dont les poses stylisées montrent qu'il n'en est rien.

Puis Zizi et les ballets de Roland Petit ont pris le relais en commandant à Yves deux cent cinquante costumes pour une revue à l'Alhambra.

« Ils étaient réalisés à l'atelier d'Irène Kaminska, rue de Washington, où une équipe de couturières remarquables, toutes russes émigrées en France, travaillaient des heures d'affilée pour atteindre la perfection… Pleine de talent, Irène Kaminska supervisait tout. Elle avait travaillé avec Bérard et Yves l'appréciait énormément[15] », raconte Zizi Jeanmaire dans son livre de souvenirs.

Yves a rencontré Zizi chez Dior. Christian Dior avait délégué à son jeune assistant la confection d'une robe pour le gala de l'Union des artistes au cirque Médrano. Yves était aux anges, il approchait une de ses idoles. À Oran, il suivait les exploits de la danseuse dans les journaux. Avec un fourreau blanc fendu en satin duchesse, il effila sa silhouette.

Dans la troupe de Roland Petit, Yves s'est amusé comme un gosse. La compagnie des danseurs, comme le jeune Félix Blaska, vingt ans, qui vient de rejoindre les Ballets de Paris, l'enchante. À l'étonnement de Zizi, Yves s'implique dans la réalisation de chaque costume : non seulement il les conçoit, mais il surveille la coupe et l'exécution. Moineau androgyne, Zizi l'inspire : coiffure ébouriffée de garçonnet, pas de seins, ni de hanches.

« Mademoiselle Jeanmaire brille. C'est le privilège des reines du Music Hall : le seul dessin de leur silhouette réussit à provoquer l'incendie de la salle, le mirage, le rêve », déclare-t-il.

Cette silhouette, Yves Saint Laurent en est l'auteur. Avec un pull d'homme noir tout bête porté sur un collant et des talons hauts, Saint Laurent a fabriqué une silhouette graphique aussi mémorable qu'une lettre d'alphabet. Un Y à l'envers, devenu la marque de fabrique de Zizi. Plantée sur des jambes en compas, sexy et espiègle, elle inaugure sa chanson fétiche, *Mon truc en plumes* :

> Mon truc en plumes,
> Plumes de z'oizeaux,
> De z'animaux

Après avoir assisté à la revue, l'écrivain Matthieu Galey note dans son journal : « Un spectacle mi-show, mi-ballet, avec d'admirables costumes de Saint Laurent. Tout est centré sur elle (Zizi), sombre oiseau de paradis, clinquant et emplumé[16]. »

Mon truc en plumes est un numéro que Zizi a rejoué jusqu'à son dernier spectacle à Paris en 2000. « Je ne me suis jamais lassée de l'interpréter car il provoque invariablement une réaction explosive du public[17]. »

Yves a dessiné un costume qui induit son jeu de scène. Greffant un voyou sur une danseuse, il produit des gestes et des postures. Le pull ras-la-touffe met en valeur le ciseau des guiboles fiché dans une attitude de défi. Les manches, que Zizi roule sur ses avant-bras, révèlent et soulignent ses attaches délicates. Ce mélange délicieusement équivoque préfigure le Saint Laurent à venir, celui qui va transformer ses clientes en femmes de spectacle, d'attitude. D'ailleurs, c'est à un grand décorateur de théâtre, l'affichiste et graphiste Cassandre, qu'il a commandé son sigle sinueux : des initiales noires enlacées sur fond blanc. L'esprit traditionnel de la grande couture est rafraîchi par un pschitt de modernisme. Musicalement, les trois syllabes, igrec esse aile, agissent dans un sifflement. Un assemblage de sons sibilants, igrequeselle, igrec esse aile. Le sifflet du serpent, l'aile de l'oiseau.

Boussac le saque

Yves souffre de son limogeage. Lorsque Marc Bohan, son successeur, présente sa première collection chez Dior en juillet 1961, pour faire diversion, Pierre et Victoire l'entraînent aux îles Canaries. Entre les deux hommes, les relations sont électriques. Loin de se sentir en vacances, Yves s'effondre. Il est seul, sans aucune perspective de création. Tour à tour, il s'auto-déprécie puis se surestime.

« Le succès qu'avait connu Yves en 1958 était inouï. Il avait beaucoup aimé ça », dit Victoire.

Il a vécu un moment d'une rare intensité émotionnelle. Avant de présenter la collection Trapèze qui l'a lancé chez Dior, il était en joie. « J'étais dans un état d'euphorie complète. Je savais que j'allais devenir célèbre[18] », a-t-il dit. Après le défilé du 30 janvier 1958, le *New York Times* l'a déclaré « *French national hero* ». « C'est un des plus grands moments d'émotion de la mode de tous les temps », a écrit le *New York Herald Tribune.*

« Et soudain, du jour au lendemain, il n'était plus rien... »

Enfant choyé, écorché vif, immature, incapable de supporter la frustration et la défaite, il accuse ses proches. Exigeant l'attention de Pierre et Victoire, il les contrôle. Certains jours, il reproche à Pierre de lui avoir fait perdre sa place. Obnubilé par les questions d'étiquette, Pierre l'avait poussé à réclamer les mêmes avantages que Christian Dior. Une voiture avec chauffeur, par exemple. Avenue Montaigne, sans cesse, Pierre se mêlait de tout, agaçant la direction de Dior. Yves, qui se pose en victime, s'emporte contre lui. C'est de sa faute si, de retour dans la maison de couture, il a trouvé Marc Bohan, le responsable de Dior Londres, occupant sa place de directeur artistique. Bohan, lui, propose une explication plus simple.

« Certes, Pierre Bergé mettait son nez partout, aux ventes, au studio, à la presse, ce qui pouvait agacer. En réalité, les collections d'Yves Saint Laurent ne marchaient pas : il manquait d'expérience. Alors que les temps avaient changé, il avait continué à faire du Dior sans Dior. Il fallait simplifier[19]. »

Marcel Boussac n'était pas favorable à la nomination d'Yves mais Raymonde Zehnacker, l'éminence grise de Dior, aurait réussi à l'imposer. Ainsi, elle gardait la main. Avec les anciennes chipies de Dior comme Suzanne Lulling, elle faisait la pluie et le beau temps avenue Montaigne, et l'encourageait à rester dans la ligne du grand couturier.

« Son vrai problème était relationnel. Renfermé et secret, Saint Laurent était inaccessible. Je ne parvenais pas à avoir de contact avec lui, il se repliait dans son bureau… » ajoute Bohan.

Un problème ou une force ? « Toujours silencieux, Yves ne parlait jamais. C'est étrange, mais lorsque vous êtes à ce point passif, vous pouvez dominer[20] », dit le designer Tan Giudicelli, alors assistant chez Dior.

La vie, qui est négociation et communication, désarme le timide. Le mutisme est la stratégie adoptée par le jeune Yves pour protéger son monde intérieur. L'autre ignore ce qu'il pense et perd ses marques. Monolithique, le couturier a autant de puissance radioactive que la statue de Balzac du boulevard Raspail. Le silence parle à sa place. Il est son arme secrète.

« On s'est débarrassé de lui en l'expédiant au service militaire[21] », dit Marc Bohan.

« On », c'est Marcel Boussac, le puissant propriétaire de Dior, qui aurait, selon Yves, demandé à Pierre Messmer d'annuler la décision de réforme qu'avaient prise les médecins militaires[22].

C'est tout le vampirisme de la mode : après avoir hissé un être en haut de l'affiche, elle le jette, elle l'abandonne. Pire, elle envoie Yves se battre en Algérie, sa terre natale.

Que va-t-il devenir ? Yves connaît ses failles et sait que, seul, il ne peut rien. Incapable de s'occuper de ses finances, incapable de choisir ses collaborateurs, incapable d'organiser ses relations publiques, incapable de faire face à la vie, il se traite lui-même d'incapable, lorsqu'il ne retourne pas le reproche contre Pierre.

Bergé l'a souvent raconté, c'est durant son séjour au Val-de-Grâce qu'Yves, à qui Pierre venait d'apprendre son éviction de chez Dior, aurait décidé de créer une maison de couture avec lui. Pourquoi avec lui ? Peut-être parce qu'il est pourvu de ce qui manque à Yves : la parole. Ce qui est certain, c'est que dès le départ les rôles sont distribués par le plus jeune : Yves, le créateur passif-agressif attribue à Pierre, l'arrogant-impulsif, l'intendance. Le rôle du grand frère qui aplanit tous les problèmes. Pierre sera le banquier, le secrétaire, le manager, le soigneur, la gouvernante et la maîtresse de maison qui fait la conversation aux invités, Yves se réserve la création. « On résiste mal aux exigences des timides[23] », dit Pierre. Et à la tyrannie des faibles. Un faible convainc son entourage que ses erreurs ne comptent pas, puisqu'il ne peut faire autrement. Il exige et obtient l'indulgence, échappant toujours aux conséquences de ses actes. Pour mériter son amour, l'entourage se soumet. Nature généreuse, Pierre a une manière inverse d'ouvrir des créances : donner à qui ne lui doit rien.

Des deux, le plus fort n'est pas celui qu'on croit. L'apparence chétive du couturier dissimule une force, une ténacité remarquables. Serrer la main d'Yves Saint Laurent, c'est passer ses phalanges à la concasseuse. Sa poigne est l'étau de la détermination. Sa trajectoire démontre son envergure. À vingt et un ans, il succède à Christian Dior, à vingt-cinq, il ouvre sa propre maison de couture. « Ambition, ambition, ambition, depuis le premier jour[24] », dit Fernando Sanchez, son copain de classe. Devenir un être grandiose est son but. L'affront qu'il a subi chez Dior a multiplié son désir de revanche.

En choisissant pour compagnon un homme capable de l'aider à accomplir son rêve de grandeur, Yves fait preuve d'une grande intelligence tactique. « Tout ce que je n'avais pas, il l'avait », dira-t-il plus tard. Vibrant d'énergie, intelligent et vif, Pierre a du culot, de l'aplomb et une détermination dépourvue de scrupules.

Assoiffés de réussite, les deux provinciaux sont faits pour s'entendre. Pierre, plus simple, rêve de côtoyer les Riches et Heureux, les Verdurin du moment, aristocrates jet-setters comme les Rothschild ou les Faucigny-Lucinges, dont il a eu un avant-goût en fréquentant les salons en vogue avec un premier amant célèbre.

Né en 1930 à l'île d'Oléron, Pierre Bergé a déjà une expérience du monde. Il a fait son apprentissage aux côtés de Bernard Buffet, qui le surnommait « mon jeune Romain[25] ». La célébrité de Bernard Buffet, le jeune peintre le plus renommé des années cinquante avec lequel il a entretenu une liaison de huit ans, lui a ouvert bien des portes : celles de Cocteau, de Giono, de Louise de Vilmorin, de Christian Dior. Pierre est un aventurier, un débrouillard. « Rusez ! La ruse est la conservation de l'individu[26] », lui a dit un jour Giono, à qui il demandait un conseil. Une leçon qu'il a mise en pratique tout au long de sa vie.

Pierre Bergé est un autodidacte. À dix-sept ans, avant même d'avoir passé le bac, il a été renvoyé du lycée Fromentin de La Rochelle. Il a, semble-t-il, rendu sa gifle à un professeur.

De son enfance, il déteste parler et balaie les questions dans le style livresque qui le caractérise.

« J'ai lu Freud et Mélanie Klein, mais l'enfance, ça a très peu compté pour moi... Ça ne fait pas partie de mes souvenirs. »

À Paris, il a d'abord été courtier en librairie avant de rencontrer le peintre Bernard Buffet dont il devient l'amant. Fils d'un petit fonctionnaire des impôts, Pierre rêve de s'inscrire au firmament de la mondanité : la célébrité le fascine. Expert en *networking*, il soigne ses relations. Avec Buffet, il a infiltré les salons de Marie-Louise Bousquet, directrice du *Harper's Bazaar France*, place du Palais-Bourbon, de Marie-Laure de Noailles, place des États-Unis, de Marie-Blanche de Polignac, rue Barbet-de-Jouy, de Florence Gould, avenue Malakoff. Leurs demeures sont des musées dont Yves et lui s'inspireront plus tard. On y parle littérature, peinture, potins. Pierre lit beaucoup et retient.

Yves et Pierre ont été présentés l'un à l'autre en 1958, au cours d'un dîner donné par Marie-Louise Bousquet à la Cloche d'Or, rue Mansart. Pour célébrer l'intronisation d'Yves chez Dior, elle avait invité deux autres jeunes gens, Bergé et Buffet, qui réalisera ce jour-là le portrait d'Yves au crayon (que le couturier a gardé dans son studio de création jusqu'à la fin).

« C'était un étrange garçon. Il portait un costume très étroit, comme s'il essayait de se protéger du monde. Il ressemblait à un petit curé très sérieux, très nerveux », se souvient Bergé[27].

À dîner, Pierre est un convive exquis : il raconte bien les histoires, pétille de bons mots, pimente de citations. Il sait charmer, courtiser, plaire. Son aplomb, sa capacité à formuler des avis sur tout séduisent aussitôt Yves. L'un est un brun courtaud et extraverti, l'autre une grande brêle inhibée. Lorsque Bernard Buffet plaque Pierre pour épouser Annabel Schwob de Lure, mannequin, chanteuse et écrivain androgyne, il déménage place Dauphine puis dans l'île Saint-Louis et se lie avec Yves.

« Bergé était décidé à instrumentaliser Yves Saint Laurent, et il en est encore à faire ça », dit Marc Bohan.

Bohan n'est pas le seul de cet avis, mais la question est complexe. Lequel a instrumentalisé l'autre ?

« Un véritable cobra dominateur », écrit Matthieu Galey à propos de Pierre, dont il visite l'appartement, rue Saint-Louis-en-l'Île, peu après sa rupture avec le peintre, effaré d'y découvrir un « véritable musée Buffet ».

« Insensibilité de brute, ou magnanimité plus haute que toutes les brouilles ? Difficile à dire. Pierre est une force, un torrent, un taureau. Rien ne lui résiste. Pas même la rancune, peut-être[28] », écrit Galey dans son *Journal* le 5 août 1959.

Décoincé, chaleureux, directif, Pierre est un pygmalion-né qui s'intéresse aux créateurs. « Yves, ce que tu fais est d'une telle beauté ! » répète-t-il. Élevé par une mère rébarbative, Pierre préfère prodiguer du soutien affectif qu'en recevoir : il est brusque mais amical.

Adoré par un gynécée, Yves, à qui jamais rien n'a été refusé, ne sait pas donner. L'amour inconditionnel dans lequel il a grandi à Oran lui semble un dû. Les deux hommes sont faits pour s'entendre.

Aux Canaries, Yves accable Pierre de reproches et pique des colères d'enfant. Pierre perd son calme, mais la fragilité de son compagnon l'émeut : il ne sait quoi inventer pour le consoler. Yves est d'autant plus attachant qu'il est vulnérable et dépendant. Spectatrice éberluée de scènes violentes, Victoire essaie, elle aussi, d'apaiser Yves. Convaincue qu'il parviendra à monter sa maison, elle tente de lui faire partager son optimisme : après tout, Hubert de Givenchy n'avait que vingt-cinq ans lorsqu'il a ouvert la sienne à la Plaine Monceau quelques années auparavant. Yves a beaucoup de talent. Au studio de Dior, il était le meilleur des dessinateurs. Elle le sait capable d'ouvrir une maison, même si elle ne devine pas que le succès sera aussi rapide.

Un après-midi, aux Canaries, elle découvre Yves dans la salle de bain, en train de se bander ostensiblement le poignet : il vient de s'ouvrir les veines. Exaspérée par ce geste de midinette, Victoire le houspille : « Ce que tu viens de faire est idiot, Yves. Tout va bien se passer… Tu es un crétin. Arrête ton chantage. »

Yves lui flanque une gifle.

Diététique amoureuse

Depuis la mort de Christian Dior, Yves a changé. Simple dessinateur, il était joyeux, agaçant à force d'ironie et sûr de lui. Il est nerveux et fébrile. L'angoisse ne le quitte plus.

« Je ne peux pas te dire tout ce que je ressens, ce serait trop long : la tristesse, l'angoisse, la joie en même temps, la fierté, la peur de ne pas réussir », écrit-il alors à sa mère, lorsqu'il succède à Dior.

Les responsabilités l'accablent : il est le directeur artistique d'une entreprise de mille quatre cents personnes réparties dans vingt-quatre ateliers différents. Chacun veut lui parler, connaître son avis, ce qui l'affole. Le garçon peu sociable doit affronter les mondanités liées à sa fonction. Une expérience stressante pour n'importe quel jeune pied-noir ne maîtrisant pas les codes. Et plus encore pour un hyper-émotif qui réagit plus douloureusement que d'autres aux situations déstabilisantes. Les relations sociales le paralysent. À Oran, à l'adolescence, il n'osait plus aller chez ses vieux amis de crainte d'affronter leurs parents[29]. Quelques semaines avant la mort de Dior, l'écrivain René Ehni croise Yves à Oran, dans le cercle des amis de sa mère. « Elles le considéraient comme un garçon agréable qui pouvait leur faire des robes, pas comme un grand couturier. Très discret, il ne bavardait pas mais était capable d'appréciations très pointues[30]. »

À Paris, il emploie toute son énergie à dissimuler ses attaques de panique. Ses émotions le submergent, il n'arrive pas à les contrôler : il sauve les apparences mais les contacts l'exténuent.

« Je n'ai pas eu d'adolescence, avouera-t-il plus tard, je suis devenu célèbre très vite et, d'un naturel timide, j'ai trouvé difficile d'avoir affaire aux autres. »

Le passage au Val-de-Grâce l'a déglingué un peu plus. Morne, désemparé, le système nerveux saturé de neuroleptiques, il est sujet à des crises de fureur.

De retour à Paris, les deux hommes prennent leurs quartiers d'été sur une péniche. Pierre cuisine, Yves gémit, Victoire et Karl, maintenant directeur artistique chez Patou, les rejoignent pour de longues parties de canasta. Le stress provoque chez Yves des alopécies. La crainte de perdre ses cheveux devient une telle obsession qu'il se fait masser le crâne. « Yves s'enrageait contre ceux qui l'avaient abandonné chez Dior. Il s'enroulait un torchon autour de la tête et criait "Regarde, je suis chauve" », raconte Victoire. Comme un enfant cruellement trahi, il se prend la tête.

Sa diététique sexuelle n'arrange rien. Yves goûte les rencontres sauvages et hasardeuses. Durant ses années Dior, il était chaste et frustré. Dans les boîtes homosexuelles qu'il fréquentait avec Karl et Victoire, il jouait les effarouchés. Il se contentait de danser avec Victoire en poussant des cris perçants lorsqu'un garçon l'approchait : « Protège-moi, protège-moi. »

« Comme une femme coquette, Yves était ravi d'attirer l'attention. Mais il ne se passait rien. Pourtant, il était évident qu'il était homosexuel. »

La société se montre de plus en plus répressive à l'égard de l'homosexualité. Le 30 juillet 1960, l'Assemblée nationale a voté le décret Mirguet destiné à combattre ce qu'il qualifie de « fléau » social au même rang que l'alcoolisme et le proxénétisme : « Je pense qu'il est inutile d'insister longuement, car vous êtes tous conscients de la gravité de ce fléau qu'est l'homosexualité, fléau contre lequel nous avons le devoir de protéger nos enfants. Au moment où notre civilisation dangereusement minoritaire dans un monde en pleine évolution devient si vulnérable, nous devons lutter contre tout ce qui peut diminuer son prestige. Dans ce domaine, comme dans les autres, la France doit montrer l'exemple », déclare Paul Mirguet au micro de l'Assemblée. Le décret aggrave la peine encourue pour outrage à la pudeur quand il consiste « en un acte contre nature avec un individu de même sexe ». Les dispositions homophobes ne disparaîtront de la loi française qu'en 1982.

Beau Boualem

Yves attend les vacances à Oran pour avoir des relations sexuelles. Boualem est-il le premier garçon à lui avoir fait mordre l'oreiller ? C'est, en tout cas, le premier amant dont se souvienne sa sœur Brigitte : le maçon qui posait le marbre sur la terrasse de la maison d'Oran.

« Boualem ressemblait un peu à Ralf Valone. Yves, qui devait avoir quinze ans, était discret, mais cette passion n'était un secret pour personne : lorsque l'un disparaissait, l'autre s'envolait en même temps. Puis il y a eu un autre Boualem qui se teignait les cheveux à l'eau oxygénée. À l'école, mes copains me disaient : “Ton frère est une tapette[31]”. »

Elle en parle à sa mère, qui n'est pas dupe.

« Ton frère, c'est le sexe des anges », répond Lucienne Mathieu Saint Laurent.

L'homosexualité de son fils ne la tracasse pas. Petit prince charmant féminisé par une coquette maman qu'il accompagne chez sa couturière, Yves est encouragé à donner son avis sur les toilettes des femmes. À quatre ans, raconte sa mère, il oblige sa tante Renée dont la tenue lui déplaisait à se changer. Exploit d'enfant aimable haussé au rang de prodige ? Ou complaisance de petit page au système nerveux colonisé par des femmes adorablement égoïstes ?

Dans cette famille simple, aimante, légère, rien n'est jamais grave et Lucienne ignore qu'au collège du Sacré-Cœur, son fils est traité de tapette. Si elle le savait, elle n'y accorderait sans doute pas plus d'importance que Brigitte aujourd'hui : « *Tapette, pédé* sont des injures banales de cours de récré. »

Le Sacré-Cœur est fréquenté par des fils de colons machos, braillards gonflés de la fortune récente de parents qui exploitent le vignoble. « Mes camarades de classe avaient fait de moi leur souffre-douleur. Ils me battaient ou m'enfermaient dans les toilettes… C'était de la torture psychologique[32]. »

« Ces types du Sacré-Cœur formaient une caste à part et roulaient des mécaniques. Il y a quelques années, l'un d'entre eux, qui avait été au collège avec Yves, m'a dit : "Saint Laurent, à Oran, on le traitait de pédé[33]" », confirme Robert Guérido, un ami d'enfance d'Yves.

« Pendant qu'ils m'embêtaient, je me disais sans arrêt : "Un jour, tu deviendras célèbre." C'était ma façon à moi de me venger[34]. » Le rêve de gloire dans un quotidien où il se sent invalide a commencé bien avant les mésaventures chez Dior.

Dans cette ville méditerranéenne, l'homosexualité est mal vue. Et avec un Arabe, impensable. On se moque des coiffeurs d'Oran dont certains sont homosexuels.

« Ses camarades le traitaient de tapette, mais ne l'ont jamais tabassé. Ensuite, Yves en a fait des tonnes. Il avait le goût du mélodrame. Avec lui, il faut faire la part de l'exagération : il racontait qu'enfant, il s'était fait mordre par un jars. En réalité, il avait seulement été poursuivi par un dindon... » dit Brigitte.

S'il y a une chose qu'Yves n'exagère pas, c'est sa solitude. Il se sait différent à un âge où l'on aspire à se fondre. « Il y a deux facettes dans ma jeunesse. J'étais heureux dans ma famille mais pas à l'école[35]. »

À Trouville, la station balnéaire proche d'Oran où il retrouve ses copains le week-end et en vacances, ses difficultés passent inaperçues. Il aime s'amuser, faire la fête, danser avec sa bande : Robert Guérido, Simone Tronc, Martine Ducrot, et bien d'autres. Unanimement, tous le décrivent comme un garçon joyeux et farceur. Des dizaines de photos le montrent en gai luron. Yves organise des boums, participe à des fêtes costumées, fait l'intéressant, cancane. Une vraie pipelette : moqueur, persifleur, il adore les ragots. Et aime se faire remarquer. Aucun de ses copains ne s'interroge sur sa sexualité même si tout le monde le trouve un brin efféminé. Yves va dans les surprises-parties au bras de Simone Tronc, sa ravissante petite amie d'enfance aux grands yeux bleus, qu'on surnomme « sa fiancée ».

« Je m'accrochais à cette amie ; avec elle, je pouvais sortir, accompagné d'autres amis, garçons et filles. Ce groupe d'amis ne voulait pas savoir que j'étais homosexuel, par respect. Mais là encore, j'avais deux faces. J'allais avec des anonymes. Des Arabes. Tout était caché. J'avais honte. Tout cela était fait dans la peur, dans l'appréhension[36]. »

Ni sa famille ni ses amis plus proches ne partagent une détresse qu'accroît une sensibilité affûtée. Il est seul, seul jusqu'à l'angoisse. Avec son désir de vengeance.

De six ans l'aîné d'Yves, Pierre vit une sexualité plus libre. Aime-t-il les femmes ? Peut-être. Jamais, en tout cas, il n'a dissimulé sa liaison avec Bernard Buffet. Pierre, le premier grand amour d'Yves, met un terme à des années de refoulement. Leur liaison est orageuse. Selon Victoire, Pierre quitte Yves une première fois en 1959 parce qu'Yves le provoque en multipliant les fugues. Le jeune homme naguère chaste sexe avec frénésie. Nostalgique de l'Afrique du Nord, il s'encrapule avec de jeunes Arabes. Sous les ponts de la Seine, il se met à genoux, pour parler comme Dietrich, devant de beaux gosses méditerranéens. Il leur recoud le bouton (André Gide[37]). Leur fait une politesse orale (Warhol). Une turlute, diraient d'autres. Que lui rapportent ces transactions bénévoles ? Des images plutôt que des sensations. Des scénarios qui alimentent son imagination. Masochiste, Yves est plus cérébral que sensuel. Et puis il manipule son compagnon. Furieux de ces échanges, jaloux, inquiet aussi, Pierre se lance à sa recherche. Un drôle de jeu compulsif qui les absorbe : insatisfait de ces tests organoleptiques aussi rustiques que brutaux, Yves lance vite une nouvelle expédition. Le masochisme, c'est un peu… sec. Ça fait travailler les méninges, pas les muscles. Yves est pareil à une adolescente frigide qui collectionne les expériences dessalées pour éprouver du vertige. Pierre dit qu'il a les yeux de Magali Noël, qui chante *Fais-moi mal, Johnny* :

> Fais-moi mal, Johnny, Johnny, Johnny
> Envole-moi au ciel… zoum !
> Fais-moi mal, Johnny, Johnny, Johnny
> Moi j'aime l'amour qui fait boum !

La fureur de son compagnon pimente le jeu. Yves joue avec les nerfs de Pierre, qui prend leurs proches à témoin[38]. Mais Yves a besoin de lui et tout finit par s'arranger.

Loin de n'être qu'un mari trompé, Pierre ne manque pas de distractions. Alors que débute sa liaison avec Yves, durant l'été 1959, Pierre drague le jeune Matthieu Galey, qui écrit dans son *Journal* le 30 août : « Pierre Bergé est un courant d'air charmeur et insaisissable. Il disparaît sans prévenir, chez Sagan ou autre, et reparaît sans explication ni gêne, plusieurs jours après m'avoir dit "À demain" ; on s'habitue aux éclipses. Je ne suis qu'une parenthèse amusante dans son été mouvementé… »

Quelques mois plus tard, Pierre et Yves emménagent dans leur premier appartement commun : un rez-de-chaussée, place Vauban. Comme le chausseur Roger Vivier, dont l'appartement du quai d'Orsay est un mélange élégant de mobilier contemporain et d'art africain, ils achètent des fauteuils de Charles Eames en cuir noir, des tables de Knoll, des lampes en papier de Noguchi. Et un magnifique dieu-oiseau Senoufo, symbole de fécondité.

« Qui avait convoité cet objet ? Comme d'habitude, Yves a dû rester saisi d'admiration et j'ai dû embrayer très vite. Moi-même je connaissais bien l'art africain. À quinze ans, à La Rochelle, j'appartenais à une société de sciences naturelles. Le muséum d'histoire naturelle possédait une magnifique collection ethnographique[39]. »

Pierre habite avec un drôle d'oiseau : un Yves qui s'échappe par la fenêtre… Dans des lieux vagues, des interstices, il s'efface, en quête d'autres Boualem. Dans le dos du Senoufo est sculpté un serpent.

Un QG de l'OAS

La route d'Oran est désormais interdite à Yves. Le processus de décolonisation entamé en Algérie en 1954 s'accélère et la situation se dégrade de jour en jour. Yves ne peut plus se rendre dans sa famille pour se reposer ou dessiner sa nouvelle collection.

« C'était mieux, d'ailleurs, avec tout ce qui se passait à la maison », dit sa sœur Brigitte.

Sait-il ce qui se trame dans la maison familiale du 11, rue Stora ? Revenu au pouvoir, Charles de Gaulle a préparé l'opinion à l'idée d'une Algérie indépendante. Les pieds-noirs se sentent trahis. En avril 1961, les généraux, Salan, Jouhaud, Challe et Zeller ont pris le pouvoir à Alger. Leur putsch a échoué et donné naissance à l'OAS, l'organisation armée secrète qui regroupe les partisans du maintien d'une Algérie française par la lutte armée. La demeure des Mathieu Saint Laurent devient un des lieux de rendez-vous de l'État-major de l'organisation. Brigitte Mathieu Saint Laurent, seize ans, y croise Edmond Jouhaud, condamné à mort par contumace et qui dirige la section OAS de l'Oranie, ou son adjoint Pierre Guillaume, le modèle du Crabe-Tambour. Ses parents ont remis aux chefs de l'armée secrète une clé du garage, qui leur permet d'organiser rue Stora des réunions clandestines. Comme nombre de ses amis d'enfance, Brigitte est convaincue d'être une résistante (le résistant, un terroriste qui a réussi). Elle apporte une aide logistique à l'organisation, transporte de l'argent, des armes, aide à cacher des membres de l'OAS.

« Dans chaque famille d'Oran, un membre au moins était complice de l'OAS », dit Brigitte.

Oran, préfecture française de la côte algérienne, est la métropole la plus européenne du pays. « La cité elle-même, on doit l'avouer, est laide », écrit Albert Camus dans *La Peste*. « Nos concitoyens travaillent beaucoup, mais toujours pour s'enrichir. Ils s'intéressent surtout au commerce et ils s'occupent d'abord, selon leur expression, de faire des affaires », ajoute Camus.

Ville commerçante, Oran cultive une tradition d'accueil de militants politiques, en particulier les républicains espagnols opposés à la dictature de Franco. Militants de gauche ou syndicalistes y sont actifs. L'extrême-droite est bien implantée depuis les années trente, avec l'abbé Lambert, un moment maire de la ville. « Mais, dans l'engrenage cruel de la guerre d'Algérie, les différences idéologiques ou sociales s'effacent progressivement et la majorité de la population européenne va peu à peu basculer en faveur des thèses de l'OAS[40] », écrit l'historien Benjamin Stora.

La plupart des pieds-noirs, de droite ou de gauche, sont favorables à l'OAS. Brigitte montre une lettre affectueuse envoyée en 2000 par un ami d'alors, qui l'invite à une fête de commémoration. Une trentaine d'anciens de l'armée secrète, « principaux acteurs en Oranie du combat pour garder notre Algérie », se retrouveront autour d'une paëlla. Brigitte admire ces hommes, « restés pour nous sauver ». Parmi eux, Pierre Guillaume et le commandant Robin, qui a participé au Putsch d'Alger. « Tu représenteras dignement Charlie et Lucienne qui nous ont tous accueillis avec tant de chaleur et ce sera une occasion pour leur rendre hommage », écrit son correspondant. Charlie et Lucienne, les parents d'Yves. Brigitte montre la lettre pour prouver qu'elle n'affabule pas. Elle dit les choses avec simplicité : « Vous ne pouvez pas comprendre, vous ne l'avez pas vécu. »

L'arrière-grand-père Charles-Jules, un avocat alsacien, adjoint au maire de Colmar, qui avait quitté son pays natal pour ne pas être allemand, s'est établi à Oran en 1871 et y a été enterré, le grand-père Henri-Jules a été bâtonnier d'Oran, le père, Charles, né en 1909, y est assureur. Pas un instant la famille n'envisage de quitter le pays : elle n'a aucune peine à faire sien le slogan de l'armée secrète, *L'Algérie est française et le restera.* Favorable à cette idée, Yves connaît les sympathies de ses sœurs. Mais avec lui, tout reste dans le non-dit. L'opinion française est ambivalente et les pieds-noirs n'ont pas la cote. « La France voulait tantôt le pétrole du Sahara, tantôt les cœurs des musulmans[41] », écrit Emmanuel Berl. La jeunesse idéologique d'Yves Saint Laurent a-t-elle flambé au soleil noir de l'OAS ? C'est probable.

« Bien sûr, au départ, Yves était favorable aux opinions de sa famille. Mais il n'a jamais voulu s'étendre là-dessus avec moi. Il connaissait mes positions[42] », dit Pierre Bergé. Celles d'un libertaire hostile au colonialisme.

Au moment du putsch des généraux en avril 1961, c'est à Simone Tronc, son amie d'enfance, qui prépare à Paris une agrégation de lettres, qu'Yves téléphone pour avoir des nouvelles d'Algérie,

« C'est effrayant, c'est effrayant, quelle horreur ! » ne cesse-t-il de répéter dans le combiné.

Yves n'a plus de base de repli. Tout se désagrège autour de lui. Pierre le tire du marasme en louant un deux-pièces rue La Boétie où Yves commence à dessiner une collection, entouré d'une poignée de moins de trente ans. Outre Pierre et Victoire, Claude Licard, le dernier assistant de Christian Dior, les a rejoints. Pour financer le démarrage, Bergé a vendu son appartement de la rue Saint-Louis-en-l'Île et des tableaux de Bernard Buffet. Il en possédait beaucoup, les plus belles toiles, les premières, « dures, misérabilistes, rageuses, accusatrices[43] ». Mais il peine à trouver des financiers.

« Nous avions mis la charrue avant les bœufs ! Commandé des tissus, reçu les brodeurs, alors que nous n'avions pas trouvé le moindre franc[44] ! » se souvient Bergé avec amusement.

Yves se désespère : « Pierre n'y arrivera pas ! Je suis fini, tu m'entends, je suis fini », dit-il à Victoire. C'est vrai, les fonds tardent à arriver. Marcel Boussac refusant la création d'une petite maison de couture pour Yves, Pierre l'a attaqué aux Prud'hommes avec l'aide de l'avocat Jean-Denis Bredin[45].

« Mais la somme ne sera versée qu'après le lancement de la maison[46] », précise Pierre Bergé.

En décidant d'ouvrir une maison de couture, Yves fait un choix ambitieux et coûteux. Ce n'est pas la seule option. Il pourrait être designer et travailler pour le prêt-à-porter. Karl a quitté Balmain puis Patou pour devenir un styliste indépendant. Il crée des collections pour la France, l'Italie, l'Allemagne et le Japon et va rejoindre Chloé, la première maison de prêt-à-porter. Une génération de stylistes français représentée par Christiane Bailly, Maxime de La Falaise, Michèle Rosier, Emmanuelle Khanh ou encore Gérard Pipart, commence à exercer avec succès. Yves n'a sans doute pas compris que l'industrie était l'avenir. La haute couture seule paraît à la mesure de son ambition et de la revanche qu'il veut prendre sur Dior. « J'ai commencé par la gloire, dira-t-il quelques années plus tard au *Women's Wear Daily*. C'est flatteur, la gloire, et je fais un métier qui est beaucoup basé là-dessus. »

Esbroufe n°2

Une nouvelle fois, *Paris Match* sert à entretenir ou à créer un phénomène. Alors que son moral est au plus bas, la rusée Victoire a l'idée d'un nouveau subterfuge : annoncer dans le journal la création d'une maison de couture. Elle en parle à Yves, aussitôt séduit, puis à Pierre. Son mari, Roger Thérond, est moins enthousiaste : il n'aime pas les bidonnages et son patron, Jean Prouvost, désapprouve le copinage. Mais Thérond se laisse convaincre et accepte d'emmener Yves et Pierre en week-end à Montgeoffroy, chez Arnold de Contadès, le petit-fils favori de Jean Prouvost. Séduit, le jeune homme devient complice du subterfuge.

« Tout le monde savait que cette histoire était fausse, mais l'idée a été acceptée[47] », dit Victoire.

Le 7 octobre 1961, *Paris Match* n° 652 publie un reportage charmant qui illustre les débuts d'une « nouvelle » maison de couture. Deux millions d'exemplaires vendus. Sur une double page très noire, deux fenêtres sont ouvertes sur la nuit. Des suspensions rondes comme des pleines lunes éclairent la scène. À une fenêtre, le jeune Yves feint de sélectionner des étoffes. À l'autre, la belle Victoire, lunettes de secrétaire et machine à écrire, fait semblant de répondre au téléphone : un lourd appareil en bakélite qui, dans la vraie vie, ne sonne guère. La nuit gomme la précarité de leur installation et lui donne une touche romanesque. « Rue La Boétie, deux fenêtres éclairées toute la nuit. Un grand jeune homme timide de vingt-cinq ans travaille. Après un an de silence, coupé d'une longue maladie, l'ex-deuxième classe Yves Mathieu Saint Laurent vient de créer sa propre maison de couture… » Une annonce bien prématurée pour une maison qui ne compte aucune ouvrière. « Celui qui fut, après la mort de Dior, à la tête d'un empire de mille sujets, repart seul à la conquête de Paris. Il dessine sa première collection qu'il présentera dans trois mois. Il est secondé par Victoire, son mannequin-vedette, qui jouera un rôle important dans la direction de sa maison. » Une petite phrase de trop, qui va coûter cher à Victoire… Ils sont trop nombreux, déjà, à se bousculer sur la photo, comme le montre le reportage qui se poursuit dans les pages suivantes. Le jeune état-major de la « future » maison, Victoire, Claude Licard et Pierre Bergé, se penche avec fierté sur l'épaule d'Yves, assis à sa table de travail, un croquis à la main. Les images l'installent dans son personnage. Le portrait de Christian Dior, comme une présence tutélaire, est glissé dans un miroir en arrière-fond. Yves n'a jamais été très proche de Dior. « Il ressemblait plutôt à un ambassadeur qu'à un couturier. Intellectuellement, il était extraordinaire. Mais nous n'avons jamais eu de conversation profonde. Il ne m'a jamais invité dans sa propriété. Nous avons juste échangé quelques clins d'œil. Nous étions très timides l'un vis-à-vis de l'autre[48]. »

La photo le place sous le parrainage de l'illustre couturier alors même que la maison Dior l'a écarté et que Marc Bohan prépare une nouvelle collection avec des ouvrières bien réelles, lui. C'est que le passage avenue Montaigne est sa seule légitimité. L'ensemble paraît suggérer la tension électrique et joyeuse de la création.

Une mystification, parce que la seule tension, à ce moment, c'est le manque d'argent : impossible de commander les tissus ou d'engager la moindre arpette.

L'imagination, une fois de plus, est plus forte que la volonté puisque ce simulacre va porter ses fruits. Dès le début, Saint Laurent a été un as des médias.

« Ce reportage a permis à Yves, qui ne faisait plus rien, de trouver des fonds. Quelques jours plus tard, Philippe Caron, un cousin financier de Suzanne Luling, une ancienne de chez Dior écartée par Marc Bohan, réussit à convaincre un millionnaire d'Atlanta d'investir dans la société[49] », raconte Victoire Doutreleau.

Jesse Mack Robinson, un assureur de Géorgie de cinquante ans, apporte sept cent mille dollars. Propriétaire d'une écurie de course, il investit sur le jeune homme comme sur un pur-sang. La fiction relayée par *Paris Match* a fait rêver un milliardaire.

« J'avais lu beaucoup d'articles sur Yves Saint Laurent à l'époque où il avait succédé à Dior. J'étais impressionné par un si grand talent chez un si jeune homme[50] », déclarera celui qu'Yves surnomme l'Américain d'Atlanta.

La société Yves Saint Laurent est créée le 14 novembre 1961, le jour où Pierre Bergé fête ses trente et un ans. Selon la biographe Laurence Benaïm, Yves possède 15 à 20 % des parts, Pierre une action d'administrateur, et Jesse Mack Robinson le reste. L'équipe déménage dans les combles d'un ancien atelier d'artiste, celui du peintre Manguin et prépare la collection. Quatre-vingts ouvrières sont engagées, dont la moitié viennent de chez Dior. À leur tête, la mère de Victoire. Avenue Montaigne, Gabrielle Buchaert, vingt-trois ans, qui travaillait chez Dior, a lancé au culot une offre de candidature : elle s'occupera des relations avec la presse.

« Yves Saint Laurent n'avait que deux ans de plus que moi, je l'admirais et j'avais envie de tenter l'aventure[51]. »

En décembre, la griffe Yves Saint Laurent est apposée pour la première fois sur une commande spéciale de Mme Arturo Lopez, femme de milliardaire.

Le travail a démarré rue La Boétie, puis se transporte au 11, rue Jean Goujon dans deux cents mètres carrés de chambres de bonnes reliées. Intéressé par l'aventure de la jeune maison, le magazine *Life* a envoyé le photographe Pierre Boulat. Durant six semaines, dans un recoin du studio, il assiste à la naissance de la première collection et réalise deux cent cinquante photos. L'événement, déjà, se transforme en récit. D'emblée, le travail d'Yves Saint Laurent est un spectacle. N'a-t-il pas déclaré qu'il voulait devenir une légende ?

Six jours avant la présentation, l'écrivain italien Dino Buzzati vient interviewer Yves pour le *Corriere della Sera*[52]. Rue Jean Goujon, il tombe nez à nez avec Yves Saint Laurent qui le renvoie prestement vers Pierre Bergé, « le directeur général de la maison, très jeune lui aussi, mais plus petit et avec le visage aux traits durs d'un homme qui sait où il va... À ce qu'on dit, celui-ci est un génie du lancement publicitaire : le peintre Buffet doit à son aide et à sa protection une part de son extraordinaire célébrité. Maintenant c'est le tour de Saint Laurent ». Beau travail de l'attachée de presse, qui nourrit les deux légendes. Si Bernard Buffet est devenu le plus célèbre (et le plus riche) des peintres d'après-guerre, c'est aussi au travail acharné de son marchand Emmanuel David qu'il le doit. Même si, lorsqu'il était son amant-manager, c'est Pierre déjà qui parlait tout le temps et expliquait les motivations du peintre ! De la même façon, il va devenir le porte-voix de Saint Laurent.

Dino Buzzati, auteur mondialement connu, est curieux de rencontrer Yves Saint Laurent, jeune phénomène que la succession de Dior a entouré d'une aura. Gabrielle Buchaert le conduit dans le studio d'Yves, qui répugne à accorder des entretiens.

« Il pensait que faire des collections suffisait et détestait l'exhibitionnisme », dit Gabrielle, qui se souvient que chez Dior, une journaliste suédoise était sortie d'un rendez-vous en déclarant : « J'ai l'impression d'avoir torturé mon petit-fils[53]. »

L'apparence du jeune couturier, note Buzzati, ne suggère pas l'enfant prodige : elle n'a rien de fatal ni de mystérieux. Pas encore… Le « jeune homme à la silhouette d'antilope » lui paraît surtout bien élevé, sérieux. Physiquement Yves s'est métamorphosé depuis la rencontre avec Pierre. Il a gagné en élégance. Les lunettes en fil de fer ont fait place à des montures d'écaille. Il a changé sa raie de côté et se coiffe en « queue-de-canard », coiffure popularisée par James Dean ou Elvis Presley et, en France, Johnny Hallyday. Mais, malgré sa blouse blanche, Yves reste gauche. Ses mains fragiles et élégantes triturent nerveusement un presse-papiers en argent. La voix est détimbrée, le regard fuyant. Sa confusion gagne Dino Buzzati, et les deux hommes n'échangent que des banalités. « De temps en temps un silence embarrassé alourdit l'atmosphère. » L'auteur du *Désert des Tartares*, intimidé par cette présence muette, quitte le couturier avec la certitude d'être passé pour un imbécile. L'écrivain a-t-il deviné qu'Yves, aussi emprunté, partageait sa crainte ?

Un cierge à saint François-Xavier

Son anxiété, Yves Saint Laurent tente de la conjurer par la superstition. Le 30 bis, rue Spontini, adresse excentrée, lui a d'abord fait peur : « Personne ne viendra », a-t-il dit. La porte Dauphine, c'est vrai, est loin du cercle magique des maisons de couture. Chanel est située rue Cambon, Christian Dior et Balenciaga avenue Montaigne, mais Hubert de Givenchy n'a pas hésité à s'installer à la plaine Monceau et André Courrèges avenue Kléber. Puis, visitant cet hôtel qui a été l'atelier de Forain, Yves a découvert, outre un dessin du peintre, une carte à jouer retournée. Un dix de trèfle[54].

Le porte-bonheur a balayé ses doutes. Pour mettre toutes les chances de son côté, le matin du 29 janvier 1962, il a allumé un cierge à l'église Saint-François-Xavier.

« En 1960, on pouvait dire que j'avais des bonheurs, on ne pouvait pas parler de style[55] », a dit Yves Saint Laurent.

C'est encore vrai en 1962. De toutes les robes créées cette première saison, la plus intrigante est une robe de cocktail portée par Victoire, qu'Yves appelle sa Goyesca. Noire, elle est ceinte d'un ruché de chrysanthèmes. Faute d'effeuiller la marguerite, Yves offre à Victoire, coiffée d'un crêpe de deuil en mousseline comme une femme de Goya, une couronne mortuaire grandeur nature. La mousseline noire, qui évoque pour lui le soir, est un de ses matériaux favoris.

Sa mode n'est pas lyrique, mais elle a sa touche de drame. Trente ans plus tard, il déclarera : « De collection en collection, la même image est présente à mon esprit : celle de Victoire, mannequin sublime et muse merveilleuse. Je me souviens d'une robe noire brodée de gros chrysanthèmes et, surtout, du voile qui la coiffait... Si je m'étais marié, c'est Victoire que j'aurais épousée[56]. » Le 29 janvier 1962, la mariée était en noir. Est-ce une allusion à ses difficultés avec les femmes, que pourtant il aime ? Ou à un autre lien organique dont il est en train de faire le deuil, celui qui le rattache à l'Algérie ?

À l'abri des chocs et des bousculades de la vie active, la mode est un cocon ignifugé. Conte peuplé de femmes extraordinaires et d'étoffes surnaturelles, imperméable aux convulsions historiques, elle n'a ni état d'âme ni mémoire. Elle vit à son rythme propre, dans un espace-temps sèchement rythmé par le métronome des collections. De même que, durant la guerre, Balenciaga a poursuivi son commerce, substituant à la clientèle des Rothschild celle des maîtresses d'officiers allemands ou que Chanel a entretenu une liaison avec un officier nazi, Yves se réfugie dans une extra-territorialité féerique, une vie fictive, où nul ne parle sa langue maternelle.

5 juillet 1962, massacre à Oran

Yves a beau s'abstraire, il est touché au cœur. La guerre d'Algérie l'atteint au vif. La terreur a surgi au creux de l'enfance. Aux fenêtres de la maison familiale, rue Stora, son père a fait poser des grillages anti-bombes. Le pays se dirige vers l'indépendance dans les pires conditions. La robe de Goyesca est peut-être la traduction inconsciente de ce drame, rupture majeure dans sa vie.

À Oran, la famille d'Yves vit dans un climat meurtrier. Disposant de nombreuses complicités dans l'administration, l'OAS agit en toute impunité, multipliant les attentats, les hold-up, les vols d'armes, les meurtres. Après la signature des accords d'Évian, le 18 mars 1962, l'organisation redouble de violence : on dénombre près de cinq cents morts à Oran entre mars et juin, dont quatre cent dix Algériens. Dans un récit sobre, *Oran, langue morte*[57], l'écrivain Assia Djebar raconte le meurtre de ses jeunes parents, militants syndicaux. Dans la chambre d'une clinique d'Oran où son père diabétique était soigné, trois hommes travestis en médecins ont fait irruption et abattu le malade et sa jeune épouse. Un drame parmi d'autres. Oran est saturé de haine et de vengeance. Le 5 juillet 1962, l'Algérie proclame son indépendance. Les quartiers européens d'Oran sont vides, les magasins éventrés, les ordures s'amoncellent au milieu des rues. « Oran est devenu cette ville de la peste que décrivait Albert Camus[58] », écrit Benjamin Stora. Lucienne, Michèle et Brigitte Mathieu Saint Laurent ont abandonné le plateau devenu dangereux, pour s'installer dans la maison de Trouville, au bord de la mer.

« Nous attendions la fin des vacances pour voir ce qui allait se passer », dit Brigitte.

Les départs s'intensifient au rythme de huit mille par jour. Plus de la moitié des Européens, près de cent mille personnes, ont déjà quitté la ville.

« La plupart de nos amis étaient partis. Mais nous ne voulions pas quitter nos parents. »

Y a-t-il, dans cette famille qui cultive l'insouciance, un refus aveugle de la réalité ?

« À Trouville, l'atmosphère était étrange. Il n'était plus question d'aller se baigner. Des types rôdaient autour de la maison. »

Mais c'est quand même là qu'elles se trouvent ce 5 juillet 1962.

Ce jour de l'indépendance, Charles Mathieu Saint Laurent travaille dans son bureau lorsque commence le carnage le plus meurtrier de toute la guerre. Des centaines d'Européens sont massacrés dans les rues pendant près de six heures. Les accords d'Évian garantissent la sécurité et les droits des citoyens français mais lorsque la chasse à l'homme démarre, l'armée française, avec à sa tête le général Katz, reçoit du président Charles de Gaulle l'ordre de ne pas bouger. La France abandonne à la vengeance ses ressortissants.

Serge Lentz, reporter à *Paris Match*, assiste à ce drame[59] :

> 12 h 50 : autour de nous, des soldats musulmans embusqués dans les porches tirent à l'aveuglette.
>
> 12 h 55 : nous embouchons le boulevard du 2e Zouave. Une mitrailleuse lourde se déchaîne, puis une autre. Nous restons paralysés. [...]

13 h 20 : nous avons trouvé refuge dans une caserne de zouaves. On nous offre à manger, mais nous sommes incapables d'avaler quoi que ce soit. Un cadavre est affaissé devant la porte de la caserne. C'est un musulman (vraisemblablement un harki) que d'autres civils musulmans ont poursuivi jusqu'ici. [...]

14 heures : vers le quartier Saint-Eugène, un vacarme énorme se déclenche. Mortiers, grenades, mitrailleuses lourdes, tout y passe. [...]

15 h 15 : je vois une longue colonne d'Européens qui remontent la rue ; plus de quatre cents. Les visages sont durs, fermés, certains sont tuméfiés. La colonne est silencieuse. C'est un spectacle poignant.

Charles Mathieu Saint Laurent, le père d'Yves, fuit la ville au volant de sa puissante Cadillac. Il fait très chaud, le sirocco s'est levé. Vers le boulevard de l'Industrie, des coups de feu sont tirés sur des conducteurs, dont l'un, touché, s'affaisse au volant, tandis que sa voiture s'écrase contre un mur. Sur le boulevard du Front-de-Mer, on aperçoit plusieurs cadavres. Une Européenne qui sort sur son balcon est abattue. Près du cinéma Rex, une victime est pendue à un croc de boucher. Des Français affolés se réfugient dans les locaux du journal *L'Écho d'Oran* ou s'enfuient vers la base française de Mers el-Kébir. Pris dans une émeute, Charles Mathieu Saint Laurent parvient à forcer la foule avec sa grosse cylindrée. Il rejoint la route de corniche qui mène par le littoral à la plage de Trouville, où il retrouve sa famille.

« Il est arrivé blanc comme un linge. Sans cette grosse voiture, il y laissait sa peau. Un de ses proches amis, Armand Flandrin, n'a pas eu autant de chance et a disparu. »

Ces assassinats d'innocents terrorisent la population européenne qui plie bagage. Dans les jours qui suivent, Michèle, vingt ans, et Brigitte, dix-sept ans, embarquent à bord d'un cargo en partance pour Boulogne-sur-mer, où elles débarquent le 14 juillet sous les fusées du feu d'artifice.

« Depuis, je déteste les feux d'artifice. »

Le massacre d'Oran laisse une plaie qui n'est pas refermée. Harkis et Européens ont été offerts en holocauste, au sens biblique du terme, aux anciens opprimés. Les membres de l'OAS, eux, avaient quitté depuis longtemps l'Algérie pour l'Espagne. L'État, machiavélique, a abandonné des malheureux qui ne servaient plus à rien. Aujourd'hui encore, des familles cherchent la trace de disparus. Le 5 juillet 2009, l'association Jeune Pied-Noir a acheté une demi-page du *Figaro* pour réclamer la vérité sur un massacre dont on ignore toujours le nombre exact de victimes. On parle de trois cent cinquante, quatre cents Français d'outre-mer tués en une journée.

« Cette page honteuse de l'histoire française, moment épouvantable de massacres et de disparitions d'Européens, n'a jamais cessé d'habiter l'imaginaire pied-noir dans les douleurs de l'exil, au lendemain de l'indépendance. Comme une marque ineffaçable[60] », écrit Benjamin Stora. D'autant plus ineffaçable que, selon sa fâcheuse habitude, la France est incapable de procéder à un examen de conscience salutaire, à une remise en question qui apaiserait les victimes et libérerait le pays des fantômes culpabilisants du passé.

À la lumière du présent, le passé paraît simple. S'ériger en procureur d'une période est facile lorsqu'on s'appuie sur de confortables schémas intellectuels. Lorsqu'on connaît la chute, réécrire l'Histoire n'est pas honnête.

De ce drame, peu de traces dans la biographie d'Yves Saint Laurent. « J'ai l'image poignante de ma mère et de mes sœurs à Paris, dans une minuscule pièce que j'avais louée pour elles et où elles viennent d'arriver avec leur chien. Moi, à ce moment-là, j'ai un appartement modeste et je ne peux pas les loger. Mais bientôt ma mère déménage. Ce qui lui manque, c'est le soleil d'Algérie, moins beau, pourtant, que le soleil du Maroc[61] », raconte-t-il, des années plus tard.

La famille d'Yves explose. Brigitte se réfugie en Espagne où se sont exilés de nombreux membres de l'OAS. Elle épouse à Séville son premier mari, Jean-Pierre Vic, « quelqu'un qui en avait fait pas mal, sans être un grand chef de l'OAS », et devra attendre la première amnistie, en 1964, pour s'installer avec lui dans le Midi. Les anciens hôtes de ses parents sont à la prison de Tulle : Edmond Jouhaud a été condamné à mort et Pierre Guillaume à douze ans de réclusion. Dans la Caravelle qui le ramenait en France, celui-ci a abandonné la clé de la rue Stora.

Lucienne et Charles Mathieu Saint Laurent se séparent amicalement. Après avoir, pendant une année encore, tenté de liquider ses affaires et laissé derrière lui presque toute sa fortune, Charles cultive des roses en serre à Biot près de sa fille tandis que Lucienne s'est installée à Paris, près de son fils. À son retour en France, Yves balance à sa mère une grenade défensive : « Ne joue pas à la rapatriée. »

Non seulement les pieds-noirs sont assimilés à des assassins colonialistes, mais en plus ils sont vulgaires : on les surnomme les *couscous-merguez*. Lucienne obtempère, redoutant la réaction de son fils.

Oran devient un sujet tabou.

« Jusqu'à la mort de notre père en 1988, je n'ai plus jamais parlé de l'Algérie avec Yves », dit Brigitte.

Comme les Français qui ne veulent plus évoquer la tragédie ni leurs contradictions, Yves refuse d'affronter son histoire. Il y a quelque chose de pathétique dans ce parti pris de détachement, de distance morbide. Enragé et impuissant, il s'esquive. Quand on ne se confronte pas à la douleur, on cesse de grandir, rongé par les poisons du passé. Il faudra vingt-cinq ans pour qu'Yves Saint Laurent se décide à parler.

Yves à Tokyo

Accompagné de Victoire, Yves s'envole vers Tokyo pour présenter la collection printemps-été 1963. Kuniko Tsutsumi, héritière des grands magasins Seibu et fan d'Yves depuis les années Dior, a permis la signature d'un accord important : Kuniko sélectionnera dans la collection de couture une série de modèles dont les échantillons seront envoyés au Japon et fabriqués sur place par des ouvriers formés pendant deux ans à Paris. Les vêtements ainsi taillés à Tokyo seront vérifiés à Paris. Certes, le processus est aussi coûteux que compliqué mais, à terme, il va se révéler très payant.

Durant son voyage, Kuniko emmène Yves à Kyoto, où il découvre les temples zen. « Cet homme est aussi fragilc qu'un oisillon », écrit le japonais Mishima dans un petit bijou très saganesque, *L'École de la chair*, qui tient la chronique romancée de cette excursion. Apprenant que ses robes du soir ont été bloquées par la douane, le couturier s'évanouit en coulisses.

« Il s'est évanoui ? Quel chic ! » s'exclame un des personnages.

Le défilé commence sans les tenues du soir.

« Elles avaient toutes de grands chapeaux en forme de bol, des manières de poissons rouges enfermées dans un bocal et marchaient, impassiblement, en lançant de brusques sourires. »

Enfin les robes arrivent en voiture de police avec sirènes et le couturier se ressaisit.

« Dès qu'il a appris la nouvelle, il a repris vie. Finalement, il a des nerfs d'acier. »

Des nerfs d'acier ? En tout cas, sous l'apparente fragilité, une volonté chauffée à blanc.

Cette collection printemps-été 1963 est la dernière pour laquelle Victoire défile.

Le trio amical s'est lentement fissuré. La jeune voyoute que Christian Dior avait transformée d'un coup de bas couture en femme élégante et sexy, Yves l'a idéalisée. Taille marquée, bouche sensuelle, pulpeuse, Victoire a incarné l'ultra-féminité du *Newlook*. Lorsqu'Yves a été hospitalisé au Val-de-Grâce, Victoire et Pierre sont devenus intimes. Ils ont dîné en tête à tête, se sont retrouvés chez lui, rue Saint-Louis-en-l'Île, pour écouter de la musique. Tous deux d'extraction modeste, durs et ambitieux, ils ont des points communs. Et puis Pierre, pour Victoire, c'est un peu d'Yves dont elle continue à être éprise.

« Pierre, alors, aimait les gens. Il était un grand frère chaleureux, vraiment chaleureux. Extrêmement sympathique. Et vrai », dit Victoire avec nostalgie.

Pierre Bergé a un charme enveloppant. Séduisant et protecteur, il plaît aux femmes en leur disant ce qu'elles ont envie d'entendre.

À présent, Victoire est en disgrâce. Pendant trois ans, Pierre, Yves et elle ont été inséparables et, depuis quelques mois, l'atmosphère a changé. Le mélange des genres, business et sentiments intenses, si caractéristique de la maison YSL, se retourne contre elle. Travailler avec deux hommes dans un rapport ambigu n'est pas simple. Il y entre de la jalousie, de l'envie, de la rancune.

« Jusque-là, Pierre était aussi charmeur que charmant », dit-elle.

Lorsqu'Yves sourit à Victoire, Pierre lui fait la tête. Lorsque Pierre lui sourit, c'est Yves qui fait la tête. Leur relation, au fond, tient à un cheveu. Tour à tour et jamais en même temps, ils la malmènent. Victoire s'inquiète, d'autant qu'elle n'a pas de contrat : elle a travaillé pour Yves, l'a aidé à lancer la maison, l'a soutenu, sans penser à formaliser son rôle de directrice des salons.

Quand William Klein vient filmer les ateliers pour la télévision française, Victoire ne peut masquer la tension sur son visage. Elle est la première victime de la maison qu'elle a contribué à bâtir. La subtile mécanique de l'enchantement s'est grippée. Un déjeuner chez la baronne de Turckheim scelle la rupture. Victoire arrive en retard au volant de son Alfa Romeo rouge, cheveux au vent. Sans le chignon réglementaire. Jugeant son vestiaire trop habillé, elle a emprunté dans la collection un vêtement qui n'a pas été conçu sur mesure pour elle. Pour cette escapade à la campagne, elle est chaussée de bottes, pas d'escarpins à talon. Normal, pour une fille qui vient d'assister au grand concert organisé place de la Nation par son ami Daniel Filipacchi avec Sylvie Vartan, Johnny Hallyday et Richard Antony. Une lectrice du magazine yéyé *Salut les Copains* ! Mariée à un journaliste de *Paris Match*, le journal à la mode des années soixante, Victoire a le regard braqué sur l'actualité. L'image de mode la plus contemporaine de l'année 1962, c'est celle de Françoise Hardy, une adolescente photogénique qui chante *Tous les garçons et les filles*, le tube de l'été, en grand pull V porté devant derrière. Ses cheveux raides ignorent la mise en plis ou la permanente. Hardy impose une élégance désinvolte, une simplicité androgyne et dépouillée qui démonétise les artifices conventionnels.

La désinvolture de Victoire décoiffe ses complices : Yves est chiffonné, Pierre affiche une mine pincée. Un mannequin-maison est en représentation, il incarne l'image du couturier, Victoire ne joue pas le jeu. À table, devant la baronne, la jeune femme essuie une remarque cinglante : « Ça doit être bon, le potage aux cheveux. » Ce cheveu fait déborder le vase.

Chacun pour soi est reparti, dans l'tourbillon d'la vie, chante Jeanne Moreau cette année-là dans *Jules et Jim.* Victoire Thérond abandonne la rue Spontini… et file s'acheter une redingote chez Courrèges.

« Le tout jeune Saint Laurent était un être gentil et un couturier faible aux côtés duquel œuvrait un maquignon, Pierre Bergé[62]. »

Bing ! Petite femme rudement décidée en salopette blanche, Coqueline Courrèges prépare un expresso avec une cafetière Magimix, certaine que son interlocuteur aura besoin d'une dosette de psycho-stimulant. Gamine septuagénaire, elle manœuvre dans une station orbitale perchée sur les toits de la rue François-1er. Un volume clair, joyeux et doux, entre Bauhaus et bande dessinée, qui met illico de belle humeur, où elle dessine des vêtements et des voitures électriques au milieu de figurines Marsupilami.

Quand Coqueline a rencontré André Courrèges chez Balenciaga en 1951, elle avait seize ans et venait d'entrer comme arpette. Lui, l'ex-ingénieur des Ponts et Chaussées, était coupeur. Formés par le grand technicien de la haute couture, ils le quittèrent pour travailler ensemble.

« Travailler, non. Apprendre. »

Peter Pan de l'âge du Spoutnik, Courrèges ne pense pas mode, mais mode de vie. Influencé par le Bauhaus, comme Pierre Cardin ou Paco Rabanne, il cherche à élaborer un vestiaire fonctionnel. Soutenu par Dupont de Nemours que son aventure intéresse, il fait tisser une gabardine épaisse qui donne à ses vêtements leur allure architecturée : un fil de laine pour la rondeur et le gonflé de l'étoffe, gainé d'une fibre synthétique pour obtenir des couleurs franches à la teinture. Courrèges épure la coupe, supprime pinces de poitrine et d'omoplates et ne conserve que les coutures indispensables. Sa femme Coqueline exécute les vêtements. Il conçoit, elle réalise. Pour une seule cliente, d'abord, une amie.

« Notre métier est long et dur. Au début, il ne faut compter que sur soi-même. »

Puis ils passent à trois clientes.

« Une grande, une petite ronde et, récréation formidable, une dame bâtie normalement. »

André cherche, Coqueline apprend, ils expérimentent.

« Jusqu'où peut mener la technique, ça s'appelle faire des expériences. Il faut essayer. La grande joie, c'est lorsque c'est réussi. »

Courrèges ne cherche pas à devenir riche ou célèbre, mais à exprimer ses idées. Découvrir des formules neuves, être curieux : son modèle est Le Corbusier.

« André voulait améliorer le monde avec trois mètres de tissu. »

De fil en aiguille, il ouvre une maison de couture avenue Kléber, un an avant Yves Saint Laurent.

« À un moment donné, vous avez un bagage. L'aventure est là et vous en prenez plein la figure. Mais avec des raisonnements sages, vous progressez. Et vous ne perdez pas de clientes. »

En 1961 le pantalon apparaît dans une collection de couture. Certes, Poiret en avait dessiné en 1906, et les Françaises en achètent davantage que de jupes. Regardé comme un vêtement de sport peu élégant, il est interdit aux filles d'en porter en classe. Chanel en porte, mais à la plage uniquement, parce que le pantalon lui semble plus seyant que le costume de bain. Le succès de Courrèges est instantané : Jackie Kennedy, la femme du nouveau président américain, adopte la maison, tout comme celles que Coqueline nomme les « femmes de mari » : les épouses de chefs d'entreprise, qui, dans une économie en plein boom, accompagnent activement la trajectoire de leur époux.

En 1964, André Courrèges présente une collection visionnaire, imaginant une garde-robe radicale avec un esprit d'architecte : la forme suit la fonction. Pour la première fois, des mannequins défilent sans hauts talons ni chapeau avec des vêtements adaptés à la vie pratique, échancrés pour l'aisance et le geste. La plupart sont blancs, mettant en valeur la pureté de la construction. Mini-jupes, robes trapèze au-dessus du genou pour monter les marches quatre à quatre, redingotes portées avec des bottes chaussettes. « Je dois faire court, déclare Courrèges, car la femme monte l'escalier. » Il y a des pantalons à taille basse et jambes étroites destinés à toutes les heures de la journée.

Arme de destruction massive, la collection Courrèges fait du passé table rase. Sous l'effet du souffle euphorique, l'ancienne garde-robe est disloquée et toute la haute couture irradiée. Courrèges a subverti l'ancienne syntaxe, cassé les conventions avec des propositions inusitées. La poésie vitaminée de son vestiaire frais et optimiste périme le reste. L'impact graphique de ses figures libres est si puissant que l'œil, aussitôt, oublie les propositions de la veille. Peter Knapp, le directeur artistique de *Elle*, offre à Courrèges dix pages dans son magazine. Un photomontage montre des mannequins en apesanteur : la couture, empesée, sort de ses gonds.

« André a réussi à devenir un grand couturier entre ces deux ténors qu'étaient Chanel et Balenciaga. Sans singer l'un ni l'autre ! » se réjouit Coqueline, qui traverse le studio sur des *babies* rouges en cuir souple.

En rupture avec l'histoire de la mode, il initie une nouvelle mathématique des formes.

« Comment sait-on si l'on a réussi ?

— Quand une dame achète, porte et revient. »

Courrèges est un aventurier des années soixante, un inventeur culotté.

« Pantalonné ! Saint Laurent, lui, n'était pas moderne. Il ne vivait pas dans son époque, la preuve, il collectionnait des antiquités... La haute couture était finie... Il a joué les prolongations. On ne peut pas continuer quand le contexte mondial est changé », ajoute Coqueline, cheveux en bataille.

Gina Lollobridgida

Au milieu des années soixante, la France découvre à Orly les terres promises du XXe siècle. Luxueusement vitré, l'aéroport est le monument le plus visité de France : trois millions de badauds en 1963, quatre en 1965. « Si jamais un ouvrage justifia la fierté de ceux qui l'ont fait, c'est bien celui que voilà, qui va à la rencontre de la terre et du ciel », a dit le général de Gaulle, le jour de l'inauguration. Gilbert Bécaud chante *Dimanche à Orly* et Chico Buarque, *Samba de Orly*. Les Français se passionnent pour la conquête de l'espace et la rivalité entre les puissances américaines et soviétiques. Lorsque les Russes expédient Youri Gagarine dans l'espace, John Kennedy promet qu'un homme posera bientôt le pied sur la lune. Dans *Paris Match*, les aventures de Gagarine, d'Alan Shepard, de John Glenn, paraissent aussi excitantes que le chantier de Brasilia.

Rue Spontini, Yves se défoule contre Courrèges en crayonnant des épisodes d'une bande dessinée dont l'héroïne s'appelle *La vilaine Lulu*. Lulu se rend chez Courrèges et barbouille les vendeuses immaculées de ses mains trempées d'encre noire. Dans la presse, Yves raille Courrèges, « ce couturier alchimiste qui, revêtu d'une blouse blanche, s'enferme dans son laboratoire et invoque saint Le Corbusier avant de dessiner le moindre colifichet ». La vérité, c'est qu'Yves est en panne d'inspiration.

La maison Saint Laurent file un mauvais coton. Les collections des premières saisons ont remporté un succès d'estime, mais elles manquent de caractère : elles sont appliquées, un brin barbantes. Les modèles sont classiques, bien faits, mais pas exceptionnels. Yves Saint Laurent ne sait pas encore très bien qui il est ni où il va.

L'été 64, alors que Courrèges triomphe, la presse étrille une collection qu'elle juge conventionnelle. « Saint Laurent habille les grands-mères », écrit une influente critique. Ennuyeux, quand les femmes ne songent qu'à faire oublier leur âge. Même la sexagénaire Marlene Dietrich, grand animal de mode, ne jure plus que par les jeans Newman[63].

La maison Saint Laurent végète et les commandes des acheteurs professionnels ne cessent de décroître. Une des premières vendeuses note qu'elle vend dix fois moins qu'auparavant chez Dior.

Quelques clientes importantes commandent à profusion : le clan Kennedy emmené par Lee Radziwill (qui, pour elle-même, est plus raisonnable), Marie-Hélène de Rothschild, Liliane Bettencourt ou Hélène Rochas. Avec des budgets presque illimités, elles passent leur journée en essayage, de maison en maison. Toute peine mérite salaire et, cette année-là, Hélène Rochas est élue « femme la mieux habillée du monde » par le magazine *Vanity Fair*. Des actrices, comme Liz Taylor ou Nathalie Wood, des amies, comme Zizi Jeanmaire ou Charlotte Aillaud, s'offrent une ou deux pièces par an. Il y a les clientes à qui on fait une ristourne, comme la duchesse de Windsor parce qu'elle est une femme-sandwich. Celles à qui on feint d'en faire. Il y a aussi la cliente qui passe la journée en essayages sans acheter, telle Gina Lollobrigida qu'accompagne sa propre couturière, laquelle copie ensuite les modèles jusqu'à ce que Pierre se fâche et l'oblige à signer un bon de commande.

S'habiller en couture est un mode de vie chronophage. Entièrement fabriquée à la main, chaque pièce est un objet artisanal unique qui exige de subir sept, huit essayages dans les salons de la maison de couture tout en racontant sa vie à « sa » vendeuse, Marianne ou Jacotte, qu'on affecte de traiter comme sa meilleure amie, tandis qu'à ses pieds, la première d'atelier arrange un ourlet et qu'une arpette ramasse les épingles en affectant de ne rien entendre. Cette extrême attention à soi-même est l'expression d'un haut degré de civilisation, et les civilisations sont fragiles.

Coqueline a raison, Saint Laurent arrive trop tard. La haute couture, c'est fini. D'ailleurs Jesse Mack Robinson, l'Américain d'Atlanta, cherche à revendre ses parts.

« La seule collection que j'ai ratée, un fiasco complet, l'année même de l'apparition et du succès de Courrèges, je n'avais pas de bons mannequins et je n'ai pas été inspiré[64] », a dit Yves Saint Laurent.

Fils de Dior, Yves ne s'intéresse pas à la technique, mais au dessin. Plus intuitif qu'intellectuel, il a besoin pour créer d'une femme inspirante dont il formule les désirs en vêtements.

Dani-elle Luquet de Saint Germain

> « Une femme facile à habiller est une femme qui a des épaules, un cou, un port de tête, des jambes. »
>
> Yves Saint Laurent

> « Mes mannequins, c'est la vie de mes robes et je veux que mes robes soient heureuses. »
>
> Christian Dior

Elle s'appelle Danielle Luquet de Saint Germain. Comme une quille, sa tête minuscule est posée sur un corps élancé. À vingt ans, elle vient de se marier et cherche un emploi.

« Rue Spontini, la directrice de la cabine m'a demandé d'ôter mes vêtements pour passer une robe de la collection précédente. Arrivée avec un béret qui m'avait décoiffée, je n'avais pas pensé devoir me changer. Je me sentais désarmée. »

Yves Saint Laurent est immédiatement séduit par l'image qui se reflète dans les miroirs du studio. « Formidable », lâche-il, laconique.

« Je cherche systématiquement des filles qui ressemblent aux filles du moment, à ces filles ou à ces femmes qui collent bien à leur temps... Il y a une fille qui m'a beaucoup aidé, un mannequin, Danielle. Elle arrivait de Lyon, elle avait fait très peu de mode et, quand je l'ai choisie, je me suis aperçu que son corps, ses gestes étaient typiquement ceux de la femme d'aujourd'hui. Ils étaient là[65] ! » a dit Yves Saint Laurent.

Danielle, grande rousse aux yeux écarquillés comme des phares d'Austin Cooper, est bien la fille du moment. Chaque époque sécrète un type de *femme à la mode*, un corps, une gestuelle, une coiffure. Les années soixante valorisent une femme jeune, sportive, active. Une *femme dans le vent*, expression qui suggère légèreté et entrain de la femme qui avance, qui s'assume. Le mannequin sophistiqué, l'élégance classique et même... la haute couture, c'est daté. Yves a trouvé la junior idéale, une fille de bonne famille qu'il juge attirante sans être choquante.

Un profond changement est à l'œuvre en France : la société est secouée dans ses racines les plus profondes. À cette date charnière, le pays en a terminé avec la période de reconstruction et de rattrapage de l'après-guerre comme avec la décolonisation. Après un effort de vingt ans, les Français ont pris conscience qu'ils pouvaient dételer, travailler moins, faire moins d'enfants. En 1965, pour la première fois depuis la guerre, natalité et durée hebdomadaire du travail décroissent.

Le livre de poche et les grandes surfaces commerciales, lancées en 1963, se répandent. L'université de Nanterre, témoin de la multiplication du nombre d'étudiants, est inaugurée. L'expression de valeurs hédonistes est encouragée, la jouissance légitimée. Le nu se répand, au cinéma comme dans les magazines.

Yves n'a pas besoin d'étudier les statistiques de l'Insee pour savoir que la demande se renouvelle et que les acheteurs de vêtements sont, et de loin, d'abord les quinze-vingt-cinq ans. Jusqu'aux années soixante, il n'existe pas de mode pour les adolescents. Une jeune fille abandonne ses habits de fillette pour ceux de dame. Pour la première fois, la jeunesse forme une classe d'âge qui donne le ton avec ses codes et sa culture propres. La mode n'est plus réservée à une élite sociale mais imposée par la nouvelle génération qui adopte les mêmes codes, toutes classes sociales confondues. La jeunesse récolte les fruits de la croissance et dispose d'un budget qu'elle dépense à sa guise, notamment en vêtements et musiques, ses signes distinctifs. Les baby-boomers, qui écoutent et lisent *Salut les copains*, portent leur propre mode : jeans et blouson. Sylvie Vartan et Françoise Hardy ont plus d'influence sur leur style que Marie-Hélène de Rothschild.

À la lisière du vieux monde, Yves trafique avec l'ordre ancien. Béret et cheveux en bataille, Danielle est le petit messager du futur auprès de lui. Partout, une conscience de génération remplace la conscience de classe : la jeunesse devient le point de référence. Mai 1968 sera le symbole de cette évolution. Cette idée de la jeunesse, Courrèges a essayé de la traduire avec les moyens de la Couture. Yves va inventer autre chose. Danielle a un style bien à elle et la désinvolture de son âge. Il l'engage sur le champ comme mannequin-cabine.

« Yves Saint Laurent inspectait la façon dont j'arrivais habillée. J'étais très jeune et ne portais pas de vêtements de haute couture au quotidien[66] », se souvient Danielle.

Née à Annonay, Danielle est la cinquième d'une famille de huit enfants. Pour les habiller, une couturière vient à domicile et recoupe les vêtements des aînés. Héritant de rebuts, Danielle réalise ses propres tenues en s'inspirant des pages de *Elle :* c'est une styliste-née. La jeune femme, qui consomme de la mode et en même temps la produit selon une syntaxe extérieure à la haute couture, incarne une nouvelle façon de se comporter. À l'image de son prénom au genre indécis, sa garde-robe est équivoque.

« Un matin, je suis arrivée en même temps qu'Yves, vêtue d'un pantalon et d'un trench d'homme. Lorsque je suis montée au studio après la présentation de la collection, il m'a demandé si je pouvais mettre ma tenue à sa disposition pour qu'il s'en inspire. »

Des vêtements masculins ! Yves a vite fait de repérer que Danielle en porte, ce qui l'émoustille. Si ses superbes pantalons viennent de chez Dorothée Bis, la boutique de la rue de Sèvres où travaillent de jeunes stylistes comme Christiane Bailly, Maxime de La Falaise, Michèle Rosier, Emmanuelle Khanh ou encore Gérard Pipart, son trench arrive du rayon homme des Dames de France.

« J'ai insisté sur son aspect anodin, mais il m'a expliqué qu'il comptait le transposer dans d'autres tissus. »

« Un imperméable, c'est merveilleux. Ça peut aller sur n'importe quoi, même un pantalon du soir », lui dit-il.

Danielle devient l'égérie d'Yves, sa source d'inspiration, sa banque de données.

« Elle se mettait en scène et se renouvelait sans cesse. Chaque saison, elle changeait de tête[67] », dit Gabrielle Buchaert.

Aussi ronde et blonde que l'autre est svelte et rousse, la jeune attachée de presse éprouve une secrète admiration pour la grande tige, dont elle voudrait posséder l'aristocratique nonchalance. Intelligente et passionnée de mode comme tout grand mannequin, Danielle danse avec le couturier une valse muette et créative.

« J'avais une façon de marcher très désinvolte : les mains dans les poches. Cela ne se faisait pas en haute couture. La création, chez Yves Saint Laurent, est une osmose entre le tissu et la façon de bouger. Nos postures l'aident à s'exprimer. »

Sa dégaine fait vivre les vêtements.

« Je n'avais rien à lui apprendre, au contraire, c'est elle qui me débarrassait de toutes les références et réminiscences démodées, la poussière de la haute couture… Elle m'a fait avancer[68] », a dit Yves Saint Laurent.

Durant la décennie qui suit, Yves Saint Laurent donne ses plus belles collections. Chaque année des surprises, des innovations, des réussites. Danielle lui inspire son premier smoking, sa première blouse transparente, sa première saharienne, son premier costume d'homme et son premier… prêt-à-porter.

Après les années de gestation, Yves maîtrise son métier avec un sens inné de la mesure, de l'équilibre et des proportions. Il n'est plus seulement un dessinateur. L'organisation structurée de la couture lui a appris son travail. À présent, il a métabolisé ses influences : le goût de l'architecture épurée de Balenciaga, l'extravagance stylée de Schiaparelli, le chic décontracté d'Hubert de Givenchy. Le sens du confort de Chanel, surtout, à qui il n'a cessé de rendre hommage.

« J'ai compris que la popularité et le charme lui venaient de son extrême humilité. Au lieu de proposer aux femmes des panoplies les emprisonnant dans des stéréotypes éphémères, Chanel ne cessait de chercher la pérennité, qui rend la mode sans âge. Cette découverte m'a aidé à me déshabituer de certains tics de couturier et je me suis dégagé davantage du dessin pour m'appuyer sur le corps et la matière[69]. »

Chanel, icône absolue de tous les couturiers du XXe siècle. Elle a lancé le bronzage, le beige, les sandales ouvertes. Chanel était une cocotte qui refusait de ressembler à une cocotte.

C'est pourquoi elle pillait le vestiaire de ses amants. Ainsi, elle a inventé le chic sans effort.

Une veste Chanel n'est pas une simple jaquette bordée de ganse, c'est une seconde peau dont la manche est littéralement sculptée autour de l'épaule. Un tailleur Chanel fait corps avec la femme. En maille, en jersey, en tweed, souple comme un pull, il délie et libère les gestes. La jupe, étroite ou large, n'entrave pas le mouvement. La longueur est constante, elle couvre le genou.

« Une sensation de volupté merveilleuse[70] », se souvient Claude Brouet, qui eut la chance de porter un de ces tailleurs de couture.

Non seulement la femme qui le porte se sent unique, mais elle se sent aimée. Coco a mis quarante ans pour inventer son tailleur, habit d'une extrême civilité, et Yves, près d'une décennie pour en saisir le secret :

« C'est elle qui a marqué mon âge d'homme, en m'apprenant à créer à partir d'un geste de femme, en me montrant ce qu'était le vrai luxe[71]. »

Le vrai luxe. De la douceur, du bien qu'on se fait à soi-même.

Continuateur autant que précurseur, Yves Saint Laurent avance moins par création que par imprégnation.

« Le plus beau, dans la mode, c'est d'arriver à faire un vêtement qui corresponde avec exactitude à ce que sont un sweater et une jupe noirs – c'est-à-dire rien, c'est-à-dire tout[72]. »

« Dans les années soixante, le but de Saint Laurent était de peaufiner sa technique », dit Danielle.

Entre 1967 et 1968, il entame des recherches passionnées sur la coupe, simplifiant, éliminant toute couture non indispensable. Pour supprimer les pinces de poitrine qui vieillissent la silhouette, il met au point des coutures de côté. Avec une idée derrière la tête : « Je veux habiller des femmes jeunes de choses faciles à porter mais exceptionnelles. »

Danielle, fille à la page, est sa martingale gagnante.

Des boules Quies dans les tympans, Danielle bouquine en attendant qu'on l'appelle au studio. Dans la cabine vétuste, sans lumière naturelle, elle a sa place attitrée, avec une tablette, un miroir et un tiroir. Elle se maquille et se coiffe elle-même. Une habilleuse l'aide à passer les vêtements qui lui sont destinés. Chaque après-midi, à trois heures, elle présente la collection devant les clientes. Six filles se partagent l'étroite cabine où sont entreposés les modèles.

Elles vivent en vase clos, les unes sur les autres. Danielle, la favorite, est jalousée. Pendant la *pause*, la période d'essayages qui précède les défilés, elle est la plus souvent appelée au studio de création. M. Saint Laurent crée ses modèles phare sur elle.

« Je me sentais aimée. »

Lors des séances de *pause*, Danielle et Yves se parlent peu et, hors du studio, ne se rencontrent pas. Il la vouvoie, elle l'appelle Monsieur : il est à peine plus âgé qu'elle. Par son attitude et ses gestes, Danielle le conforte dans ce qu'il est en train d'ébaucher sur elle.

« Il y a eu un échange entre nous : je l'ai sans doute transformée, mais son comportement n'a jamais varié. Tout ce que je faisais sur elle et qui s'effondrait, je savais qu'il fallait m'en débarrasser pour de bon[73] ! », dit le couturier.

Dans la cabine, parfois, la tension monte : un jour, une Suédoise et une Danoise en viennent aux mains. Mais le plus souvent l'ambiance est familiale. Lucienne, la mère d'Yves, passe avec son chien et celle de Pierre rend parfois une visite. Dans le gynécée de la rue Spontini, Danielle retrouve l'atmosphère turbulente de son enfance.

Facétieux, Pierre montre une tête dans la cabine où les filles le chahutent.

« Nous ne le prenions pas au sérieux. Il était comme un grand frère avec lequel nous nous amusions. »

Entre elles, les filles se moquent du tic de Pierre :

« La main à l'envers, il se tapait sur le zizi... »

Parfois, il glisse ses mains dans ses poches et, comme par distraction, se touche les couilles, ce qui les fait hurler de rire. Elles le taquinent, lui volent sa pochette. Il se laisse faire.

« Yves, en revanche, je ne l'ai jamais vu rire. »

Instinctivement, Danielle sent chez le couturier une souffrance inexprimée.

Rue Spontini, Anne-Marie Poupart, devenue Muñoz depuis son mariage, l'a rejoint comme directrice du studio. Elle est une des premières femmes qu'il ait connues à Paris. Le goût du costume les a rapprochés.

« Notre première conversation, je m'en souviens ! C'était si joli ! Yves m'a parlé de *L'École des femmes*. Alors qu'il arrivait d'Oran, il savait tout du théâtre. Il avait lu les comptes rendus dans les journaux. Une femme passait avec un joli manteau, et nous en parlions des heures[74]. »

Engagée chez Dior comme assistante en 1954, Anne-Marie Poupart est la nièce du compositeur Henri Sauguet, ami de Christian Dior et de Christian Bérard. Lorsqu'Yves a quitté l'avenue Montaigne, Anne-Marie a travaillé chez Guy Laroche pour gagner sa vie, tout en collaborant avec Karl, devenu free-lance. Si elle n'avait pas été engagée par l'un, elle l'aurait été par l'autre. Rue Spontini, Yves dessine, elle l'aide à mettre au point les modèles avec l'atelier, qui réalise les dessins. Le cheveu très noir, la bouche très rouge, Anne-Marie aplanit les difficultés avec une douceur énergique.

« Imaginez la panique d'Yves, par exemple, quand un tissu n'arrivait pas ! » dit-elle.

Les collections prennent forme à la dernière minute, la date du défilé est fixée, l'horloge tourne, Yves avale quinze cachets d'aspirine d'un coup… Anne-Marie est la clé souriante de tous les problèmes. La maison Yves Saint Laurent repose désormais sur trois piliers : Yves crée, Pierre organise et Anne-Marie tient l'atelier.

« Sans elle, la carrière d'Yves Saint Laurent n'aurait pu durer aussi longtemps », assure Danielle.

De trois ans l'aînée du couturier, Anne-Marie l'apaise. Discrète, effacée, elle lui est si dévouée que Danielle ne l'imagine même pas mariée. Durant la période de *pause*, Anne-Marie arrive à neuf heures du matin et repart rarement avant trois heures, la nuit suivante. Parfois, elle dort sur place. Anne-Marie vient d'avoir un fils, Carlos, dont Karl est le parrain, puis elle aura une fille, Marie, sans que quasi personne ne s'en rende compte. L'attention, c'est Yves qui la concentre sur sa personne, comme autrefois à Oran.

« Tout le monde était subjugué. C'était un gourou : nous l'adulions. Dès qu'il faisait un truc, nous le décrétions génial », dit Danielle.

Pourquoi subjugue-t-il à ce point ? Que réfléchit son personnage ? Il y a un mystère Saint Laurent, qui tient moins à sa personne qu'à ce que les gens projettent sur lui.

La robe Mondrian

Rue Spontini, lorsque Danielle défile la première fois pour la collection automne-hiver de 1965, elle présente une tunique droite et futuriste à motifs géométriques, la robe Mondrian. Savant travail d'incrustation de jersey, elle aurait été inspirée au couturier par un livre sur Mondrian offert par sa mère. Une réplique aux mini-robes futuristes de Courrèges. Un coup de maître !

Yves Saint Laurent a traduit le besoin de neuf en greffant sur la robe trapèze de Courrèges une grille abstraite. Courrèges est un sculpteur. Avec un bout de tissu, il rajeunit la femme de vingt ans, sans scalpel. La femme mal avec son corps se sent rassurée par une carapace, une armure. Toutefois Courrèges simplifie à outrance, oubliant que la réalité n'est pas une algèbre, que l'esprit humain est capricieux, sentimental, absurde, que le vêtement est aussi une déclaration de goût, une carte de visite adressée aux autres. Une chose est l'esthétique d'un modèle photographié, une autre le sentiment qu'on éprouve lorsqu'on le porte. Qui a envie de se mettre en danger avec une robe expérimentale ? Courrèges s'enferme dans sa démarche. Yves Saint Laurent assagit la leçon de Le Corbusier. Il améliore ce qu'il vole, comme dit Cocteau.

« Les classiques garantissent à la femme d'être elle-même et la protègent du ridicule[75] », dit le couturier.

Taillée dans un épais jersey Racine, manche courte ou sans manches, ras du cou, avec une grille jaune, blanche ou rouge séparée de bandes noires qui permettent de la galber, elle est moins technique mais plus féminine que celle de Courrèges. Le corsage est travaillé dans la couture, la fermeture éclair dissimulée sous une bande noire. Elle comporte une sous-robe complète en soie japonaise.

« Toute création n'est qu'une re-création, écrit Saint Laurent, une façon nouvelle de voir les mêmes choses, de les exprimer différemment, de les préciser, d'en exalter un angle jusque-là inaperçu ou d'en accuser les contours[76]. » Les remarques du grand mutique sont fines.

Pour ne pas dissimuler « ce qu'il y a de plus joli dans une jambe de femme, la cheville », il ne va pas jusqu'à chausser ses mannequins de bottes plates et de chaussettes blanches, comme Courrèges, mais il remplace les talons aiguilles par les escarpins à petit talon carré de Roger Vivier.

Yves Saint Laurent joue avec une idée de l'éternel féminin. Ses vêtements sont faits pour camoufler les imperfections et mettre en avant les atouts. Allonger, amincir, raccourcir le cou, remonter les seins, gommer une carrure, creuser la taille, effacer une ombre de bedon, il retouche la silhouette et crée une illusion d'optique.

La mode a l'esprit étroit, elle déteste les ruptures. Yves Saint Laurent l'a attrapée par surprise, en faisant la synthèse. Ni conservateur ni révolutionnaire, il est au centre, note le sociologue Pierre Bourdieu. Il « reprend les innovations tapageuses des autres pour en faire des audaces acceptables[77] ». Chanel habille la femme d'hier et Courrèges celle de demain ? Il habille celle d'aujourd'hui.

Charlotte Aillaud s'offre une robe Mondrian qu'elle porte avec les chaussures à boucles de Vivier.

« Yves a toujours innové en déplaçant les lignes à l'intérieur d'un certain classicisme. On se sentait nouvelle, audacieuse, légère », dit cette cliente raffinée.

Une robe a sa propre vie et, parfois, elle possède un pouvoir magique. La femme qui l'enfile, si elle est consciente d'elle-même, régénère ses forces illico. Elle se sent une femme neuve, portée par un dynamisme élégant, par une sensualité secrète. La robe Mondrian, avec sa coupe parfaite et rassurante, donne de l'énergie.

Charlotte n'est pas la seule à l'adopter. Le *Harper's Bazaar* s'enthousiasme : « C'est l'abstraction qui s'impose, le vêtement de demain, strictement défini en jersey blanc, parfaitement proportionné pour flatter la silhouette. » La robe fait la couverture de *Harper's Bazaar* et du *Vogue* français. En une saison, les ventes des acheteurs sont multipliées par deux. Consécration suprême, la Mondrian devient un best-seller ultra-copié.

« Appeler une robe Mondrian, c'est une honte ! Incapable de trouver, d'apporter une idée par lui-même, Saint Laurent s'appuyait sur un peintre ! D'ailleurs il n'a fait que le devant de sa robe, pas le dos. Je me suis toujours demandée pourquoi... », dit Coqueline la peste qui, sans désarmer disqualifie son concurrent d'une pichenette. Tout ce qui ne coud pas comme vous vous gêne, dans la couture.

« Une robe Courrèges, c'est concepté, pof ! »

Et une robe Saint Laurent, alluré, tac !

Il y a autant de façons de faire de la mode que de cuisiner, de chanter, d'écrire, de jardiner. Hiérarchiser, juger, trancher n'a pas de sens. Derrière l'esthétique des deux hommes, il y a une idée de la société et de la femme. Raisonnable et organisée, la femme de Courrèges est une sportive. Joueuse, manipulatrice, séductrice, la femme d'Yves Saint Laurent est une Parisienne, aussi mondaine et nonchalante qu'une héroïne de Françoise Sagan. Sereine mais pas sévère, flatteuse, la Mondrian adoucit les lignes futuristes. Peut-être Yves Saint Laurent est-il moins grand couturier que Courrèges, mais c'est un plus grand styliste.

Les thés de la place Vauban

Petite célébrité parisienne, la rousse Clara Saint a perdu son fiancé Vincent Malraux, fils du ministre de la Culture, dans un accident de voiture, avant de sauver Rudolf Noureev des griffes du communisme. En tournée en France avec le ballet du Kirov, le danseur russe, sur le point d'embarquer à l'aérodrome du Bourget, a demandé l'asile politique à la France. Grâce à ses relations, Clara lui a permis de fuir l'Union soviétique.

Née à Santiago de mère chilienne et de père franco-argentin, Clara est l'héritière d'un groupe de culture et de négoce du café.

« Riche, très jolie, cultivée, elle était irrésistible[78] », dit son ex-amoureux, le réalisateur Philippe Collin.

Sud-Américaine aux traits fins, Clara habite avec sa mère un grand appartement rue de Rivoli où l'on admire un Degas, un Picasso. Bien proportionnée, elle s'habille chez Chanel et possède un beau carnet d'adresses qui balaie les milieux artistique, politique et mondain de la capitale.

« En jeune fille riche qui fête ses vingt ans chez Maxim's, Clara connaissait toutes les femmes capables de s'habiller un jour chez Yves Saint Laurent », commente Philippe Collin.

Yves et Pierre la rencontrent en 1965 chez Maxim's où elle dîne en compagnie de Rudolf Noureev et de Margot Fonteyn, qui vient d'être élue femme la mieux habillée du monde par le magazine *Vanity Fair*. « J'ai rencontré l'homme : pâle, malin, généreux, avec une énergie féroce masquée sous son calme délicat[79] », dit le danseur, à propos d'Yves.

Pierre et Yves forment un duo, pas encore une coterie. Entrée dans leur orbite, la jeune Clara élargit leur cercle de relations et devient une pièce maîtresse de leur ascension. Le soir, escortée de Noureev, elle les retrouve chez Castel et les accompagne durant l'été aux Baléares. Au Fiacre, elle leur présente à l'automne son nouveau fiancé, Thadée Klossowski. Beau et jeune garçon, le fils du peintre Balthus vient de débarquer à Paris.

« Elle choisit bien ses beaux-pères », raille André Malraux, moquant le snobisme de Clara.

Thadée Klossowski loge rue Saint-Sulpice dans le studio de Georges Bataille, dont les éditions Gallimard lui ont demandé d'inventorier les papiers. Arrivé de sa Suisse natale, Paris lui semble une contrée exotique.

« Joli garçon, j'ai eu beaucoup de succès… J'ai été adopté tout de suite. »

Un nouveau rituel dominical est lancé, les *thés de la place Vauban*, où Clara introduit de nouveaux copains : Philippe Collin, premier assistant de Louis Malle sur *Le Feu Follet* ou *Zazie dans le métro*, le photographe Jeanloup Sieff accompagné de sa fiancée Mireille Darc ou les artistes Claude et François-Xavier Lalanne. Charlotte Aillaud fait partie de la bande.

Joyeux après-midi où, sur la pelouse, Pierre sert le thé, tandis qu'on ragote sur le Tout-Paris, sur la mode, qu'on commente le dernier opéra, qu'on lance des mots d'esprit cryptés. À deux heures du matin, ils sont encore là, de plus en plus éméchés. Filmés par une des premières caméras vidéo qui appartient à Sieff, ils jouent au questionnaire de Proust. Yves fait le pitre, comme autrefois à Oran et, comme à Oran, chacun trouve son charme irrésistible :

« La qualité que je préfère chez un homme ? Le poil. »

« Quel serait mon plus grand malheur ? Être chauve. »

« C'est une des personnes avec qui j'ai le plus ri », dit Philippe Collin.

Clara, Thadée, Pierre Bergé ont prononcé la même phrase, mot pour mot. C'est un des mots de passe du club. « Il était hystériquement drôle[80] », ajoute même Loulou de La Falaise.

Saint Laurent est brillant, comme le prouvent ses saillies pleines d'esprit. Pareil à Chanel, il fait des épigrammes incisifs et piquants dignes d'un homme de lettres du XVIIIe siècle.

Clou du dimanche, le moment où Yves va dans sa chambre chercher sa dernière planche de *La vilaine Lulu*.

« Un feuilleton en bande dessinée que nous suivions tous les dimanches », dit Philippe Collin.

Un brin sadique, Lulu est obsédée par le fantasme du grand macho qui va l'emporter et l'envoyer en l'air. Les amis d'Yves disent que c'est lui, la vilaine Lulu. Si c'est lui, il se voyait en petite brune grosse et moche, physiquement et moralement. D'ailleurs, Lulu est le diminutif de Lucienne, prénom de la mère d'Yves. De Lucifer, le prince des Ténèbres, le porteur de lumière, le premier des anges avant la chute, tué par son orgueil. Lulu apparaît d'ailleurs vêtue en Satan : sa méchanceté est diabolique. Comme Philippe Collin, les amis pensent que *La vilaine Lulu* est un chef-d'œuvre.

« Yves avait un œil satirique exceptionnel. Un peu dans le genre de Rodolphe Töpffer, l'inventeur de la bande dessinée au XIXe siècle », dit Philippe Collin. Satire ou satyre ? Si l'on trouve *La vilaine Lulu* bébête, mieux vaut le taire car la coterie interdit le scepticisme.

« Accéder à Yves n'était pas facile. Il y avait un numerus clausus. Clara accordait les visas : elle était le ministre de l'Intérieur », dit Collin.

Les amoureux de Clara bénéficient d'un passe-droit. Les critères de cooptation ?

« Une question de style, d'allure, de comportement. Les pièces rapportées – amoureux ou fiancés – subissaient un examen de passage. Certains n'étaient jamais réinvités. »

Thadée Klossowski, qui a réussi le sien, observe avec un amusement silencieux les divertissements du couple Saint Laurent. Yves brocarde sans relâche Pierre sur son côté conventionnel. Patient, celui-ci supporte les ricanements, mais jusqu'à un certain point.

« Pierre n'est pas méchant du tout, il faut qu'on le provoque. Yves, qui cherchait son père Fouettard, savait le pousser jusqu'à ce qu'il explose[81]. »

Pour piquer la susceptibilité de Pierre au point le plus sensible, sa virilité, Yves l'asticote en s'adressant à lui au féminin. « Alors, la cuisinière, comment elle va ? » demande-t-il, lorsque Pierre sert le thé.

« Pierre explosait alors en colères théâtrales à la capitaine Haddock. »

Bergé manque d'humour, il se froisse vite.

« Chez Pierre, il y a une chose kapitale : il a un gros, un très gros kiki. »

Koi ? Un kros kiki ? Mais k'en sait Thadée ?

« Parce que je l'ai vu. Et que Pierre en parlait beaucoup. »

D'Yves, Thadée note la force du regard.

« Sans ses lunettes, il avait de très beaux yeux. »

Des yeux myopes gris fumée.

Place Vauban, derrière le grand salon fermé par un paravent, Thadée visite la chambre d'Yves. Pareille à celle d'un adolescent, elle est ornée de photos découpées dans les magazines, footballeurs ou idoles comme Chanel ou Marlene Dietrich. Minuscule, la pièce se résume à un lit et à une fenêtre étroite, par laquelle Yves, la nuit, disparaît. Au volant de sa Volkswagen Coccinelle noire, il part en chasse dans Paris.

« Yves appelait ça : "faire de vilains gestes". »

La formule, étonnante, n'est pas d'un homme adulte. L'épithète est enfantine et le mot « geste » déréalise l'acte sexuel, comme si la main ou la bouche agissaient mécaniquement. Spectateur de sa vie, Saint Laurent ne la pense pas. Il se regarde faire. Victoire a raison : il ne vit pas mais « se » vit.

« Se mettre en danger, se faire voler, battre... C'est une chose assez commune, chez certains homosexuels, non ? » dit Thadée.

Yves le masochiste est aussi un brin sadique. En fuguant, il joue à tourmenter son compagnon. Pierre peut le retrouver à l'hôpital après avoir appelé tous les commissariats de Paris.

« Pierre devenait fou de jalousie et d'angoisse. Perdre le contrôle, que quelqu'un lui échappe, c'est une chose qu'il n'aime pas du tout. » Bergé paie de sa personne, mais gare à qui échappe à sa volonté : il peut alors devenir brutal.

« Ils avaient une relation puérile, et disons, sado-maso. C'est un peu fort, mais un peu ça. Entre eux, l'histoire était forte et sexuelle. Très sexuelle. Et elle leur donnait beaucoup de satisfactions », ajoute Thadée.

À cette époque insoucieuse, tout finit toujours en éclats de rire.

Le 26 septembre 1966 est inaugurée la première boutique Saint Laurent Rive Gauche, au 21, rue de Tournon (à l'emplacement actuel du coiffeur Massato), dans le périmètre des boutiques à la mode chez les juniors.

« La boutique avait été décorée par l'architecte d'intérieur Isabelle Hebey, la Andrée Putman de l'époque. Lampes en plastique orange et sièges de Mies Van der Rohe. Tout le monde était curieux de voir ça[82] », dit Clara Saint.

Ruinée par les dévaluations du pesos, elle est engagée comme *public relation.*

« Je n'aimais pas spécialement la mode, mais j'aimais Yves », dit-elle.

Deux attachées de presse veillent désormais sur celui dont un grand poster couvre un mur de la boutique, culte de la personnalité oblige. Jamais Coco Chanel n'aurait osé pareille exhibition. La marraine de la boutique, Catherine Deneuve, assiste au vernissage en collants clairs, mocassins vernis et caban à boutons dorés. « Vous arrivez à rendre la silhouette guillerette, au lieu de la vieillir », dit une cliente euphorique à Yves.

D'une écriture aussi nette que de l'architecture internationale, le vestiaire Saint Laurent Rive Gauche est une grande réussite. À commencer par le nom. S'annexer une rive de la Seine, c'est pas mal. Si la rive droite appartient à la couture, la rive gauche est celle du prêt-à-porter depuis que, en 1952, Gaby Aghion a organisé le premier défilé Chloé au Café de Flore[83]. Une nouvelle identité visuelle est adoptée, avec un graphisme géométrique rose et orangé, coloris en vogue.

Pour un million de dollars (environ deux cent soixante-douze mille euros), l'Américain d'Atlanta a cédé ses parts à

Richard Salomon, le patron de Charles of the Ritz. Le nouvel actionnaire lance *Y*, le premier parfum d'Yves Saint Laurent, en 1964. Surtout, il permet de lancer le prêt-à-porter dans le monde entier.

Dans l'ancienne boulangerie, les robes partent comme des petits pains. On attrape les vêtements posés sur les cintres, on essaie dans la cabine, on vous prend l'ourlet et hop ! c'est fini.

« Jusque-là, dans mon milieu, les femmes actives s'habillaient chez Chanel, dit Florence Malraux. Tout à coup, elles lui ont préféré Rive Gauche. »

Comme Clara Saint qui abandonne ses deux tailleurs Chanel.

« Je n'avais pas les moyens de m'habiller en couture. J'ai adopté la rue de Tournon. Tout était simple, souple, pas bourgeois », dit Florence Malraux, qui s'équipe en jupes et vestes.

Les actrices comme Romy Schneider ou Jeanne Moreau délaissent la rue Cambon pour la rue de Tournon. Yves est enthousiaste.

« Il trouvait formidable d'habiller la rue. »

Quand il croise une femme vêtue en Rive Gauche, il est si heureux qu'il en arrête presque sa voiture.

Chaque prototype est conçu aux mesures de Danielle, l'unique mannequin-cabine du prêt-à-porter. Le processus industriel nécessite l'apprentissage d'un nouveau métier : reproportionner le prototype aux tailles normalisées, du 34 au 44. C'est Anne-Marie Muñoz qui prend cela en main.

Le prêt-à-porter est fabriqué à Angers par l'usine Mendes. Certaines opérations sont encore exécutées manuellement : ourlets, boutons, agrafes, gros-grains glissés dans les doublures. Aujourd'hui, cette touche artisanale donne à ces vêtements historiques un charme, une poésie maladroite[84]. Quelques boutiques *vintage* en proposent parfois.

Jusqu'en 1975, la collection ne défile pas. Les vêtements sont montrés à la presse sur rendez-vous au show-room, rue de Tournon. Dès le premier jour, les larges ceintures à anneaux, qui se portent taille basse, sont en rupture de stock. La France de 1966 est prospère.

« 1966, l'année de la sérénité parce qu'il n'y a ni angoisse au-dedans ni combat au-dehors. Nous sommes en plein essor même si des désirs ne sont pas encore comblés. Nous sommes établis sur des institutions stables qui viennent d'être confirmées, sur des finances et une économie assainies de fond en comble. [...] Notre expansion est partie pour un bond en avant. Dans les douze prochains mois, le niveau de vie des Français s'élèvera de 4 % », déclare avec enthousiasme le général de Gaulle lors de la cérémonie des vœux.

Les baby-boomers ont le crédit facile. Le progrès distribue une quantité phénoménale de cadeaux : réfrigérateurs, téléviseurs, lave-linge, automobiles, chaînes haute fidélité... Et fringues. Le trop-plein d'argent se déverse sur le prêt-à-porter de luxe : en même temps que Saint Laurent Rive Gauche sont lancés Ungaro Parallèle, le prêt-à-porter Courrèges et Miss Dior. Si la légende attribue à Yves Saint Laurent l'invention du prêt-à-porter de couturier, Pierre Cardin, lui, s'était lancé dès 1959. Présentant une collection au grand magasin du Printemps, il avait provoqué les foudres de ses pairs. Il créait un produit pratique, de série mais de qualité, armorié de ses initiales. L'année suivante, il ouvrait la boutique Ève, rue du Faubourg-Saint-Honoré, qui diffusait son prêt-à-porter féminin. Si Cardin a été un pionnier, il n'a pas su donner de glamour à sa maison. Yves Saint Laurent ne commet pas la même erreur. L'argent de Charles of the Ritz lui donne les moyens de se développer dans le monde entier en dupliquant le concept de la rue de Tournon. La chance va le servir : un film propulse la maison sur le devant de la scène.

Belle de jour

Belle de jour est un excellent film de Luis Buñuel et… d'Yves Saint Laurent. Sans les costumes de Catherine Deneuve, le personnage de Séverine n'existerait pas. *Belle de jour* dresse le portrait quasi clinique d'une femme masochiste qui essaie de vivre ses fantasmes. Séverine, épouse d'un médecin aisé, découvre le plaisir dans une maison de rendez-vous où elle s'adonne à des exercices humiliants et brutaux.

Lorsque dans les premières séquences du tournage, Deneuve suggère de modifier certaines répliques qu'elle juge niaises (et qui le sont à dessein), Buñuel comprend que la jeune femme est à côté de la plaque. À partir d'un roman de gare dont il conserve les clichés nunuches, Buñuel traite du conflit entre la chair et l'esprit.

Objet rare du cinéma, le film explore ce que son scénariste, Jean-Claude Carrière, appelait « le continent noir de l'érotisme ». Deneuve n'a pas besoin de ses répliques. Ses costumes fabriquent son personnage.

Chaque jour en visionnant les rushes, l'actrice et le metteur en scène sont déçus l'un par l'autre. Lisse et froid sous un masque à la Greta Garbo, le joli visage pimpant de Deneuve reste aussi inexpressif que celui d'une vendeuse de parfumerie.

Buñuel monte le film en quelques jours et c'est alors qu'il est ébloui. « Elle n'avait rien compris au personnage et, en même temps, elle en avait fait quelque chose d'extraordinaire, dit Pierre Lary, l'assistant de Luis Buñuel. C'est un des mystères du cinéma que je n'ai jamais encore pu résoudre[85]. » Le mystère s'appelle Yves Saint Laurent.

Si la fraîche Deneuve est dépassée par son personnage de nana tordue, Saint Laurent, lui, sait de quoi il retourne. Il n'habille pas l'actrice mais son personnage. Séverine, c'est lui. Le masochisme de l'héroïne qui s'épanouit dans la brutalité, la fange, les humiliations lui est familier. « Coupable pureté », note le critique Jean Collet, à propos de cette sainte-nitouche en quête d'avilissement.

Pour Séverine, Yves Saint Laurent a construit la parfaite panoplie d'une bourgeoise esclave de ses pulsions. Deneuve ne parvient pas à habiter son rôle ? Qu'importe. Les costumes jouent à sa place. Ils ont leur vie propre et leur langage. *Scraaatch* hurle la robe rouge dans la scène de viol qui ouvre le film, suggérant l'effraction et la chair qu'on déchire : Saint Laurent a dissimulé une bande velcro à l'intérieur du tissu.

Séverine hésite-t-elle à franchir le seuil de la maison de passe ? Ses chaussures plates de bourgeoise frigide la dévoient. La caméra cadre les escarpins en vernis dont les pointes pivotent vers la porte. Comme dans le conte d'Andersen, les souliers entraînent la jeune femme à sa perte.

Boutonné jusqu'au col, le petit pardessus militaire de drap gris dit la décence, la respectabilité, la réserve, la sévérité de Séverine. Les apparences se lézardent d'un coup denté de zip. Vzzzzzz ! fait la fermeture Éclair arrachée par le premier client de Séverine. La robe chemisier de jersey *sporting* beige s'ouvre en même temps que l'imagination du spectateur. Sous la patte minimaliste de la robe, Saint Laurent a caché une fermeture Éclair.

Chaque pièce du vestiaire de Séverine possède une évidence mathématique. Cette blonde innocente, le couturier l'enrobe dans une féminité stricte : élégante et simple, Séverine est joliment sévère. Dans toute la première partie du film, son vestiaire est prude : épouse de notable, elle est la future mère de ses enfants. Sa lingerie, soutien-gorge et porte-jarretelles de dentelle blanche, est celle d'une oie blanche.

Un seul vêtement est érotisé : l'imperméable de *bad girl* qui surgit au milieu du film. La noirceur miroitante du trench ciré dit l'érotisme inquiétant des penchants de Séverine qui, chez elle, ne se vêt que de tons éteints. La robe noire à col blanc qui clôt le film comme un faire-part de deuil résume tout : en grain de poudre, agrémenté d'un col et de poignets en satin de soie fermés par de délicates perles, son mélange noir et blanc exprime toute l'ambivalence de Séverine.

« C'est comme s'il m'avait soufflé le rôle en me suggérant un jeu particulier[86] », dit Deneuve.

L'auteur des robes a co-produit le personnage. Deneuve entre dans ses robes comme dans la peau de Séverine. Saint Laurent parvient même à la dissuader de porter des vêtements trop courts qui dateraient le film. Le vêtement est un langage, le couturier le prouve magistralement.

« Yves Saint Laurent est le contraire d'un fournisseur de costumes, a dit le cinéaste Alain Resnais. C'est un membre à part entière de l'équipe de création[87]. »

Belle de jour connaît un succès international et devient l'efficace film publicitaire de Saint Laurent Rive Gauche. Deneuve est désormais son meilleur agent de propagande. Une femme Saint Laurent ? Une bourgeoise qui, à l'heure du thé, disparaît au bordel.

Betty Catroux

Au téléphone, Betty Catroux a accepté de me recevoir chez elle, rue de Lille. La voix était enjouée et chaleureuse. Je me réjouis de rencontrer celle qui, quarante ans durant, a été la plus proche amie d'Yves Saint Laurent.

Sur Youtube, vêtue de cuir noir, Betty raconte avec humour qu'Yves l'a draguée chez Régine en 1967. Ils ont dû danser le slow sur *I put a spell on you*, dans la version de Creedence Clearwater Revival :

> I put a spell on you
> Because you're mine

Lequel a jeté un sort à l'autre ? La première chose qu'elle a remarquée, c'est sa beauté. Grands yeux, épaules larges, jambes extra-longues. « Comme moi ! C'était très narcissique. Nous avons commencé à parler, et voilà, nous étions les meilleurs amis du monde. Nous étions frère et sœur, jumeaux. Nous étions pareils[88]. » Après avoir défilé chez Chanel, elle a travaillé pour Pierre Cardin. Elle ne sera jamais un mannequin Saint Laurent, elle est Yves Saint Laurent. C'est lui qui l'a dit. Yves, qui rêvait d'être une femme, est explicite : Betty était sa jumelle, la projection de lui en femme. Elle, c'était lui. Lui, en femme. Avec le même air un brin louche.

Le *Time* fait le récit de leur voyage à New York, en 1968[89]. Betty accompagne Yves à l'inauguration de la première boutique Rive Gauche, au 855 Madison Avenue. Dans une ancienne épicerie transformée par un tunnel d'aluminium et une moquette orange qui nappe sol et murs, c'est un événement de la saison.

« Dans le milieu de la mode, le nom d'Yves est magique » écrit le *Time*. Le long des barrières de sécurité, des étudiants des écoles de mode voisines ainsi que des mannequins se sont agglutinés et scrutent le ballet des limousines. « Bien sûr, c'est un Saint Laurent », déclare Lauren Bacall en désignant son tailleur-pantalon de jersey noir. Pour faire place aux *people* invités, les vêtements ont été ôtés des portants. La description que le *Time* donne de Betty est savoureuse : « Saint Laurent est arrivé avec sa nouvelle muse et amie, l'ancien mannequin de Chanel, Élisabeth dite Betty, spectre long et souple vêtu d'un *jumpsuit* de satin noir pailleté ouvert sur un buste osseux. Et lorsqu'Yves lui-même a surgi avec une cravate surdimensionnée sur une chemise à motifs cachemire et une ceinture cloutée, ça a été une vision d'enfer », écrit le *Time*.

Comme Andy Warhol avec Edie Sedgwick, Yves et son escorte forment un tandem trouble. Nue sous la veste de smoking, Betty Catroux n'est pas un être de chair mais une abstraction : la femme moins tous ses attributs. Équine icône diablement stylée.

Fille d'Elim O'Shaughnessy, diplomate irlando-américain, et de Carmen Saint, *socialite* brésilienne, Betty est née à Rio. Elle a quitté le Brésil à l'âge de quatre ans pour accompagner en France une mère qui venait de divorcer. Comme Yves, elle se sent décalée dans l'hexagone.

Quelques mois après avoir rencontré le couturier, elle a fait la connaissance de son ami d'Oran, le jeune décorateur François Catroux, qu'elle épouse bottée, en mini-manteau Cardin de fourrure noir et blanc. Le jeune couple s'est installé dans un appartement moderniste quai de Béthune, où Yves et Pierre les retrouvent avant de dîner dans un restaurant à la mode, chez Maxim's ou à la Coupole. Puis ils dansent chez Régine, au New Jimmy's ou chez Castel. « Tout ce qui nous amusait était de prendre du bon temps. Nous éprouvions un incroyable sentiment de liberté. La guerre d'Algérie était finie. La vie était facile. Nous n'avions aucun souci de santé ou financier[90] », a dit Betty.

Deux jours avant notre rendez-vous, Betty me téléphone :

« Je ne peux plus vous voir. Pierre Bergé ne veut pas que je parle d'Yves. »

La voix est amicale, ennuyée.

« Pourquoi ?

— Il écrit son propre livre sur Yves Saint Laurent. »

Betty n'est pas la première personne qui se décommande à la demande de Pierre Bergé. J'insiste :

« Vous étiez l'amie d'Yves Saint Laurent.

— Yves Saint Laurent n'avait pas d'amis. Il n'aimait personne. Il n'avait aucune intimité avec personne. J'étais autre chose que son amie. »

Aucun de ses proches, c'est vrai, ne peut se remémorer une conversation où Yves lui a demandé comment il allait.

« Mais comment Pierre Bergé peut-il vous interdire de parler ?

— J'ai mon mari et eux deux, Yves et Pierre : ils m'ont tout donné. Yves m'a rencontrée, il m'a regardée, j'ai vécu un conte de fées. Je ne veux pas peiner Pierre. Il craint que je ne révèle des choses sur Yves... »

Une fois, alors qu'Yves et Betty étaient hospitalisés à l'Hôpital américain pour soigner leurs addictions, elle a déclaré à la journaliste Alice Rawsthorn : « Yves et moi avons toujours été de sales gosses. Mon mari est plus sensé, comme Pierre Bergé. Ils sont les parents qui essaient d'empêcher les enfants, Yves et moi, de faire des bêtises. Je ne sais pas ce que nous deviendrions sans eux[91]. » Des grandes personnes, peut-être...

J'insiste encore :

« Ne parlez pas de lui, mais de vous. De ce que vous avez fait.

— Je ne sais rien faire. »

Sur une délectable photo d'elle, prise récemment par Ali Mahdavi, elle déploie un grand écart sur un immense canapé. De part et d'autre du torse, les jambes sont si longues qu'elles semblent factices. Betty mesure un mètre quatre-vingt-trois.

« Vous savez tout de moi ! La seule chose que je sache faire dans la vie, c'est le grand écart ! »

Ses paroles semblent codées.

« Mais vous vous appartenez...

— Je suis enfermée dans ma cage en or.

— Que voulez-vous dire ?

— Je suis leur chose... »

Betty Catroux n'est qu'une image et veut le rester.

Talitha Getty en 1967

Un après-midi, je montre à Pierre Bergé, dans son bureau de l'avenue Marceau, une photo. Sur une natte à Marrakech,

Yves et Pierre sont assis côte à côte. Tous deux vêtus d'un identique T-shirt moulant bleu Klein, Yves et Pierre ressemblent à un couple de touristes en goguette à la Mamounia. De longues pattes d'araignée sortant d'un short blanc, le premier est encombré. Trapu, le second peut les replier contre lui.

« J'aime beaucoup cette photo que j'ai redécouverte dans *Paris Match* après la mort d'Yves », dit Pierre Bergé, corseté dans un de ces costumes aux tons fondus qu'il affectionne.

Parce qu'elle n'a pas le caractère léché des photos habituelles, cette image est attachante. Elle semble plus vraie ou plus vivante que les autres[92].

« Oui, nous étions heureux », dit Bergé.

Il ajoute qu'il la regarde chaque jour depuis la disparition de son ami. Yves Saint Laurent lui fait écho : « Jamais je n'ai été aussi heureux que pendant ces années-là[93]. »

Marrakech est au mythe d'Yves Saint Laurent ce que Saint-Tropez est à celui de Bardot. Au milieu des années cinquante, les Français découvrent trajets en auto et vacances au bord de l'eau. Une décennie plus tard, leurs enfants commencent à prendre l'avion et visitent les contrées lointaines. L'Orient déploie ses séductions.

En 1967, le Maroc est la nouvelle destination de la jet-set hippie, séduite par les récits de voyage des écrivains de la *beat generation* comme Allen Ginsberg, Jack Kerouac, William Burroughs, qui ont découvert le pays grâce à leur ami Paul Bowles, établi à Tanger. En 1962, celui-ci a publié, chez un éditeur *beat*, *A Hundred Camels in the Courtyard*, des nouvelles sur le kif au Maroc, sans s'apercevoir qu'il rédigeait un prospectus touristique. Deux ans plus tard, Tanger est envahi de beatniks : « Chaque jour on voit davantage de barbes et de blue-jeans crasseux, et les filles ont l'air de sortir d'asiles de fous, avec du blanc sur les lèvres et du noir barbouillé autour des yeux, et des cheveux tressés pendant sur les épaules[94] », se plaint Bowles à ses parents en 1964.

En voyages de noces au Maroc, Talitha Getty et son mari Paul Jr. ont acheté à Marrakech une demeure du XIXe siècle, le Palais de la Zahia, qu'ils rebaptisent le *Pleasure Palace*. La décoration est confiée à leur ami américain Bill Willis, esthète et décorateur, qui restera à Marrakech jusqu'à sa mort, en 2008, restaurant des maisons de milliardaires avec des artisans locaux. C'est sur le toit du *Pleasure Palace* qu'a été prise une célèbre photo de Patrick Lichfield pour le *Vogue* américain : la ravissante Talitha lévite en caftan de soie richement brodé, pantalon de harem et boots blancs tandis qu'en arrière-plan, le capuchon d'un burnous dissimule son mari. L'attitude aérienne de Talitha, son raffinement ailé en ont fait une icône du *bohemian chic* : le magazine précise qu'elle vit entre ses maisons de Rome, Londres et Marrakech dans un tourbillon de valises défaites.

Il ne reste pas grand-chose de Talitha Getty, morte d'une overdose en 1971, sinon une poignée de photographies conservant le souvenir de sa beauté et un petit rôle dans *Barbarella*, le film de Vadim. Amoureux de cette femme-enfant sophistiquée, Noureev voulut l'épouser mais il fut pris de vitesse par Paul Getty. Est-ce le danseur qui a conseillé Marrakech à Clara Saint ? L'été 1967, elle parvient à y entraîner Pierre et Yves en dépit de leurs préventions. Leurs précédentes vacances ont été calamiteuses. Avec Thadée, ils ont atterri à Benghazi, en Libye, sur la mer des Syrtes dont on ne sait qui leur avait vanté les charmes. En fait de délices, ils ont trouvé misère et tristesse, en plus d'un bordel de garçons. Huit jours plus tard, ils se sont enfuis en Tunisie où, pour tuer le temps, ils ont joué au *gin rummy*. Thadée gagnait contre Pierre, ce qui n'arrangeait pas le climat.

Marrakech les séduit aussitôt. Ils descendent dans un hôtel délabré au jardin en friche, la Mamounia, où le personnel sert en veste élimée tandis qu'une clientèle d'avant-guerre soupe en smoking et robes du soir. Derrière les murailles qui s'effritent, la ville est attirante.

« À chaque coin de rue, on croise des groupes impressionnants d'intensité, de relief, des hommes et des femmes où se mêlent les caftans roses, bleus, verts, violets. Et ces groupes qu'on dirait dessinés et peints, qui évoquent les croquis de Delacroix, c'est étonnant de se dire qu'ils ne sont, au fond, que l'improvisation de la vie[95] », raconte Yves.

Cette *improvisation de la vie*, le jeune couturier s'en imprègne. Une décennie plus tard, au faîte de son art, il va la reproduire sur le corps de filles magnifiques.

À Marrakech, Yves se sent renaître : l'enfance est à trois heures de Paris. Certes, Oran la Blanche ouverte sur la mer et Marrakech la Rouge au pied de l'Atlas sont deux cités que tout oppose.

« Mais Yves retrouvait le climat, la lumière, les couleurs, les odeurs de son enfance », dit Thadée Klossowski.

Toutes les sensations stockées dans la mémoire du corps se déploient comme la fleur de papier plongée dans l'eau. Pour Yves, c'est un retour au paradis perdu sans le drame qui a ensanglanté l'Algérie. Face à la montée du nationalisme marocain, la France a commencé par réprimer et exiler le roi Mohammed V, avant d'accorder rapidement l'indépendance au pays ; elle avait assez d'ennuis comme ça.

Neuf jours après leur arrivée à Marrakech, Yves et Pierre achètent au beau-frère de Barbara Hutton une petite bâtisse dans la médina. Fraîche et simple, Dar el-Hanch, la Maison du Serpent, à quelques minutes de la place Djemaa el Fna, est pourvue de deux terrasses.

« À Marrakech, je vais mieux », reconnaît Yves.

Les photos de cette époque l'attestent : il embellit. Le bonheur est cellulaire, pas de doute. Chaque jour il nage, diluant son angoisse dans l'eau claire d'une piscine.

« Il avait un très beau corps avec de longs muscles étirés par la natation[96] », dit Clara Saint.

Ses cheveux longs forment des boucles, il ressemble à Jésus.

« Saint Laurent, une araignée souriante, entouré de sa cour chevelue. Assez aimable, derrière ses lunettes[97] », écrit Matthieu Galey. Nouvelles, les lunettes, en écaille, faites chez Gualdani. En écaille de tortue, elles sont la carapace qui protège son monde intérieur. Elles grandissent avec sa notoriété et deviennent son signe distinctif.

Démarrant tard, la journée se déroule avec paresse. Sur les murs de la maison dont l'aménagement est simple, Yves peint un cobra. Dans les souks, il chine des objets d'artisanat dont il meuble Dar el-Hanch : des poteries, de la vaisselle de terre cuite, des nattes, des vanneries. Il s'offre des vêtements traditionnels, des bijoux ethniques. Explore les chemins à bicyclette. Fait la connaissance de la chic et pittoresque Boule de Breteuil, qui leur raconte l'Agha Khan descendant chez elle autrefois avec Rita Hayworth pour chasser le lion sans crinière de l'Atlas – lequel lion, en réalité, s'est éteint dans les années vingt. Avec ses amis, Yves flâne dans les jardins plantés par le peintre Majorelle et laissés à l'abandon, dont l'entrée coûte un dirham.

« Les jeunes venaient à Mobylette pour se retrouver en cachette, à l'ombre des arbres[98] », raconte Pierre.

Dans les ruelles aussi sonores que des tambours, les garçons sont beaux et faciles. L'homosexualité, qui se pratique sans culpabilité, n'est qu'un délassement avant le mariage. La gentry homosexuelle a de longue date cultivé une faiblesse pour l'Afrique du Nord et ses plaisirs non coupables.

« Yves n'avait plus besoin de se sauver par la fenêtre », dit Thadée.

Ni Pierre de le poursuivre.

Un jour, le quatuor croise Michel Polnareff à la Mamounia. *La poupée qui fait non*, le premier quarante-cinq tours du beatnik français, sorti l'année précédente, a été un tube. Ils l'invitent à dîner à la Maison du Serpent. Tout le monde est intimidé, alors ils boivent et fument du kif. Polnareff se déclare « pété comme un coing ». L'expression enchante la petite bande qui la recycle à tout propos pendant des jours. Espiègle et malicieux, Yves fait des imitations. Il a mis au point un numéro entier de music-hall pour lequel il se déguise.

Aux yeux d'Yves, le choc, c'est l'hédonisme de la bande de Talitha Getty, que plus tard il comparera à Zelda Fitzgerald. « Quand j'ai rencontré Talitha Getty, ma vision du monde a complètement changé[99] », dit-il.

Lui qui déteste les voyages découvre à Marrakech le *swinging London*. Jeunes, riches, beaux, les Getty convient leurs amis londoniens, Mick Jagger et Marianne Faithful, Keith Richards et Anita Pallenberg, le couturier Ossie Clark et sa femme Celia. Tous partagent un goût pour l'héroïne dont ils font un usage récréatif et pour les vêtements stylés. Bowles, qui les croise, raille les Rolling Stones, « roulant beaucoup sur l'or et très "stoned" ». Chez Talitha, on n'est pas à Woodstock, les tongs dans la gadoue : une gouvernante veille sur la logistique. Le dîner réunit chaque soir pas moins de quinze convives, que divertissent musiciens, acrobates ou magiciens. Dans *Ce que nous avons eu de meilleur*, l'écrivain Jean-Paul Enthoven, qui a été l'hôte envoûté du Palais de la Zahia, décrit Talitha comme une « grande prêtresse dans la religion du risque : alcool, poudre, opium, sexualité déchaînée et imaginative[100] ». Elle possède l'audace sexuelle dont Yves est privé.

« Il aurait bien aimé lui sauter dessus, mais soudain, il avait mal à la tête », raconte Thadée Klosssowski.

Les excès dont Yves est le spectateur l'effraient et l'émoustillent. À cette époque, il ne boit que du Coca-Cola (à outrance) et ne se drogue pas. S'il se dévergonde à Marrakech, c'est en fumant… des Camel. Vouée au travail, sa vie parisienne est une ascèse. « Finalement, je n'ai pas été jeune. Il faudrait tout abandonner, faire autre chose. Je suis un fossile, je suis dans ma cage. On ne sort pas si facilement de la haute couture. Je fais des robes et je dors[101] », se plaint-il à la journaliste Claude Berthod, en souriant avec ce drôle de sourire plein de dents, semblable à une grimace ou à une cicatrice.

Yves Saint Laurent a trente-deux ans. Il était un gamin lorsqu'il a succédé à Christian Dior et, trois ans plus tard, il ouvrait sa propre maison. Il ne s'est jamais appartenu. Dans sa vie privée, un amant possessif a succédé à une mère envahissante. Pierre et Yves travaillent, habitent ensemble même si de temps à autre, Yves s'évade. « J'aimerais redevenir très très jeune et faire des bêtises », dit-il à la journaliste, triturant ses longues phalanges osseuses. Marrakech va lui en offrir la possibilité.

Dans son journal, à la date du 1er janvier 1968, l'écrivain John Hopkins décrit l'ambiance de la colonie rock'n'roll. « La nuit dernière, Paul et Talitha Getty ont donné une fête pour la Saint-Sylvestre dans leur palais de la médina. Paul McCartney et John Lennon étaient complètement rétamés. Incapables de parler ou de se relever, ils restaient cloués au sol. Je n'ai jamais vu autant de gens défoncés[102]. » Un des charmes de Marrakech, c'est le haschich à profusion pour les débutants, l'opium et l'héroïne pour les vétérans.

Dans cet univers *sex, drugs, rock'n'roll,* le groupe d'Yves fait figure de coincés grand genre. Un soir, Yves invite Talitha avec Mick Jagger et Marianne Faithfull. Sur le toit de Dar el-Hanch, les Anglais ont droit à un récital Callas. Pour Pierre comme pour Yves, c'est encore l'enfance retrouvée. À Oran, la maison résonnait de la musique lyrique qu'écoutait Charles, le père d'Yves, amateur d'opéras. Pierre, sa mère et son jeune frère Michel ont appartenu à une chorale qui assurait les chœurs pendant la saison lyrique à La Rochelle. À Mick Jagger, cela doit paraître bien exotique. Les Stones viennent de terminer l'enregistrement de *Their Satanic Majesties Request* et l'année 1967 est un des plus beaux crus de la musique psychédélique. Comme le *Sgt. Pepper's* des Beatles, la plupart des albums sortis cette année-là, Kinks, Doors, Mammas and Papas, Pink Floyd, Beach Boys, Bowie, Canned Heat, Grateful Dead, Jimi Hendrix, Jefferson Airplane, sont devenus des classiques. Tandis qu'à New York, Andy Warhol commence à produire le Velvet Underground, à Marrakech, sourd à la production flamboyante de son époque, Yves écoute *Norma*. Parce qu'il est angoissé, où qu'il se rende, ni ouvert ni curieux, il vit dans un monde familier balisé de repères.

« Yves était taraudé par l'angoisse. La vraie, celle qui vous dévore[103] », dit Anne-Marie Muñoz.

La mode seule lui ouvre les yeux. Il ne les a pas dans sa poche de djellaba : mine de rien, il observe, il analyse, il scrute, il stocke des images. De ses pupilles à infrarouge, il scanne ses invitées vêtues de robes en mousseline de soie transparente dessinées par le jeune Ossie Clark, vingt-cinq ans, dont Yves fait la connaissance. Judith Watt, la biographe du styliste londonien, a trouvé une photo les montrant ensemble à Marrakech. Elle affirme aussi que, deux ans avant de créer le smoking de 1966, Saint Laurent avait fait acheter le complet d'Ossie Clark en velours grenat orné de biais noir, emblème des soirées londoniennes. « Je ne dis pas qu'il l'avait copié, mais il a certainement été inspiré par lui[104]. » Le premier smoking de Saint Laurent, proche d'une tenue de *guardian* et féminisé par une blouse de baptiste, était taillé dans du velours. Un créateur de mode est un jardinier qui bouture et greffe.

Cheveux longs, pantalon pattes d'éléphant, chemise à fleurs, Ossie Clark, surnommé le King de King's Road, épicentre planétaire de la mode, habille les filles de la jet-set hippie. Les actrices séduisantes du moment, de Ali Mac Graw à Faye Dunaway, sont ses clientes, et Amanda Lear ou Twiggy ses mannequins. C'est lui, l'inventeur du *hippie-chic*, ce négligé sophistiqué qui a fait la route de l'Inde.

Loin de l'ambiance compassée des présentations traditionnelles, ses défilés sont de véritables shows organisés dans des salles spectaculaires comme le Royal Albert Hall. « Je viens d'assister au moment le plus extraordinaire de l'histoire de la mode », écrit Suzy Menkes, une jeune et exigeante rédactrice du *Times*, après un de ses défilés en 1971.

Amateur de *pop music*, Ossie Clark, qui a assisté au premier concert américain des Beatles, a compris l'importance de la scène rock. « Il me fit connaître la mode, la drogue, le sexe et le rock », dit le peintre David Hockney, qui entretint avec lui une brève liaison. Clark a habillé Mick Jagger et Jimi Hendrix. Il mourra une trentaine d'années plus tard, poignardé par son amant.

Cette année 1967, le Londonien taille des robes flatteuses inspirées du cinéma hollywoodien. « Ossie Clark a réactualisé la délicieuse nostalgie des années trente », écrit Suzy Menkes. Taille prise, épaules larges, manches ballon ou pirate, décolleté profond, elles sont coupées dans le biais de beaux imprimés art déco conçus par sa femme, Celia Birtwell. Clark n'hésite pas à mixer deux ou trois imprimés différents sur la même robe. Sur une antilope aussi sexy que Talitha, le résultat est exquis.

Les fleurs de ses robes pollinisent l'imagination de Saint Laurent. Il n'enregistre pas seulement les hybridations de son jeune collègue, il herborise les postures, les attitudes coquines qu'elles offrent aux belles plantes du *Pleasure Palace*. Admirateur du chorégraphe Nijinski et des costumes du peintre Léon Bakst, Ossie Clark laisse le corps libre. Sous les robes, il recommande la nudité, préconisation que ses clientes dessalées suivent à la lettre. Mélange d'innocence et de décadence glamour, ses vêtements habillent la femme sexuellement délurée. À la femme poupée tirée à quatre épingles succède la femme-enfant naïvement dépravée.

Une leçon non pas de couture, mais de style, pour Yves Saint Laurent. « Je pris soudain conscience du corps féminin, je commençais à dialoguer avec la femme et à comprendre ce qu'est une femme moderne[105]. »

Qu'est-ce qui la distingue, la femme moderne, de ses aînées ? Sa plaquette de pilule. Si les Anglaises jouent les allumeuses, c'est qu'elles ont sur les Françaises une longueur d'avance. La pilule, non autorisée en France, l'est en Grande-Bretagne. Délivrée du suspense de la reproduction, la femme peut sans entrave s'offrir le plaisir qu'on dit charnel. Sous la mousseline de soie, le corps est à disposition. Si un homme a libéré la femme, c'est Gregory Pincus, l'inventeur de la première pilule contraceptive, qui meurt en août 1967, en plein *Summer of Love*, trop tôt pour jouir des conséquences de sa découverte sur la garde-robe féminine. Yves Saint Laurent, lui, va en tirer les leçons pratiques.

La blouse en cigaline

Rue Spontini, Danielle présente une nouvelle version du smoking grain de poudre, bermuda taille haute et boléro sévillan, qu'elle ôte et pose sur ses épaules. « Oh ! » gémit la salle.

Sous la veste, deux seins épatants à peine voilés d'une blouse en cigaline, une sorte d'organza aussi transparente qu'une lymphe.

« Elle était nue et chaste », dit sa fan, Gabrielle Buchaert.

Impavide, l'ancienne élève des sœurs du Sacré-Cœur traverse les deux salons en enfilade et rejoint la coulisse. « Vous êtes formidable, Danielle », lui dit Pierre, qui accompagne son retour d'applaudissements. Saint Lolo, inventeur de la transparence.

La même année, les seins de Danielle et sa blouse font une apparition rêveuse dans *La Chamade*, le film d'Alain Cavalier tiré du roman de Françoise Sagan. Puis Yves habille Danielle d'un fourreau de mousseline de soie tout aussi découvert, brodé aux hanches d'une ceinture en plumes d'autruche. Sous le voile transparent, un bijou en forme de serpent orne le nombril. Le modèle original se trouve aujourd'hui à Genève, chez Danielle, qui ne l'a plus jamais porté.

Lorsqu'il crée une robe, Yves Saint Laurent élabore un scénario, une histoire, mettant en scène une femme jeune et bien faite dont il imagine la vie. Cette femme, c'est lui qui l'habille comme il aimerait l'être. Les vraies clientes, il s'efforce de ne pas les rencontrer. Il préfère, dit-il, ignorer la réalité[106]. Les essayages le démoralisent, adapter ses idées aux corps difformes les dénature.

En 1968, pour le jour, il propose une version anoblie de la garde-robe de Keith Richards : redingote de demi-solde en drap sur un large pantalon de couleur vive semblable aux pantalons de marin teints de tons flashy[107]. Une silhouette à la Corto Maltese, le personnage que vient de créer le dessinateur Hugo Pratt.

Que Saint Laurent ait été influencé par l'extravagante créativité de la mode londonienne n'a rien d'étonnant, sinon que c'est à Marrakech qu'il l'a découverte. Ce qui est plus intéressant, c'est ce qu'il en fait. Élaguant les détails, il épure et ne conserve que la ligne graphique. Il va droit au but, avec un sens très français de la mesure.

Mince comme un crayon, Loulou de La Falaise m'accueille dans l'atelier d'artiste proche de la place Denfert-Rochereau qu'elle occupe depuis son mariage en 1976. Un campement bohème capitonné d'un compost de photos, de bibelots, de livres, d'étoffes. Elle passe sous le grand lustre qui, du plafond déverse ses larmes de cristal, cadeau que lui fit Yves pour son mariage. Pantalon cigarette et pull col roulé, poignets cerclés de bracelets, elle tourne vers moi un visage buriné de rock star, remonte très haut sur le bras la manche de son sweater, comme lasse d'avoir une fois de plus à raconter son histoire, surtout en ne buvant que du jus de pomme.

Un dimanche ensoleillé du mois de juillet 1968, Fernando Sanchez annonce à Loulou que « Pierre et Yves » vont venir prendre le thé. Pierre ? Pierre Cardin, pense Loulou. Âgée de vingt ans, elle vient d'arriver à Paris et habite place Furstenberg chez Fernando Sanchez. Le talentueux styliste qui a fait ses classes à la Chambre syndicale avec Karl et Yves se partage maintenant entre New York et Paris, où il travaille pour le fourreur Revillon. Chaque dimanche, dans son lumineux appartement, il donne un thé fameux pour ses brioches savoureuses, ses pétards King Size et ses invités éclectiques. À la bande de Saint Laurent ou à celle de Karl Lagerfeld il mêle des amis de passage.

« Ce dimanche est resté mémorable : Yves provoqua tellement Pierre avec ses persiflages que celui-ci finit par le pourchasser jusque dans les escaliers en brandissant un couteau », raconte Thadée, devenu le mari de Loulou.

Tout finit par des éclats de rire, comme d'habitude. Yves et Fernando ont mis au point un sketch dans lequel Yves est

Brigitte Bardot et Fernando, Mylène Demongeot. Ou bien ils attrapent une corbeille à fruits, la transforment en chapeau et entonnent un numéro à la Carmen Miranda, fameuse chanteuse de samba qui enchanta les comédies musicales latino de la Century Fox dans les années quarante, *Chica chica boom chic* ou *Co co co co co co ro*...

Vêtue d'un ensemble d'Ossie Clark, large pantalon en satin et tunique de voile, Loulou, qui a fumé trop de ganja, est secouée de fous rires. Semblable à l'ange de *L'Adoration des Mages*, la tapisserie de Burne-Jones[108], elle a un menton pointu, une bouche minuscule, une chevelure bouclée.

« C'était une petite hippie très jolie, très tout, un peu choquante aussi », raconte Thadée.

Dans le *swinging London*, Louise Vava Lucia Henriette Le Bailly de La Falaise a fréquenté la bande des Stones et celle des Beatles, les Guinness et les décorateurs en vogue, tout en récitant des poèmes devant Edward Heath, le chef du Parti Conservateur, ami de sa grand-mère, Lady Birley.

En 1968, Loulou vient de passer dix-huit mois à New York en compagnie de Fred Hughes, l'éminence grise d'Andy Warhol, la créatrice de bijoux Elsa Peretti et Fernando Sanchez, le copain de classe d'Yves.

« La première fois que j'ai vu Loulou, c'était en photo. Devant un magnifique portrait posé dans le duplex de sa mère Maxime, à Greenwich Village, j'ai demandé qui était cette créature. Maxime m'a expliqué que sa fille, Loulou, venait de se marier et vivait dans un château en Irlande. Loulou a toujours été mêlée à des aventures merveilleuses[109] », raconte Gerard Malanga, le lieutenant de Warhol.

Loulou est « magique », comme on dit dans les années soixante-dix. Mariée à dix-huit ans avec un aristocrate irlandais, Desmond FitzGerald, elle a vécu au château de Glin, dans le comté de Limerick. Photo d'elle au château : tailleur des années vingt et rang de perles, elle semble éteinte.

L'endroit est isolé et le prince charmant n'a pas l'air marrant. Un an plus tard, elle a divorcé.

« Un dimanche, à Central Park, je tombe sur Maxime en train de pique-niquer avec ses enfants. Loulou et moi, nous nous sommes immédiatement bien entendus, et ça a été du délire », dit Malanga.

Elle lui offre son polaroïd par Norman Parkinson : sourcils épilés, front très dégagé, visage délicat, Loulou ressemble à une actrice du cinéma muet.

« Nous surgissions partout, cocktails, fêtes, vernissages, appartements bizarres. Je traversais *Alice au pays des merveilles* derrière un elfe. J'ai proposé à Loulou de jouer dans mon film, *Pre-Raphaelite Dream.* Vêtue d'un leggings et d'une veste étroite, elle montrait un vif sens du style. Loulou n'était pas une beauté ordinaire. J'ai toujours pensé que l'intelligence embellissait les êtres, et c'était son cas. Je l'appelais ma *Dovelace.* »

Un jeu de mots poétique, intraduisible, qui joue entre dentelle et colombe. Pour ses vingt ans, Gerard Malanga lui offre un canif de poupée chez Tiffany's, avec lequel la colombe rompt le lien pour s'envoler à Londres, où elle participe au casting de *Performance*, le film de Nicolas Roeg avec Mick Jagger. Lorsque Gerard Malanga la revoit quelques mois plus tard, elle est au bras de son nouveau petit ami, Fernando Sanchez.

« J'étais un peu dépité, mais j'aimais bien Fernando, alors... Loulou n'avait que dix-neuf ans et je me disais qu'elle ferait son chemin. Elle était si douée, si résistante. »

Née à Londres le 4 mai 1947, Loulou de La Falaise a reçu une bonne éducation anglaise. Maxime, sa mère, est une superbe aristocrate anglo-irlandaise devenue styliste talentueuse chez Chloé après avoir travaillé chez Schiaparelli et Dior. Son père, le comte Alain de La Falaise, est écrivain et traducteur.

À la fin des années soixante, Loulou rejoint à New York sa mère, qui vient de se remarier avec John McKendry, le conservateur du Metropolitan Museum, lequel mourra d'une cirrhose. Lorsqu'elle se fait virer du lycée français pour indiscipline, sa mère l'envoie à Londres chez sa grand-mère, Lady Birley. Un pedigree qui ne peut que séduire ces deux snobs provinciaux que sont Yves et Pierre.

Pour faire une pause, elle s'installe à Paris.

« Loulou était déchaînée mais rassurante par son côté fille de bonne famille », dit Thadée.

Mais il y a entre Yves et elle des affinités plus inconscientes.

« Une chose nous unissait, Yves et moi : une enfance pas facile et une certaine fragilité. »

Fragile n'est pas le qualificatif qui vient spontanément à l'esprit lorsqu'on rencontre Loulou de La Falaise. Mais son enfance, c'est vrai, a été chaotique. Lorsque ses parents ont divorcé, elle n'avait que trois ans, et son jeune frère, un an de moins. Ils ont été placés dans une famille d'accueil en Seine-et-Marne. Loulou a dû se protéger et protéger son frère. À sept ans, elle a été envoyée en pension en Angleterre, partageant ses vacances entre la famille d'accueil, celle de sa mère et celle de son père. Comme Yves, l'imagination a été son refuge. Mais contrairement à lui, elle affronte les difficultés de l'existence avec un parti-pris de gaieté. Avec élégance, elle déguise son courage en insouciance.

« Je me dis : "Bon, faisons comme si tout allait bien." Ainsi la réalité ne m'affecte pas[110]. »

En mettant à distance l'émotion, elle devient aussi imperméable qu'un tissu déperlant. Devant les tensions, elle rit. Une stratégie d'adaptation qui écarte la souffrance et la peur. Son éducation anglaise donne à Loulou un côté décalé, une étrangeté, une fantaisie, une manière très *british* de virer du conformisme à l'excentricité. Une fille *cool*, comme on dit alors. À l'opposé de Pierre, dont l'apprêt lui semble inexplicable.

« Loulou était une hippie qui comprenait mal, au fond, ce côté très bourgeois. Les conversations intellectuelles lui échappaient. Elle avait du mal à suivre. Les mots d'esprit, les allusions littéraires lui semblaient convenus », dit Thadée.

Si Loulou est jolie, ce n'est pas une grande beauté, elle est petite et efflanquée. Les traits de son visage sont anguleux, taillés à la hachette comme ceux de sa mère. Faute d'adultes protecteurs, elle s'est faite elle-même entre la Seine-et-Marne, New York et Londres, butinant dans la *gentry* anglaise comme à la Factory. Elle a élaboré une personnalité chatoyante qui étonne et charme. Son entrain, sa spontanéité, son appétit de vivre emportent tout sur son passage. Elle est un antidote à la face sombre d'Yves, à ses inhibitions, à ses préjugés.

« Les Français étaient si ploucs : les filles en étaient encore aux kilts sous le genou et les garçons étaient des minets… »

Sa garde-robe dynamite les codes.

« Quand j'ai rencontré Yves, c'était la période hippie, des copains m'habillaient à l'œil, j'achetais des pièces années trente aux Puces et je mélangeais le tout. Je me suis toujours amusée avec les vêtements. Sans trop y penser, d'ailleurs, en ce domaine, ce n'est pas bon. Ça perd de son épice. »

Loulou sait ce qui lui va. Première règle, les robes, le moins possible, elle est trop maigre et trop petite. Les pantalons qui allongent, les vestes étriquées pour l'allure enfantine, les bottes, parfait. Seconde règle, beaucoup d'accessoires : des ceintures, des bracelets, des foulards. Loulou s'habille avec un mélange d'astuce et d'assurance, créant un style surprenant et juste. « Loulou a cette capacité unique de créer un vêtement d'un rien… Elle pourrait habiller quelqu'un en partant de vieilleries et d'une simple épingle à nourrice[111] », a dit sa mère.

Le bracelet qu'elle porte au poignet fait l'admiration d'Yves, qui lui trouve une ressemblance avec les pinces qu'on fixe aux tables pour empêcher les nappes de s'envoler. Eh bien, justement, c'en est une que Loulou a piquée dans un restaurant de la rue Saint-Benoît… Lui, il est intéressé par ce petit laboratoire de tendances ambulant, qui improvise un style comme on joue à la poupée. « Loulou : une femme très rare.

C'est le chic, la nonchalance. J'aime ses gestes. Son attitude : la pauvreté du vêtement, et l'audace d'un accessoire[112] », dit-il.

Chaque pièce a une origine exotique, excentrique, ou a été acheté à un prix scandaleusement bas. En 1969, c'est nouveau et *Vogue* lui consacre deux pages : « Plus intéressée par les accessoires que par la mode, Louise s'habille de "riens" dénichés au cours de ses voyages », dit l'article.

Des « riens », n'exagérons pas. Elle pose en ensemble Ossie Clark imprimé de dragons et de bouquets de violettes sur des bottes Saint Laurent à impressions africaines. Seule la ceinture d'argent provient du Marché aux puces. « L'art de mélanger les trouvailles ou comment devenir son propre couturier », titre *Vogue*. Associations audacieuses, élégance extravagante, négligé sophistiqué, recyclage savant de vieilles sapes, tout cela va de soi aujourd'hui. Loulou pratique le *Bohemian chic,* « ce style de vie artiste qui transforme la pauvreté en distinction », a dit Pierre Bourdieu. Sur un site influent comme *thesartorialist.com*, Scott Schuman tient chaque jour la chronique de cette élégance *cool :* il s'agit moins d'affirmer un statut social qu'une individualité. Il y a quarante ans, l'option était inédite.

La rencontre provoque en Yves une révolution culturelle. Lui, le laborieux, découvre l'éthique bohème, sensuelle, hédoniste et joueuse.

« Yves la trouvait chic, il aimait la façon dont elle s'habillait, le côté puces élégantes avec le glamour de l'Angleterre. Moi, je suis tombé fou d'elle tout de suite », dit Thadée, qui vit alors avec Clara.

Tout le monde est séduit par ce bout de femme-enfant, même Pierre le grand méchant loup, dont les coups de gueule ne l'affectent pas. Yves l'invite à Marrakech, qu'elle connaît déjà.

« La maison était petite et remplie de choses rigolotes. Pierre, qui a toujours eu une grande inspiration culinaire, préparait les repas. Il y avait les grandes personnes, Pierre ou Clara, et les enfants comme Yves et moi. Lorsque nous arrivions en retard à table, nous nous faisions gronder. Yves était comme mon très jeune oncle français. Nous avons ri pendant des heures. »

Il est vrai qu'Yves a commencé à fumer du kif.

« Yves a été très frappé par la liberté de Londres des années soixante, qu'il a vue en moi tout de suite. Il voulait aussi goûter cette friandise-là », dit Loulou.

S'il est Peter Pan, elle est la fée Clochette.

Woman is Sweeter

Sodomy
Fellatio
Cunnilingus
Pederasty

Father, why do these words sound so nasty ?

Masturbation
Can be fun
Join the holy orgy
Kama Sutra
Everyone !

Sodomy, Hair, 1969, Galt MacDermot.

Une des plus riches images d'Yves a été prise par la photographe Martine Barrat. Bloc solide percé de deux yeux absorbants, Saint Laurent affronte l'objectif. Pour sa voisine de Trouville, il est toujours le petit Mathieu. Face à une amie, peut-être n'a-t-il pas besoin de se cacher. Souvent, il feinte ou baisse les yeux. Chargé d'effroi, seul son regard communique avec l'extérieur. C'est un appel de détresse, un SOS, une invitation à entrer dans son monde intérieur. Barrat a réussi à capter la puissance de son mental.

Martine Barrat vit à New York où, depuis plus de trente ans, elle photographie les habitants de Harlem. Yves collectionne ses images. À New York, j'ai demandé à Martine une copie de *Woman is Sweeter*, le mystérieux film sur Yves Saint Laurent qu'elle a réalisé en 1969, mais l'affaire semblait compliquée. Le film n'a jamais été diffusé. Selon elle, il avait choqué Richard Salomon de *Charles of the Ritz*, le principal actionnaire d'Yves Saint Laurent. De retour à Paris, un ami a mis la main sur une copie... Je suis curieuse de découvrir ce film rare.

Tourné entre Paris, Marrakech et New York, *Woman is Sweeter* est une fantaisie hippie qui traduit merveilleusement l'atmosphère confuse et régressive du début des années soixante-dix. Un avion d'Air France se pose à Kennedy Airport, livrant des malles de tenues Saint Laurent. Dans les rues de New York, de belles plantes noires en saharienne courent sur une place, une marchande de fleurs arrange son étalage, une fille en cape traverse une rue, une femme en robe du soir marche pieds nus sur le macadam, le dessinateur Antonio Lopez fait virevolter une fille à Central Park, des Jazz men jouent à Harlem. Le film est rythmé par la bande-son funky de Galt MacDermot, le compositeur de la comédie musicale *Hair*, créée deux ans plus tôt. Gerome Ragni, le co-auteur du livret, fait une apparition.

> A woman is sweeter than sugar
> A woman is sweeter than flowers

Petit à petit, on comprend que chaque personnage est habillé en Saint Laurent. La mode est dans la rue, c'est la jolie idée mise en scène par Martine Barrat. Et pas n'importe quelle rue : la plus urbaine de toutes, la rue new-yorkaise.

En France où se poursuit le tournage, Yves Saint Laurent se change avant de se mettre au travail. Torse nu, face à la caméra, il révèle dans le contre-jour un corps superbe avant d'enfiler avec nonchalance sa blouse blanche à même la peau. Pour la première fois dans l'histoire compassée de la couture, un styliste se montre à poil sous la blouse – mais un foulard noué autour du cou. Il est vrai que dans *Hair,* qui vient d'être monté au Théâtre de la Porte-Saint-Martin, Julien Clerc, qui tient le rôle principal, chante *awalpé*. *Hair* raconte l'histoire du jeune Claude, qui décide de s'engager dans la guerre du Vietnam. Avant de se présenter aux services de l'armée, il visite New York où il rencontre un groupe de hippies et tombe amoureux d'une des leurs. Claude se laisse prendre au jeu de la bohème, découvre la drogue, l'ivresse et les plaisirs de l'amour physique.

Comme Yves, au fond. À Marrakech, où le suit la caméra barrée de Barrat, le jeune couturier est si défoncé qu'il se tient à un mur pour ne pas tomber. Il n'a peut-être pas fumé grand-chose, mais un rien lui fait de l'effet à cette époque. La caméra balaie la place Jemâa el-Fna grouillante de monde. En saharienne claire, Yves Saint Laurent fend la foule avec une grâce de félin. Au milieu de la cohue, on ne voit que lui : il lévite, il flotte tel un mannequin Saint Laurent qui aurait fait de la place el-Fna son podium. Il sait se déplacer pour faire valoir une silhouette. C'est la première fois que je vois son charme *en mouvement*. Je commence à comprendre pourquoi il était irrésistible.

Rue Spontini, du nouveau se prépare. Après dix saisons, Danielle s'apprête à quitter la maison.

« Je sentais que j'étais moins motivée. Moins aimée, aussi. »

Danielle a initié la période *less is more*, Knoll et Mobilier International d'Yves. Vraie femme de mode, elle va accompagner une nouvelle mutation. Sollicitée par Chanel puis par Dior, elle se lie avec les jeunes créateurs qui feront la mode de la décennie suivante : Roland Chakkal, Gérard Pipart et surtout Claude Montana, dont elle sera l'égérie.

Yves rencontre Warhol (et ses copines)

> « Il y a chez Wilde, comme chez Cocteau, ces féminins passifs, un prodigieux don d'assimilation immédiate et de mimétisme. »
>
> Paul Morand

> « Il faudrait vraiment, pour la France, un coup de pied au cul venu de l'Amérique. Je parle évidemment d'art et de peinture. »
>
> Salvador Dalí

En arrivant place Vauban avec son teckel Maurice coincé sous l'aisselle, Warhol fait une fois de plus fondre Yves. Outre leur passion pour les chiens de poche et le shopping, les deux agents d'influence ont un point commun, la timidité. Pour le *tea* du dimanche, Warhol s'est fait accompagner d'un échantillon d'*inadaptés marginaux* de la Factory. Jed Johnson, son fiancé platonique, et son frère jumeau Jay, leurs amis Corey Tippin et Donna Jordan. Côté Saint Laurent, il y a Loulou, Betty, Clara et Philippe Collin. Et puis les managers respectifs, Pierre Bergé et Fred Hughes. Mince fils de famille texan qui a travaillé pour la famille de Menil, richissimes collectionneurs de Boston, Hughes est le seul membre de la Factory à s'habiller sur Savile Row. Après un bref flirt avec Loulou, Hughes en pince pour Clara tandis que Loulou, elle, est en affaire avec Éric de Rothschild. Le mannequin Patti d'Arbanville et l'acteur Helmut Berger font de la figuration.

Yves connaît Andy depuis un moment. Il a vu sa première exposition parisienne à la galerie Sonnabend en 1965. Lors de son voyage à Paris, Warhol, qui a découvert qu'on obtient davantage de presse en formant un couple avec une femme spectaculaire, avait posé dans *Paris Match* avec son égérie Edie Sedgwick, nue sous un mini-manteau de vison.

À New York, l'été précédent, Yves et Betty ont passé du temps en sa compagnie, découvrant la nouvelle Factory de Union Square et night-clubbants. « Yves se sentait très à l'aise avec Andy. Ils n'échangeaient pas beaucoup. L'anglais d'Yves n'étant pas fameux et Andy ne parlait pas du tout français. Mais on se marrait bien[113] », dit Betty Catroux. Le premier a trente-quatre ans, le second quarante-deux. Les deux hommes sont des locomotives, pas encore des légendes. Warhol est subjugué par les célébrités, et Saint Laurent, flatté qu'on soit attiré par lui. Cependant, il s'intéresse davantage à Maurice le chien qu'à l'univers de l'artiste américain.

À l'automne 1970, Warhol achève à Paris le tournage d'un film, *L'Amour*, juste après avoir exposé au Musée d'art moderne. Tel un singe savant que s'arrachent les snobs de la *coffee society,* il va de dîner chic en dîner chic. Pierre et Yves, qui l'ont pris sous leur protection, l'emmènent chez Marie-Hélène de Rothschild dans le somptueux hôtel Lambert conçu au XVIIe siècle par Le Vau sur l'île Saint-Louis. L'étiquette et les fortunes de la vieille Europe impressionnent Warhol. « Andy aimait beaucoup Paris. Il y était plus recherché qu'à New York et il adorait ça. C'était très glamour. Un artiste était important pour les Européens, et tout le monde l'appréciait », dira plus tard Jed Johnson.

Le ton de l'interview de Warhol au journal télévisé est désopilant : « Vedette inquiétante des Arts et des Lettres et du Cinéma, Endi Varol représente l'art pop, l'art populaire qui exalte les objets de la vie quotidienne[114] », dit le présentateur de l'ORTF avec solennité. Avec de grands yeux de lapin très doux derrière une paire de hublots, Warhol ressemble à un chétif garçonnet aux cheveux en épis. On lui demande si l'argent est important : « Oui, répond-il avec indolence. Cela permet de faire ce qu'on veut. »

Du shopping, par exemple. Il en a fait toute la semaine avec Yves, abandonnant le tournage du film à ses assistants. Yves meuble le futur appartement du 55, rue de Babylone[115], dans lequel des travaux ont été entrepris. Ils conservent les lambris d'origine art déco. Avec Yves ou Pierre mais aussi avec Karl Lagerfeld, Warhol chine aux puces, chez les bijoutiers de la rue Saint-Honoré ou chez les antiquaires de la rue Saint-Denis et de Beaubourg spécialistes des années vingt et trente.

« Andy achetait des objets art déco, avec discernement d'ailleurs. Il rapportait des bijoux, de luxuriants bracelets des années quarante qui m'enchantaient », dit Clara.

Warhol adore la dépense : « Acheter est plus américain que penser[116] », dit-il.

Robert Vallois, qui avec sa femme Cheska vient alors de s'installer à Paris, a consulté ses livres : Warhol lui achète de l'argenterie Puiforcat, des bijoux de Jean Després, des céramiques d'Henri Simmen, de la dinanderie de Jean Dunand, des meubles d'André Groult, de Jean-Michel Frank, de Jacques-Émile Ruhlmann ou Pierre Legrain[117]. À Robert Vallois, Warhol propose de troquer son portrait contre un meuble art déco : l'antiquaire refuse, préférant du cash…

C'est sa galeriste, Ileana Sonnabend, qui a initié Andy à l'art déco, alors tombé dans l'oubli. Sur Madison Avenue, elle expose, mêlés à la peinture, du mobilier et de la photo. Mais Paris est une mine plus riche que New York et Pierre et Yves lui signalent les ventes intéressantes. Pour l'instant, il descend au Meurice ou au Crillon, en attendant l'acquisition par Fred Hughes d'un grand loft sous une verrière au 15, rue du Cherche-Midi, qu'il encombrera de mobilier… Empire.

En fin de journée, Yves et Andy passent sur le tournage de *L'Amour*, dont une partie se déroule dans l'appartement de Karl. Outre Lagerfeld, trois ados de la Factory, Patti d'Arbanville, Jane Forth et Donna Jordan, sont les actrices du film, un *remake* version Warhol de *Comment épouser un millionnaire*. Yves est surtout fasciné par les costumes de Donna, robe quarante à épaules rembourrées, rouge à lèvres vif, talons compensés.

L'un comme l'autre, Warhol et Saint Laurent portent une extrême attention aux autres, même s'ils sont profondément détachés. Toujours en retrait, incapable d'entrer en relation, de dialoguer, d'échanger, Yves se passionne pour la surface, l'apparence, le détail, le visuel. Sa concentration mentale passe toute dans le regard. Les investigations de Warhol sont plus élaborées.

« Je n'ai jamais vu quelqu'un de plus curieux qu'Andy[118] », dit William Burke, qui deviendra un proche.

Non seulement il observe, mais il sonde.

« Andy, qui ne jugeait personne, adorait qu'on lui raconte des choses très libres[119] », dit Clara. Il pose des questions crues sur la vie sexuelle. Pierre, un jour, lui confie qu'il porte un *cockring*[120], jouet sexuel qui permet de renforcer et de prolonger l'érection.

En matière de style et de tendances urbaines, Warhol est un expert.

« Andy a commencé dans la mode. Avant de devenir peintre, il a gagné beaucoup d'argent en dessinant des chaussures. Cet univers l'intéressait aussi il respectait Saint Laurent[121] », dit William Burke.

Popisme, le livre que Warhol a consacré aux années soixante, constitue un véritable précis de style. Quarante-cinq tours en vogue, drogues, nouvelles boutiques, night-clubs, vêtements et accessoires, rien n'échappe à son œil. Dans les vernissages, les fêtes, les bars, les boîtes de nuit comme le Max's Kansas City, dans tous les lieux où les gens viennent parader, Andy le dandy scrute froidement les exhibitions vestimentaires. Plusieurs années avant Yves Saint Laurent, il repère l'influence de Carnaby Street sur la rue new-yorkaise. Ses descriptions de nouvelles boutiques sont aussi sèches que des analyses de marché.

Le magique canapé rouge de la Factory est un centre sauvage de la *fashion*. Un paquet de filles ordinaires s'y assoient pour se muer en égéries de la mode. Elles y échangent boucles d'oreilles, accessoires et conseils de beauté, elles y lancent des *looks*. Influencées par la féminité outrée des travelos comme Candy Darling ou Ondine qui tournent autour de Warhol, les filles achètent sur Canal Street des vêtements des années vingt et trente : le rouge à lèvres éclatant, les talons compensés, les robes hollywoodiennes, c'est aux travestis qu'elles les doivent. Tous et toutes ambitionnent de tourner dans un film de Warhol et d'avoir leur photo dans les magazines. Les plus spectaculaires y parviennent. Une fois dans *Vogue*, tout le monde les imite.

Non seulement Warhol est un animal de mode, mais il comprend en profondeur les bouleversements sociaux que la mode annonce. Contrairement à Yves, Andy qui vit dans le présent sans aucun goût pour la nostalgie, capte en temps réel l'évolution de la société de consommation. Expert de la culture de masse, il a une longueur d'avance. Dans son pays, les transformations sociales, retardées en Europe par les guerres, datent des années vingt. La Factory a vu naître un glissement : la séduction stylée prend le pas sur l'élégance. Un mélange théâtral ou inédit l'emporte sur le vêtement le mieux coupé du monde. L'important, c'est de ne pas passer inaperçu. L'important, c'est la surface. L'important, c'est le spectacle. L'important, c'est l'image. Tout ce que le français Guy Debord vient de théoriser dans un livre visionnaire, qu'Yves Saint Laurent n'a pas lu.

Sur le tournage de *L'Amour*, Yves n'en perd pas une miette. Il a aperçu Donna, l'actrice, quelques jours plus tôt avec Pierre à la Coupole. Sous la table d'en face, un garçon la caressait, elle se tortillait en gémissant.

Donna Jordan porte une mode qui fascine Yves : celle de sa mère, autrefois. Il a d'ailleurs lui-même cité un souvenir personnel.

« C'était pendant la guerre, nous nous trouvions près d'Oran, à la campagne, mon père était absent et ma mère a fait une sorte de fugue : elle s'est rendue à un bal qui avait lieu dans une base militaire américaine. Nous, les enfants, en cachette, nous l'avons suivie, accompagnés par les domestiques, nous voulions voir maman danser. Les fenêtres étaient hautes, un domestique m'a hissé sur ses épaules et j'ai pu apercevoir ma mère dans la salle de bal. Elle portait une robe en crêpe noir s'arrêtant au-dessus du genou, avec des manches carrées et un décolleté pointu. Elle avait agrafé un bouquet de marguerites, de bleuets et de coquelicots et, en guise de collier, une croix blanche en plastique, accrochée à un ruban de velours noir. C'était ravissant. Pour ma collection Quarante, j'ai repris ce modèle exactement[122]. » Ce souvenir est sans doute une re-création, tant il est précis. Mais Lucienne portait la mode des années quarante, c'est certain.

En commun, Warhol et Saint Laurent ont une passivité magnétique. Glaces sans tain, ils renvoient aux autres leur propre reflet. Leur attention somnambulique crée un champ de forces électriques. La nature ayant horreur du vide, autour d'eux on s'agite pour capter leur regard. Devant ces deux spectateurs impassibles, les autres n'ont plus qu'à se donner en spectacle. Place Vauban, lors de ce thé dominical, la présence d'Helmut Berger, la star des *Damnés*, le film-culte de Visconti, démultiplie l'afflux de vitalité juvénile. D'autant que le maître d'hôtel ne sert pas que du thé. Collée à Helmut

Berger, Patti d'Arbanville exacerbe la jalousie de Donna Jordan. Les provocations de la *trash girl* warholienne ne semblent guère émouvoir la vedette des *Damnés*. Donna porte son costume de scène, tailleur années quarante à épaules carrées, escarpins compensés, rouge à lèvres flamboyant. Ses sourcils sont réduits à deux indications typographiques et ses cheveux oxygénés à la Jean Harlow laissent apparaître une ligne de racines noires. De ses pupilles en aimants, Yves enregistre les détails. Ce look d'enfer est l'œuvre de Corey, le petit ami de Donna, renvoyé de son école de mode, la Parson's School. Ses trouvailles d'hyper-styliste ne sont pas perdues, comme il ne va pas tarder à le remarquer.

Donna tente sans relâche d'attirer l'attention de Helmut Berger, que ses plaisanteries crades agacent. Son visage d'ange synthétique contraste avec une voix gouailleuse, un brin vulgaire. Chauffée par Corey, elle finit par cogner Patti d'Arbanville. Une table basse en verre explose. Le match entre le nouveau monde et la vieille Europe se termine à l'Hôpital américain.

La collection suivante, Yves Saint Laurent va faire scandale.

Le jour où Yves est devenu roi

« Chère vieille France ! La bonne cuisine ! Les Folies-Bergère ! Le gai Paris ! La haute couture [...] ! C'est terminé ! La France a commencé et largement entamé une révolution industrielle[123]. »

Georges Pompidou

Avant que le défilé ne démarre, Yves Saint Laurent devine le scandale qu'il va provoquer, ce qui le rend allègre. Il transgresse, il joue, il prend le risque d'aller trop loin. Il retrouve l'euphorie éprouvée avec la collection Trapèze. Sa collection va faire du bruit, il n'en doute pas.

« Il savait qu'il allait choquer, et ça l'amusait », dit Gabrielle Buchaert.

Grisé, il avance maintenant sous la bannière de sa propre personnalité, celle du non-aligné de la saison.

Et il ne s'est pas trompé. Le 29 janvier 1971, le couturier présente rue Spontini la collection dite Quarante, la plus insolente qu'il ait jamais conçue (Yves ne donnait pas de nom à ses collections. Celui-ci fut attribué par la presse). Comme si les drogues psychédéliques avaient désintégré ses inhibitions, il est enfin lui-même, affranchi de son académisme. Pour nombre de ses aficionados, c'est la plus belle de ses présentations.

« J'avais assisté aux défilés de Chanel, de Balenciaga, de Courrèges et d'Ungaro. Pour la première fois, j'étais invité chez Saint Laurent et j'étais ébloui », dit l'exigeant couturier Marc Audibet.

Yves Saint Laurent joue gros. Il a tout misé sur une seule couleur, le *revival* : quelque chose que l'on connaît et que l'on revoit. Une nouveauté, dans la haute couture. Quatre-vingt-quatre modèles aux épaules carrées se succèdent dans un silence scandé par la voix métronomique qui égrène leurs numéros. Sous des robes moulantes inspirées du cinéma hollywoodien, fesses et seins font craquer les crêpes de chine imprimés. Les robes plissées en mousseline de soie se dégrafent de haut en bas. Les bustes sont étroits, les drapés font chalouper les hanches.

« Je me souviens d'une rousse à gros nichons, que tout le monde a haïe[124] », dit Loulou de La Falaise.

« De gros nichons, Annie ? comparés à ceux de Loulou, peut-être, rétorque Gabrielle Buchaert. Annie était très agressive, avec un physique de pin-up hollywoodienne. Il y avait pire : elle était très rousse avec des racines très noires... J'ai dit à M. Saint Laurent qu'elle était épouvantable. Il jubilait. »

En lui sommeille un petit agent provocateur. Les mannequins font de la retape et Yves s'amuse. Finies les chic panoplies unisexes sur des corps androgynes. *Out*, les filles sportives qui montrent leurs genoux. Terminé, le naturel négligé des hippies. C'est le grand retour du sophistiqué : les lèvres vernissées au carmin, les ongles laqués, les cheveux crantés.

Jacqueline Miller, une métisse avec une grande bouche, allume en manteau de velours ceinturé. Le soir, Dominique Pommier crâne en mini-manteau de renard vert porté avec des semelles compensées, lequel s'ouvre sur une combinaison short dos nu. Il y a une robe en crêpe de soie imprimé camouflage, une superbe tunique de gladiateuse. C'est la grande pavane de la provoc mauvais genre, du racolage sulfureux.

« Des tenues à porter sur son bidet », entend Loulou de La Falaise dans son dos.

Pour le protéger des ondes mauvaises, les muses d'Yves ont été envoyées aux avant-postes : Paloma Picasso avec les mondains, Loulou avec la presse française et Marisa Berenson avec la presse anglo-saxonne.

Le commando porte ses couleurs. En robe imprimée à fleurs des années quarante appartenant à sa mère et boléro de singe, Paloma Picasso s'attire des regards meurtriers.

« J'ai entendu Charlotte Aillaud demander s'il fallait vraiment être habillée comme ça pour être à la mode. Pauvre Palo[125] ! » rapporte Loulou.

Veste de satin rose *shocking* et short sur collants noirs, Loulou ne perd rien pour attendre.

Pour les clientes habituées aux défilés empesés et mondains, c'est une déclaration de guerre.

Yves a fait la connaissance de Paloma lors d'un dîner chez Charlotte Aillaud. Ce soir-là, la fille du peintre portait une robe en crêpe noir à la Joan Crawford chinée aux puces de Portobello Road et un turban rose orné d'une plume dont une amie de sa mère s'était débarrassée. Toute une génération de filles fait comme elle, détourne les garde-robes des mères, recycle, retaille, customise, accessoirise : autant de signes du triomphe de l'individualisme. Yves a demandé à la jeune fille de passer au studio pour dessiner sa tenue.

Paloma Picasso, qui n'est pas encore une riche héritière, a développé un genre bien à elle. Sa nounou lui taille des jupes sans ourlet dans des tweeds de couleurs pastel qui font de l'effet. Elle complète avec les vêtements années quarante de sa mère et exhume aux Puces, où l'on trouve encore des pièces de Madeleine Vionnet ou de Schiaparelli, des robes anciennes. « Simplement à cause de mon nom, j'avais sans cesse l'impression d'être observée. Les gens étaient toujours intrigués, ce qui augmentait ma timidité. Alors j'ai décidé de détourner l'attention sur mes vêtements. Comme un bouclier, mes extravagances vestimentaires me rendaient un peu inaccessible. Certains avaient peur de moi. C'est moi qui avais peur, en réalité[126]. »

Oui, la collection Quarante est influencée par Paloma, Loulou et toutes les filles pilleuses de friperies ou de stocks de l'armée comme par les mannequins qui s'habillent chez Cacharel ou Daniel Hechter. Oui, elle naît du Pop art et de la warholite. Oui, Yves se souvient d'Ossie Clark, de Chanel, de Schiaparelli, des costumes de Maria Casarès dans *Les Dames du bois de Boulogne*, de ceux de Barbara Stanwyck dans *Assurance sur la mort*, des robes de sa mère. Non, réinterpréter le passé ce n'est pas inventer. Mais le pillage et le pastiche qualifiés alors de *revival* ou de *kitsch* sont des tendances lourdes de la mode des années soixante-dix. La mode hippie a provoqué une libération et, une fois recyclés toutes les blouses paysannes et les grands jupons, elle s'est traduite par un retour au glamour, qui est forcément *vintage* (à l'époque, on dit « rétro »). Faute de propositions intéressantes dans les boutiques, les filles chinent aux puces des robes couture qu'elles portent de manière décalée, théâtrale, humoristique. L'individualisme se propage et, avec lui, le désir d'arborer des fringues que les autres n'ont pas.

En traduisant le *revival* avec le vocabulaire de la haute couture, Yves Saint Laurent en certifie la qualité. Il a ramassé des diamants bruts qu'il retaille avec une technique admirable. Il a inventé son trait en fuyant l'emphase pour la simplification. Au moment où le jean s'impose comme vêtement universel, Yves Saint Laurent accorde le désir de nouveautés avec la tradition élégante de la vieille Europe.

Il a développé des perceptions extra-sensorielles qui lui permettent de capter l'air du temps, substance insaisissable. Médium hypersensible, son intuition est en parfaite symbiose avec l'esprit de son époque. Synchronisme, qualité première du couturier : rien ne sert d'avoir raison trop tôt ou trop tard. L'adéquation du vêtement et de l'époque doit être sans plis. « Où est le génie du couturier ? Le génie, c'est de prévoir. Plus que le grand homme d'État, le grand couturier est un homme qui a de l'avenir dans l'esprit[127] », a dit Chanel. Les lunettes d'Yves Saint Laurent sont des antennes téléscopiques. De loin, il perçoit des détails invisibles à l'œil nu, les réfléchit dans son miroir aux alouettes, et les renvoie agrandis aux quatre coins du globe.

La collection de l'été 1971 n'est pas un exercice nostalgique. C'est une stratégie de mode culottée, un choix délibéré qui concorde avec l'esprit hybride du moment. Yves Saint Laurent n'est pas un rebelle, mais un couturier ambitieux animé d'un féroce désir de réussite. Son intense vitalité, son intransigeance vibrante qui contraste avec une apparente fragilité sont perceptibles dans la guérilla qu'il livre. Son prénom lui va bien : Yves, l'archer du haut Moyen Âge dont l'arme redoutable était faite d'if, iv en germanique, un bois résistant et souple. Impossible de dévier ses flèches. On ne devient pas le couturier le plus célèbre de son temps sans livrer bataille et triompher.

Les années soixante-dix découpent une séquence baroque dans l'écoulement du vingtième siècle. Les minutes ont continué à se dérouler normalement, mais certains ont traversé le miroir. De l'autre côté, l'imagination était au pouvoir, toutes les utopies possibles. Une profusion d'expériences a été tentée. Avec insouciance, chacun a essayé de vivre son rêve. Dans les Cévennes, la Lozère ou les Pyrénées, des lycéens, des étudiants, et parfois des ouvriers ont créé des communautés où les couples se faisaient et défaisaient au gré des humeurs. À Besançon, après le dépôt de bilan de leur entreprise, les ouvriers horlogers de Lip ont lancé une expérience autogestionnaire. Ils ont occupé leur usine, piqué les stocks et remis la production en route. Lorsque les gardes mobiles les ont délogés, les ouvriers d'autres usines se sont mis en grève et sont venus se battre contre les forces de l'ordre. Pour empêcher l'extension d'un camp militaire, des foules considérables se sont rassemblées sur le plateau du Larzac. Le monde matériel lui-même sortait de ses gonds : les maisons se déformaient comme des amibes, les meubles ondulaient ou se hérissaient de protubérances, des palmiers en alu brossé poussaient dans le hall des préfectures. La transe n'a pas épargné le service public : les téléphones des PTT sont devenus orange et, à la télévision, les présentateurs adoptaient des coiffures bizarres dans des émissions aux habillages graphiques psychédéliques. Avant de s'embarquer pour le millénaire suivant, la société, dopée par les substances stupéfiantes, a donné une ultime chance à l'idéal, au rêve, et à la rigolade. Yves Saint Laurent a régné sur cette période.

La plus fracassante de ses collections déclenche d'abord une avalanche d'hostilités. « Un tour de force de mauvais goût. Rien ne peut dépasser en horreur cet exercice de kitsch », écrit *The Guardian*. « Débarrassez-vous de vos influences excentriques », lui ordonne le *Women's Wear Daily*, son plus fidèle supporter depuis le début, rendant Warhol responsable de ces dérives subversives. Mais le coup le plus dur est porté par

Eugenia Sheppard, grand oracle de la période, mercenaire de quatre-vingts journaux américains. Très influente, elle est réputée pour ses saillies tranchantes et son jugement sûr. Jusque-là, elle a été une fan de la maison. « Quel soulagement de pouvoir au moins écrire que cette collection était franchement, définitivement et complètement hideuse », confie Eugenia Sheppard à ses lecteurs du *New York Post*. Pourtant, elle connaît la musique. « Dire qu'une mode est portable, c'est lui donner le baiser de la mort. Aucune nouvelle mode digne de ce nom n'est jamais portable[128] », a écrit cette chroniqueuse subtile qui se défie de l'instinct grégaire. Quelques mois plus tard, reconnaissant son erreur, elle s'excusera auprès d'Yves, ce qui prouve une humilité de grande classe.

Après le défilé, Marisa Berenson, Loulou et Paloma se réfugient dans le bureau d'Yves qui les attend, col roulé sur costard de velours clair et barbe taillée Jésus Christ superstar.

« Et là, on a eu un fou rire hystérique », dit Loulou.

Yves sait qu'il ne s'est pas trompé : dans les rues, les filles sont déjà habillées en Saint Laurent.

« La collection Quarante était une blague, une caricature des années quarante, un jeu, comme un portrait de femmes par Picasso. Yves Saint Laurent était très fin. Il montrait que la mode pouvait dépasser les conventions bourgeoises avec sa poésie. Tout en restant élitiste, il était l'homme de son époque[129] », dit le journaliste américain Gerry Dryansky, alors au *Women's Wear Daily*.

Le couturier pulvérise un tabou. Officiellement, les Français lui reprochent d'avoir cyniquement réveillé le souvenir des années noires, les Anglo-Saxons, le kitsch de ses propositions. En vérité, ce qui a dérangé et choqué, c'est l'expression de la puissance sexuelle des femmes. Ses robes aphrodisiaques sont une arme de séduction fatale. La mode est une course à l'armement qui oblige à une perpétuelle fuite en avant. C'est la première fois que la provocation sexuelle et le scandale décalé entrent dans un salon de haute couture.

« Yves Saint Laurent avait commencé comme un couturier classique élevé par Dior. Là, il a changé le contexte en faisant de la mode un phénomène poétique », dit Gerry Dryansky.

La rue envahit la couture

« La rue et moi, c'est une histoire d'amour. 1971 est une grande date car, enfin, la mode descend dans la rue[130] », dit YSL. À moins que ce ne soit l'inverse : la rue envahit le podium. Ce jour-là, Yves Saint Laurent devient le roi de la mode. De son époque.

Dans l'histoire du vêtement, la mode s'est jusque-là propagée par imitation du haut de la pyramide sociale vers le bas. Cette fois, la souche-mère est plébéienne. Des tendances déjà existantes s'imposent à l'ensemble de la société, y compris aux élites. « Lorsque j'ai vu dans un salon de haute couture défiler ces imperméables qui couraient déjà les rues depuis plusieurs mois, je me suis dit que la haute couture était terminée[131] », déclare la baronne Alain de Rothschild. Les historiens partagent son avis : « La haute couture abandonne le privilège qui avait été le sien pendant un peu plus d'un siècle, celui d'être la source unique de création des modes féminines pour la civilisation occidentale[132] », écrit François Boucher.

André Courrèges est effondré. « La haute couture est terminée, déclare-t-il. Les rues de Paris ressemblent maintenant à Portobello Road. » Il a raison, Courrèges, comme d'habitude. C'est même son problème : trop visionnaire pour les best-sellers. Avec son intelligence instinctive, Saint Laurent a inventé quelque chose de neuf. Il n'est pas un technicien du vêtement, comme Balenciaga ou Courrèges, dont il brise l'élan moderniste. Le corps et son anatomie ne sont pas sa tasse de thé, contrairement à Vionnet ou Chanel. Les grands ancêtres ont disparu. Balenciaga a fermé sa maison de couture en 1968, Chanel est morte en janvier 1971. Cardin, Courrèges, Givenchy sont quinquagénaires ou presque. Ceux de la génération de Saint Laurent sont stylistes dans le prêt-à-porter. Yves, lui, occupe une position privilégiée. Son pouvoir de jeune couturier lui permet de revisiter ce que le prêt-à-porter fait déjà avec la technique de la couture. Et de lui donner ses lettres de noblesse. C'est un classique qui s'offre le luxe de subvertir la tradition. Il respecte la syntaxe mais joue avec l'argot. Le prestige de la haute couture et son statut de benjamin ont permis à Yves Saint Laurent d'énoncer la mode.

Contrairement à la légende, les femmes ont acheté les modèles de cette collection comme le prouve le livre de comptes conservé à la fondation Yves Saint Laurent[133]. Dans le clan Saint Laurent, les héritières comme Marie-Hélène de Rothschild déposent les armes et passent commande. Leur légitimité est discréditée, leur classicisme déclassé. « L'élégance [...], c'est plutôt une affaire de caste alors que la séduction est une affaire physique[134] », note avec justesse Pierre Bergé.

Elsa Schiaparelli a acheté les numéros 37, 16 et 8, Charlotte Aillaud a commandé un modèle, tout comme Betty Catroux, Hélène Rochas, Marisa Berenson, Catherine Deneuve dont les noms sont inscrits au feutre rouge sur les pages jaunies. Madame Mick Jagger a acheté le boléro de renard vert. Nan Kempner, qui a commandé huit pièces, léguera plus tard à la Fondation une robe en jersey de soie noire, avec un empiècement de daim rouge, une robe longue en soie bleue ornée d'une marguerite ainsi que la robe à imprimé camouflage.

« Et comme Yves était rudement têtu, il a remis ça avec la collection de prêt-à-porter. Et ça a fait sensation, parce que c'était commercial et facile à porter[135] », dit Loulou.

Gabrielle Buchaert, oubliant ses préventions, s'offre une robe noire imprimée de bouches warholiennes, des sandales à plateformes et un boa.

« S'habiller ainsi était très excitant[136] », dit-elle.

La mode assouvit des désirs, pas des besoins. Ce n'est pas le conformisme qui précipite les femmes dans les boutiques Saint Laurent Rive Gauche, mais l'esprit de compétition. On ne s'habille pas pour être comme la voisine, mais mieux qu'elle. Saint Laurent démode ses concurrents et oblige les clientes à... se rhabiller comme des travelos new-yorkais quelques mois auparavant.

« J'ai taquiné Charlotte, qui avait déclaré que ce défilé lui rappelait de mauvais souvenirs. Ce qui est fascinant, chez Yves, c'est qu'il a toujours eu un sens concret de ce qui allait plaire[137] », dit Thadée.

Ce jour-là, une bataille de chiffons a été livrée et gagnée. La grande bourgeoisie et une nouvelle bohème des créatifs ont ferraillé à travers leurs systèmes de valeur et leurs codes. Et la classe dominante a perdu.

Une révolution française

Tandis que la société paysanne disparaît, une nouvelle classe moyenne voit le jour. Techniciens, cadres, enseignants deviennent plus nécessaires que les agriculteurs. La société précédente était pyramidale : l'innovation se propageait du haut vers le bas. Au milieu, une classe intermédiaire la diffusait en tâchant d'imiter les élites et en se démarquant du peuple. Ce modèle a fait son temps.

Consommatrices de compétences et de qualification, les années soixante voient naître une nouvelle classe d'ingénieurs, d'enseignants, de cadres qui a son originalité propre. Dans ce vaste groupe caractérisé par sa mobilité, un capital de compétence remplace le capital économique et le savoir, la richesse. Une élite fortement diplômée (généralement par de grandes écoles, grands avocats parisiens, hauts cadres dirigeants, politiciens ministrables), contrôle le système social plus qu'elle ne le dirige. En se démarquant du modèle pyramidal, l'innovation prolifère à partir de points multiples à l'intérieur de la classe moyenne. Dans une société mobile, différents groupes lancent les modes. Comme l'explique Henri Mendras dans son essai remarquable, *La Seconde Révolution française, 1965-1984*[138], « l'élite n'est plus une classe sociale mais des réseaux de leaders qui animent des noyaux innovateurs ». Les leaders inventent et propagent comportements ou idées inédites.

« La société s'est divisée en plusieurs parcelles, et chacune a sa mode », dit Yves Saint Laurent, à qui rien n'échappe d'une évolution dont son métier est acteur. Le changement lui a permis de rattraper la modernité après laquelle il courait depuis ses débuts. La mode n'est plus un rapport à une classe sociale, mais à la jeunesse. Arrivant à ce moment très particulier où la haute couture ne peut plus prétendre faire les garde-robes, il s'invente un rôle neuf : scénariste des nouvelles mœurs. Ce n'est pas un architecte comme Courrèges, mais un romancier. Avec un alphabet de formes génériques puisées dans le vocabulaire masculin, caban-trench-tailleur-smoking-saharienne et une écriture déliée, il propose des récits mettant en scène son idée de l'éternel féminin. Son lexique reste le nôtre aujourd'hui.

Miracles

Cartier, joaillier en déclin de la place Vendôme, a allumé la mèche en 1968… avec un briquet. Racheté par un groupe d'investisseurs, la maison assoupie ressuscite grâce à un briquet. Pour la première fois, une grande marque de luxe lance un briquet à gaz. Silver Match ou Dunhill en proposent du même type, mais ils ne sont pas des bijoutiers de prestige. Dans la foulée, Cartier lance les Must, une série de produits destinés à la classe moyenne – maroquinerie, montres, stylos, parfums – bien éloignés de son métier d'origine mais qui, frappés d'une signature associée à l'image de la haute joaillerie parisienne, deviennent un signe extérieur de standing.

De forme ovale à godrons, le briquet en or Cartier est beau, cher, et fonctionne moins bien... qu'un Zippo. Pourquoi un briquet ? Parce que le jeune cadre des *seventies* grille clope sur clope pour doper ses neurones. « L'extraordinaire amélioration des moyens techniques permet de réaliser des objets parfaits, et garantis comme tels, pour d'autres bourses que celles des grands de ce monde[139] », affirme Cartier. Une déclaration... optimiste, disons. Aux masses, Cartier ne vend pas du luxe, mais l'image du luxe. (Essayez de remettre en route le vieux Cartier qui sommeille au fond de tiroirs de vos grands-parents...) Une nouvelle catégorie de marchandises apparaît : l'objet fabriqué industriellement, qui ne possède aucune qualité luxueuse (rareté, sur mesure ou fabrication artisanale), mais sur lequel une marque de prestige appose son sceau. Sans rien changer de la nature physique du produit, la griffe en modifie la qualité sociale, a remarqué Pierre Bourdieu[140]. Une marchandise fétichisée, qui correspond encore à ce jour à l'idée miraculeuse que beaucoup se font du luxe.

Ces objets sont aussitôt... populaires : en achetant des produits de luxe en période d'inflation, les consommateurs des années soixante-dix croient investir dans des produits durables. En quoi ils se trompent. Ou bien ils sont trompés. Mais la résurrection de Cartier laisse le secteur rêveur. Notamment Yves Saint Laurent et son ami Pierre Bergé, qu'un hasard va faire profiter de cette nouvelle manne.

En 1969, l'actionnaire d'YSL, Richard Salomon, revend au groupe pharmaceutique Squibb, ses parts dans Charles of the Ritz (donc dans YSL).

« On racontait que Pierre Bergé, qui n'était pas propriétaire de la maison, cherchait à en tirer un maximum d'argent, ce qui irritait Dick Salomon. Mais Dick était un homme gentil et philanthrope – il a légué une fortune à la bibliothèque de New York –, pas un requin des affaires[141] », dit Gerry Dryansky. Irrité peut-être, mais fier du développement de Rive Gauche, Salomon qui est cultivé et parle français, a noué avec Yves et Pierre une relation cordiale. « Quoi qu'on vous raconte sur Bergé, souvenez-vous qu'il a eu le même chauffeur pendant vingt ans[142] », confie-t-il un jour à Jean-Louis Dumas, le patron d'Hermès.

Dick Salomon parvient à convaincre Squibb d'échanger les actions que le couple détient dans la société Yves Saint Laurent contre la maison de couture, de petites royalties sur les parfums et un million cent mille dollars remboursables en quinze ans (environ six millions d'euros). Yves conserve un droit de veto sur les lancements de fragrances : Squibb ne peut en lancer sans son accord et la publicité doit lui être soumise.

Certes Yves et Pierre s'endettent et renoncent à une substantielle part de gains. Mais pour la première fois, ils sont leurs propres patrons. Et surtout, ils ont le droit de signer tous les accords de licence possibles, sauf pour le parfum et les cosmétiques.

Cet été-là, Yves, flanqué de Loulou et Pierre, de Clara et Thadée, part se reposer à Marrakech, où il retrouve Andy Warhol et Fred Hughes descendus à la Mamounia. En 1973, Pierre et Yves se sont installés dans une vaste villa des années trente, Dar es-Saada, qu'ils font décorer par Bill Willis dans un esprit colonial. « J'ai grandi dans le souvenir d'un passé colonial, dans le sud des États-Unis, raconte Bill Willis. Et Yves avait connu un peu la même chose durant son enfance en Algérie. C'est un style que nous comprenions[143]. »

Warhol vient à bicyclette faire écouter des enregistrements du Velvet Underground qu'Yves trouve rasoir. En représailles, Warhol a droit au disque de *L'École des femmes* dit par Louis Jouvet. À croire qu'Yves n'a rien découvert depuis vingt-cinq ans.

« Dans un moment de soûlographie, Yves et Andy inventèrent une comédie musicale qui se passait à la Grenouille, le restaurant new-yorkais, qu'Yves voyait d'une manière imaginative, déformée et rêvée. Comme beaucoup de choses », dit Thadée.

De la Mamounia, quelqu'un a rapporté des romans coloniaux pornographiques dont on fait la lecture à voix haute. Descendu lui aussi dans le vieil hôtel, l'architecte catalan Ricardo Bofill, qui vient d'ouvrir une agence à Paris pour participer aux projets de construction de villes nouvelles, leur rend visite. Ou plutôt rend visite à Loulou, qu'il enlève pour une balade dans le désert à la grande colère d'Yves, qui déteste prêter ses jouets. Le couturier décide alors d'engager la jeune femme, qui jusque-là partageait son temps entre New York, où elle dessine des imprimés pour le couturier Halston, et Paris. Elle s'installe rue des Grands-Augustins chez Ricardo Bofill.

« Yves jouait avec Loulou. Elle était jeune et *destroy*, ça l'amusait. Elle est entrée pour donner du punch », dit Danielle Varenne.

Autant qu'une muse, Loulou est une amie qui l'amuse. Elle charme Pierre, dont les sautes d'humeur ne l'affectent pas.

C'est tout bronzé qu'au retour Yves pousse la porte du studio de Jeanloup Sieff, 87, rue Ampère. Il sait parfaitement ce qu'il veut. « Un scandale » dit-il au photographe. Yves vient poser pour la campagne publicitaire de son premier parfum pour homme. Nu, il exige d'être totalement nu. Avec un copain comme Jeanloup, Yves est en terrain familier. Connu pour ses clichés sensuels et élégants photographiés en noir et blanc au grand angle, Sieff est un partenaire idéal. Il installe Yves sur un coussin de cuir noir, jambes repliées, entièrement dévêtu à l'exception des lunettes d'écaille. La seule chose que Sieff refuse, c'est de photographier le flacon entre les cuisses. Cela ne… fonctionne pas. En moins d'une heure, la photo est terminée.

Visuellement, cette belle image est un signal fort. Tout y est : la part d'ombres, la force et la fragilité, l'innocence louche. La barbe est taillée et la chevelure mi-longue christique. Les muscles se profilent, les veines saillent des avant-bras. Yves est hâlé, fuselé par ses séances de nage à Marrakech. Il est complètement à poil, enfin « poil » est un grand mot. À trente-cinq ans, son torse glabre est celui d'un adolescent.

Pourquoi se met-il à nu, au-delà du calcul publicitaire ? La nudité n'est pas une nouveauté, en ce début des années soixante-dix. En 1968, John Lennon s'est dévêtu sur la couverture de *Two Virgins*, son album expérimental. Mais jamais une célébrité n'a posé à poil pour une campagne publicitaire. *France Soir* décrit le couturier comme un Christ à lunettes, *Le Figaro* comme un chérubin, *Jour de France* refuse de passer la publicité. Parfait ! Qui peut alors ignorer qu'il vient de lancer une Cologne masculine ? Plus encore que l'espace acheté aux magazines, l'écho fait à cette provocation rapportera une considérable publicité gratuite aux parfums Saint Laurent. Au passage, le trentenaire séduit les adolescents, ce qui était son but. Quel chemin parcouru par le timide Yves depuis ses débuts ! Lui que la presse mettait à la torture, le voilà se jetant en pâture au public. Déjà, les boutiques Rive Gauche qui se développent à vive allure dans le monde ont toutes leur poster géant du jeune couturier. Il s'était pas mal déboutonné dans *Woman is Sweeter*, le film de Martine Barrat. Là, il va jusqu'au bout.

Cet exhibitionnisme prouve un vif narcissisme et une grande confiance dans ses qualités physiques. En à peine plus d'une décennie, le petit Oranais introverti à tête de fayot s'est métamorphosé en sex-symbol. L'égal d'un Rudolph Noureev dont il est l'amant. Il se livre à notre imagination.

Le Hell's Angel du Club 7

« Bonjour, bébé de rêve ! Je t'ai fait des spaghettis au caviar ! » hurle Fabrice Emaer dès qu'il aperçoit Clara, qui a pris la réservation. Yves attire tous les regards, ce qui est loin de lui déplaire. L'écrivain Yves Navarre, dans *Lady Black*, un premier roman dur et douloureux qui a pour héros des travestis, surnomme les habitués du 7 des « chichis-poufs », « qui viennent manger des spaghettis-caviar en levant le petit doigt[144]. » Le 7[145] est un club de rendez-vous pour célébrités. À l'entrée, un physionomiste filtre les jeunes gens autorisés à danser au sous-sol sur la piste de poche tapissée de miroirs. Tandis qu'Yves s'installe, un membre ou l'autre de sa cour descend voir ce qui se passe sur le *dance floor* pour lui faire un état des lieux.

Aux tables voisines, il y a la coterie de Karl Lagerfeld, celle de Kenzo, le jeune couturier japonais qui monte, de Helmut Berger, de Françoise Sagan, de Michel Guy, ex-secrétaire d'État à la Culture, une tablée de mondains, une autre de gens de cinéma entourant une star américaine de passage. Les choses sérieuses commencent après le dîner, lorsque les grandes personnes, c'est-à-dire Pierre et Clara, rentrent se coucher tandis que les enfants descendent s'amuser. En compagnie de Betty et de François Catroux, et souvent de la turbulente Loulou qui papillonne de la bande de Kenzo à celle de Saint Lolo, Yves reste jusqu'à la fermeture.

Dans la boîte, la musique joue si fort que le corps fait caisse de résonance. Les pulsations tapent directement sur le cœur. À l'aube, longtemps après avoir quitté le club, les tympans vibrent encore. Guy Cuevas, le DJ, pousse à fond les tubes funky de la Motown : Diana Ross, Martha and The Vandellas, les Jackson Five, Marvin Gaye, Stevie Wonder. « Je n'ai jamais rien connu d'aussi glamour, mondain, excitant, écrit Paquita Paquin, une habituée : un concentré de *rich and beautiful people*[146]. »

Comme Karl assis à une autre table avec sa bande de new-yorkais warholiens, Yves observe en voyeur les juniors qui s'agitent. Sur la piste, un mix d'homos, de mannequins, de travestis, de fils à papa bien habillés dansent, tandis que les néons multicolores du plafond flashent au rythme de la musique. Le 7 n'est pas un club de drague, mais un lieu où l'on va pour voir, pour être vu et pour s'amuser. Tout ce qu'on espère, c'est plaire et accessoirement emballer vite fait à la fermeture.

Yves et Karl assistent à un changement de génération. Alors qu'ils approchent de la quarantaine, une nouvelle classe d'âge, animée d'un sentiment de liberté peut-être factice mais chatoyant, vit un moment de renouveau. Dans tous les pays, la jeunesse est persuadée d'avoir pris le pouvoir.

« Je ne sais pas ce qui se passait à Paris, mais on ne pouvait pas rester chez soi. Il y avait un besoin impératif de sortir, un besoin de sexualité, d'excitation », relate Marco de Riveira, habitué du lieu.

À peine débarqué du Honduras, on a entouré une écharpe autour du cou de Marco, on l'a emmené boire un verre au Flore puis entraîné au Club 7. Normal, il est jeune, beau, élégant. Ce vent de liberté, Yves Saint Laurent ne serait pas fâché d'y goûter.

Depuis les émeutes de Stonewall en 1969, les homosexuels new-yorkais, après avoir gagné le droit de s'afficher dans leurs propres lieux, ont ouvert des clubs où se mélangent homos et hétéros. À l'Anvil, un baisodrome du Bronx, les *gogos-dancers* mâles dansent sur les comptoirs devant des centaines de mecs excités. À Paris, de nouveaux clubs ouvrent rue Sainte-Anne dont certains sont interdits aux femmes. Danser entre hommes n'est plus un délit. Cabines de piscine, buissons, saunas, latrines, docks, les interstices ne sont plus les seuls lieux de rencontre. Plein de sexe, de drogue et de virulence politique, le magazine *Actuel*, qui diffuse en France les cultures alternatives, encourage les mouvements sociaux minoritaires (homosexuels, antiracisme, écologie, libération de la femme...) et diffuse les valeurs hédonistes : dans son courrier des lecteurs, les premiers *outing* homosexuels.

« La promiscuité du 7 générait un zapping sentimental. C'était si exigu qu'en dansant, on était obligé de se frôler. Il n'y avait pas d'attouchement comme au Bronx, à côté. On dansait, on se regardait », dit Marco.

Lorsqu'Yves repère un bon coup parmi les serveurs renouvelés tous les six mois ou sur la piste, une de ses amies s'entremet. Ses amours filent plus vite qu'une mode : jamais au-delà de quelques jours. Seule sa liaison avec Jorge Lago, lascif danseur de la troupe de Roland Petit, a sans doute duré plus longtemps. Avec son numéro exhibitionniste de *L'Éveil du sultan*, Lago, « cubain, œil havane, dents de bébé-requin », avait tourné la tête du Tout-Paris, qui se pressait pour le voir dans la revue *Zizi je t'aime*[147]. Le plus souvent, l'emballement d'Yves est fulgurant et théâtral – gerbes de fleurs, lettres enflammées – et la désillusion foudroyante.

Si personne ne le branche, il traîne après la fermeture du 7 au Royal Opéra, un café ouvert vingt-quatre heures sur vingt-quatre. « Tout comme nous, il ne peut se résoudre à rentrer et attend quelque chose ou quelqu'un[148] », note Paquita

Paquin, night-clubbeuse d'élite. La cocaïne, drogue en train de se répandre à Paris, les empêche de dormir.

« D'un seul coup, il y en avait partout », remarque le créateur Lucien Pellat-Finet, alors membre de la coterie de Montana et de Mugler, les stylistes qui montent. Et la coke, Yves aime beaucoup.

Ce soir de 1973, au Club 7, le roi de la mode ne danse et ne drague pas, il mate. Contrairement à Thadée, capable de danser le disco une jambe dans le plâtre, ou à Loulou qui, avec sa copine Ariel de Ravenel, imite la publicité des bas Dim grimpée sur une table, il ne sait pas trop comment bouger sur Donna Summer.

« Parmi les habitués, Diane de Beauvau invente une façon démente de danser, à la fois énergique et abandonnée, les jambes bien calées dans l'entrejambe de son partenaire[149]. » Soutenue à la taille par les bras de son cavalier, elle renverse le dos jusqu'à mordre la poussière. Ce soir de 1973, ce n'est pas Diane qui intéresse Yves, mais son partenaire. Assez beau, la lèvre ourlée d'une fine moustache, il ressemble au baron de Charlus. Voir surgir rue Sainte-Anne un de ses héros en chair et en os fascine Yves. Le garçon est là tous les soirs, dînant à l'étage avec la bande de Karl. Il s'appelle Jacques de Bascher de Beaumarchais et flirte aussi bien avec des filles comme Loulou ou Diane de Beauvau-Craon que des garçons.

Par l'entremise de Loulou, Yves invite Bascher à son défilé, en juillet. Une photo montre les deux hommes peu de temps après leur rencontre. En costume blanc et nœud papillon, le couturier passe la tête dans le salon à la fin de la présentation. Debout au milieu du public, le jeune Bascher, dont la silhouette apprêtée est réfléchie par un miroir, l'applaudit avec force.

« La renommée de Saint Laurent, le plus grand des couturiers, flattait Jacques. Entraîné dans une sphère de célébrités, il adorait sortir, épater la galerie et s'étourdir », explique sa sœur, l'écrivain Anne de Bascher.

La liaison d'Yves avec ce jeune homme n'a pas duré très longtemps, et cependant elle appartient au mythe de Saint Laurent. La journaliste américaine Alicia Drake lui a consacré un livre. Les ingrédients sont émoustillants. Deux vedettes de la mode, Lagerfeld et Saint Laurent, s'arrachent un amant sur fond d'excès des années soixante-dix, avant de se brouiller.

Certes, Yves a probablement été amoureux, ou du moins obsédé de Bascher, Pierre Bergé comme Anne de Bascher sont d'accord sur ce point. Saint Laurent, trop narcissique pour aimer quelqu'un d'autre que lui-même et qui d'ailleurs ne s'aimait pas tant que ça, a fait une fixation. Il a même songé à quitter Pierre pour Bascher[150]. Que lui trouvait-il ? Les avis sur Bascher sont contrastés.

« Bascher était séduisant et malsain. Je ne l'ai jamais trouvé beau. Il n'était qu'une petite frappe », déclare l'un.

« Ce type ne m'a jamais fasciné. Il n'avait aucun talent », dit Thadée.

« Le diable fait homme avec une tête de Garbo[151] », ajoute Karl Lagerfeld.

Anne de Bascher pose la question à son frère. Karl et Yves admirent ses origines aristocratiques, répond-il, ce qui la fait sourire. Les Bascher, des grands bourgeois de Nantes, n'ont été anoblis qu'à la Restauration. Si la famille possède un petit château XIXe, la Berrière, et un vignoble de Muscadet à Barbechat, le père s'était expatrié en Indochine où il a travaillé à la Shell avant de revenir à Neuilly. Jacques, un poil mythomane, en a fait un diplomate et a rajouté un « Beaumarchais » à son patronyme. Un acte manqué, puisque le vrai Beaumarchais n'était qu'un faux noble. Les langues de vipère de la *fashion* qui tueraient pour un bon mot le surnomment « de Pas Cher du Bon Marché », en imitant l'accent teuton de Karl.

Comme Beaumarchais, Jacques vit dans un monde qui n'existe pas et dont les modèles sont littéraires. Il imite Montesquiou, homme de lettres qui camoufla son homosexualité sous une couche de snobisme et fixa dans un XIXe siècle puritain les traits du dandy homo, raffiné et lettré. Et fait sienne la diététique de Des Esseintes, le héros de Huysmans, cette recherche de sensations rares qui témoigne d'un absolu mépris pour la morale commune.

« Bascher avait quelque chose de "*evil*", de diabolique, oui, ce mot fera l'affaire. Avec ses airs sataniques, je le trouvais un peu grotesque mais j'imagine que cela devait séduire, surtout quelqu'un comme Yves, si malheureux[152] », dit Thadée.

Garçon blessé, le sous-Montesquiou de la banlieue ouest est un genre de *hell's angel*. À l'âge de quinze ans, il a révélé à son père son homosexualité.

« Mon père est resté abasourdi. Il a refusé de l'entendre et lui a interdit d'en parler. "Mais enfin, Tony, acceptez-le, c'est votre fils" répétait en vain ma mère », se souvient Anne.

Pour redorer son blason, Antoine de Bascher dit Tony a épousé une belle fille solide, intelligente et riche, du Limousin, où sa famille possédait une grosse ferme. Il en éprouve un sentiment de déclassement. Cette blessure narcissique, il l'inflige à sa femme qu'il humilie comme à ses enfants.

« Ni sa femme ni ses enfants ne lui paraissaient dignes de sa noble origine. Antoine de Bascher n'était pas méchant, mais d'une insupportable prétention. Les cinq enfants Bascher, tous attachants, étaient en révolte contre leur père », dit un de ses amis.

Anne, la fille aînée, signe de son précieux patronyme le manifeste des 343 salopes rédigé par Simone de Beauvoir. En 1971, 343 femmes affirment avoir subi un avortement volontaire, alors que l'IVG est interdite. Le manifeste fait l'effet d'une bombe à fragmentation dans la très pratiquante famille Bascher.

Jacques, lui, quitte l'appartement familial, boulevard du commandant Charcot, et fait une année de droit à la fac de Nanterre.

« Le seul homme que Jacques ait aimé, c'est notre père. Le rejet paternel a été la base de son autodestruction. »

Vêtu d'un blouson de cuir sur lequel est inscrite la devise des chouans, « Dieu et le Roi », il tourne autour du Flore et de la Coupole, et se jette dans une surenchère de défis suicidaires.

« Jacques s'est blindé le cœur et défoulé le sexe en jouant de ses atouts génétiquement hérités », dit Anne.

Il abandonne le gauchisme à sa sœur et milite dans la transgression. Toutes les drogues, toutes les pratiques sexuelles, toutes les rencontres. Tout pour s'affirmer, pour séduire, pour impressionner.

« Jacques a choisi la facilité : il est devenu le gigolo de ces messieurs. »

Pour envoûter Karl, il en rajoute dans la dépravation. Surjouant l'aristocrate décadent, Bascher appose le sceau du raffinement sur ses extravagances. Mais il se surestime. Survivre dans le petit monde calculateur et falsifié de la mode sans être un créateur exige le cynisme et le cran plébéien d'un Pierre Bergé.

Yves Saint Laurent et Jacques de Bascher ont un point commun : orphelins de père, en tout cas du désir paternel, ils partagent un même goût pour l'autoflagellation et l'avilissement. Des deux, le plus blessé est celui qui va le plus loin : Bascher. Il parvient à faire sortir Yves du Club 7 et de la protection de ses baby-sitters dessalées pour l'entraîner vers des infractuosités insondables. Bascher représente la liberté, aux yeux d'Yves. « Yves avait besoin de quelqu'un comme ça. Il avait besoin d'échapper à son propre univers[153] », a expliqué Pierre avec honnêteté.

Clé d'un monde interlope, Bascher est son guide au pays des turpitudes. Amateur de dangers, le jeune Nantais, avec la complicité de Xavier de Castella, le compagnon de Kenzo, organisera en l'honneur de Karl Lagerfeld le 24 octobre 1977, à la Main bleue, une des fêtes les plus frappées des années soixante-dix : la soirée Moratoire noir. *Tenue tragique noire obligatoire*, précise l'invitation imprimée en Times new roman sur un bristol très bon genre.

Préfigurant les *backrooms* inconnus encore à Paris, des machos torse nu et short de cuir noir s'en donnent à cœur joie sur scène. « *Fist fucking* à droite, fouettage à gauche, enculade au centre », résume laconiquement Paquita Paquin, qui rafle au passage une vraie casquette de pédé *YMCA* façon Village People.

Bascher, un partenaire à haut risque dont Yves Saint Laurent ne se remettra jamais tout à fait.

Outre sa jeunesse et sa beauté, Bascher joue avec… les pompiers. Les sapeurs pompiers de la caserne voisine, avec leurs biscoteaux et leur nuque rasée, pas les fantasmes de *La vilaine Lulu*. Bascher a quitté le petit studio qu'il habitait en face du Flore pour un grand appartement nu au 6, place Saint-Sulpice, que Karl lui a abandonné après la vente de sa collection art déco.

Le décor se prête aux exploits physiques. Les pompiers de la rue du Vieux-Colombier y ont table, sinon braguette ouverte. L'un d'entre eux, fiancé à une jeune fille, se serait suicidé à la suite d'exercices traumatisants. Une légende ? Possible, mais les fantasmes que suscitent Bascher en disent long sur ce qu'il représente. Un jour, Lucien Pellat-Finet, de passage chez Bascher, découvre au milieu du salon vide un siège de gynécologue, étriers en l'air. Il prend ses jambes à son cou.

Bascher donne une fête en l'honneur d'un certain Jean-Claude Poulet Dachary, dit Sergent Poulet, ex-légionnaire, membre du Front national et rédacteur en chef du *Képi blanc*, le journal de la Légion. Une Harley Davidson est garée au milieu du parquet, rétroviseurs à plat chargés de coke. À côté de chaque pile, une paille et une lame de rasoir[154]. Le sergent Poulet, qui n'est ni sergent ni légionnaire, finira assassiné à Toulon, quelques années plus tard : il était alors le bras droit d'un lieutenant de Jean-Marie Le Pen. Pompiers ou légionnaires, Bascher convoque les *sextoys* homosexuels.

« J'étais consternée parce que j'avais peur pour lui. Je craignais que tout cela finisse mal et, d'ailleurs, ça a fini très mal[155] », raconte Anne de Bascher.

Parisienne de Kiraz aristo-chic à mourir, sortie major de l'école du Louvre où elle a étudié l'archéologie, Anne n'a pas froid aux yeux, mais elle s'inquiète pour ce jeune frère, dont elle est l'aînée de huit ans, qui s'abîme avec toute la ferveur d'un catholique dépravé.

« Je demandais à mon frère de m'épargner les détails. L'homosexualité masculine reste pour moi un mystère. Il n'y avait pas de sentiments, de cœur. C'était froid, étranger. J'étais épouvantée. »

Jacques lui détaille ses nuits de maraude dans les jardins des Tuileries : « Les hommes avaient des pratiques sans échanger un mot ni un nom. Des bêtes aimantées par le besoin d'assouvir une pulsion. »

Dans quelles fondrières Bascher a-t-il entraîné Yves Saint Laurent ? Peu importe les détails. La transgression est pareille à une drogue interdite. On goûte par curiosité, on découvre des sensations inconnues, effrayantes, excitantes. Avant de rien y comprendre, on ne contrôle plus. Les pratiques bizarres sont indéchiffrables pour le non-initié. Repoussantes ou grotesques, excentriques ou dégoûtantes, mais incompréhensibles.

Dans le sillage de Jacques, Yves pousse de plus en plus loin son flirt avec le danger. Certes, il a toujours aimé jouer avec le feu, mais jamais il n'est allé aussi loin.

Le 26 août 1975, José Maria Bazquez-Sarasola, un jeune hobereau de province que Jacques a introduit dans la cour de Karl Lagerfeld, qui en a fait son chargé d'affaires – en échange de fringues –, se jette sous un train du côté de Vannes, à quelques kilomètres du château breton de Lagerfeld. Il était âgé de vingt-huit ans. La jeunesse ne pèse pas lourd face à la célébrité et à l'argent.

Le soir où il apprend la nouvelle, Pierre Bergé sonne la fin de la récréation. Il se rue avec Yves chez leurs nouveaux amis, François-Marie Banier et Jacques Grange, qui habitent rue Servandoni, à côté de chez Bascher : désormais la fréquentation de celui-ci est interdite à tout membre de la bande Saint Laurent sous peine d'excommunication. Bascher, Pierre Bergé s'en occupe personnellement.

« Ce que Bergé lui a dit, je ne peux vous le révéler. D'ailleurs, vous ne pourriez le publier. Jacques a été obligé de mettre fin à cette liaison. Mon frère a pris peur et n'a plus jamais approché Saint Laurent. »

De cette liaison, il resterait les lettres adressées par le couturier à son jeune amant, que Karl Lagerfeld a déclaré à plusieurs reprises détenir[156].

Durant l'hiver 1975, Yves se met chiffon, se déchire et se fait déchirer. Sa vie est de plus en plus décousue. Il fugue dans les bas-fonds et, une nuit, ne rentre pas. Pierre appelle les commissariats. Vingt-quatre heures plus tard, Yves est retrouvé dans un hôpital du nord de Paris, passablement amoché.

Fashion victim

> « J'ai horreur de l'esprit collectionneur : c'est la mort de l'objet. »
>
> Yves Saint Laurent, 1966

Au fond d'une cour triste, rue de Babylone, une porte noire dans un immeuble en briques. Dans le vestibule laqué d'un rouge opium, Moujik III, le jeune chien d'Yves, quête des caresses. Un torse romain de marbre blanc arrête le regard. Le visiteur est projeté dans le grand salon, vaste pièce rectangulaire envahie d'une si suffocante quantité de tableaux, de tapisseries, de meubles que le système nerveux central s'affole. Des atolls se hérissent d'objets, sur chaque table basse, chaque surface plane, d'innombrables bibelots prolifèrent, comme si l'on avait vidé les placards sans laisser le moindre espace libre si bien qu'on ne sait où poser le rafraîchissement salutaire qu'apporte Adil, le jeune maître d'hôtel. Les objets ont pris le contrôle de la situation.

Projection de ce que nous sommes et de ce que nous voulons montrer aux autres, le décor d'une maison est un autoportrait. Ouvrir son intérieur, c'est se mettre à poil. Cette demeure a abrité Yves Saint Laurent, son corps et ses songes. Peut-être chacun de ces objets a-t-il été le départ d'une rêverie ? La maison n'a pas été une boîte inerte, Saint Laurent y a vécu avec Moujik III, dont la présence animale apporte une note vivante dans cette immobilité un peu morbide. Le chien a quatre ans et, de tous les Moujik, c'est le seul gentil.

Il y a quelques semaines encore, Yves Saint Laurent vivait là, replié sur lui-même, servi par huit domestiques. Rien n'a bougé depuis sa disparition. Les brassées de roses fraîches livrées par le fleuriste Moulié-Savart, les gerbes de blé semblent avoir été sélectionnées par lui. Chaque objet occupe l'exacte place qu'il lui a assignée. « Il passait son temps à ranger les choses, à les arranger pour que ce soit exactement comme il le voulait[157] », dit Pierre Bergé.

Ici, dans le grand salon, Yves s'assoit au bout de la banquette, posant son verre de Coca Light « avec beaucoup de glaçons » sur le guéridon. De là, son regard embrasse la marée d'objets d'argent, de vermeil, d'ivoire ou de bronze (la patine chaude des bronzes, comme des marrons sortis de leur bogue), et, pareil à un étendard, le grand Goya sur son chevalet.

Pathologiquement attaché à ses possessions, Yves Saint Laurent refuse de s'en séparer : on n'abandonne pas ses amulettes. Le prêt du Goya, promis au musée du Prado, faillit être annulé à la dernière minute. Durant son absence, Yves le fit remplacer par une photo grandeur nature du tableau[158].

Ce *Portrait de Don Luis Maria de Cistue*[159], bel enfant vêtu d'une robe de velours vert ornée d'une collerette de dentelle au cou et aux poignets, un ruban rose à la taille, a inspiré plusieurs fins de défilé lorsqu'un enfant d'honneur, costume de velours et large ceinture de soie, accompagnait la mariée. « Mon enfant », a dit un jour Yves, en montrant le tableau. Une belle prise, qui provient de la collection J. D. Rockefeller de New York.

À main gauche, sur les panneaux de chêne et les portes, les tableaux se touchent comme les timbres-poste d'une collection. Picasso, Ingres, Cézanne, Géricault. Plus loin, Chirico. À main droite, les Matisse, des Léger. Un Brancusi en bois sculpté barre le manteau de la cheminée, à côté de la photo de Moujik. Bergé, lui, s'asseyait sur un drôle de siège en cuir aux formes sinueuses, un rarissime fauteuil aux dragons d'Eileen Gray, acheté en 1973. Face à Yves, dans le jardin, un puissant Minautore de marbre qui jaillit frais et blanc de son alcôve végétale, derrière la baie vitrée.

Leur premier achat art déco est chargé de symboles : un spectaculaire couple de vases noirs, comme pour célébrer une quête du Saint-Graal. Au milieu des années soixante, Pierre tombe en arrêt devant les urnes à la galerie Jeanne Fillon, spécialiste de l'art déco. Leur laque noire et opaque, ornée de chevrons et de zigzags rouge et or superbement craquelés, le séduit. Œuvre de l'artiste Jean Dunand, la paire de vases de forme pure affiche un beau pedigree. Elle a été présentée à l'Exposition internationale des arts décoratifs et industriels modernes de 1925, qui connut un vif succès. Yves refusa toujours de les vendre. D'ailleurs il n'aimait pas se défaire d'un objet. « Ne devenez jamais collectionneur ; on appartient à un démon aussi jaloux, aussi exigeant que le jeu[160] », écrivait Balzac, atteint de cette passion.

Le syndrome d'achat compulsif s'est accentué au fil du temps et s'est déposé par strates. Rue de Babylone, toutes les époques se carambolent. Yves et Pierre ont collectionné les cratères grecs, les bronzes de la Renaissance, les coupes d'Augsbourg, la peinture du XIXe siècle, du XXe. Ils ont acheté le plus beau, le plus rare, le plus cher.

Pourtant, ce qui frappe, c'est moins la beauté de chaque pièce ou le faste que l'accumulation serrée, dense, qui évoque le magasin d'antiquités de *La Peau de chagrin*. Si les antiquaires de haut vol sélectionnent les pièces pour en souligner la rareté, ici, la quantité est telle qu'elle neutralise la beauté. La plupart sont des chefs-d'œuvre remplis d'électricité, mais la thésaurisation a provoqué un court-circuit général : chacun semble tétanisé. Il faut s'approcher de *La Tasse de thé*, un tableau rare de Léger, et l'isoler du reste pour voir à quel point il est délicat.

Que signifie ce foisonnement ? « Yves a construit un caparaçon onirique qui était sa manière de vivre[161] », a dit Bergé, qui dépeint Saint Laurent comme un « psychotique » isolé dans un monde qu'il s'est entièrement construit. Ce monde doit beaucoup à Pierre : c'est lui qui visitait et négociait deux fois par semaine avec les marchands de Saint-Germain. Et « psychotique », terme clinique précis, ne me semble pas juste.

« Yves était au bord de la folie, au bord seulement, dit le décorateur Jacques Grange. Il avait un regard de fou : une force habitée, intense. Il s'exprimait avec délicatesse, tout ce qu'il disait avait un charme enfantin. On restait fasciné[162]. »

Dehors, les arbres ont la teinte sombre des algues. En regardant le jardin d'où émane une triste lumière de fond d'aquarium, je songe à la maison de Françoise Sagan, en Normandie, à son charme poétique, à ses meubles dépareillés, à ses quelques toiles chinées aux puces ou achetées à un artiste désargenté. Comme Yves, elle n'avait aucun rapport réel avec l'argent. L'un l'amassait, l'autre le dilapidait. Si elle se servait de son talent pour le bonheur de ses amis, lui a thésaurisé pour son seul compte, enfermé dans une vie amoindrie. Dans la maison de Sagan, il y a eu des jours heureux. Rue de Babylone, il n'y a pas de bonheur.

« Yves vivait là comme Toutankhamon dans son trésor. Dans un univers clos, magique, certes, mais pas gai. On avait le même sentiment dans la maison de Deauville », dit Jacques Grange, qui a pourtant décoré les deux demeures.

La maison s'anime-t-elle la nuit ? « Avec toutes ses fleurs et ses bougies, elle était oppressante », dit Victoire. Selon d'autres, sous les éclairages savants qui flattent le teint, elle se peuple d'intéressants fantômes. C'est le moment qu'Yves choisit pour jouer avec son décor féerique. Seul dans la maison silencieuse, il descend dans le cabinet de curiosités, sur lequel veille un Bouddha en position de méditation[163]. Est-ce la présence apaisante de la statue qui l'attire ici ? Vêtu d'un pyjama immaculé, il ouvre les vitrines dont il est le seul à posséder la clé. Camés, émaux, bijoux, coupes gravées, croix en agate, calcédoine, jaspe, ivoire, nacre, cristal de roche scintillent dans la lumière soyeuse... Étalagiste inlassable de ses propres trésors, cherche-t-il à apaiser son angoisse ? Puis il referme à clé les vitrines et retourne dans sa chambre, Moujik sur les talons. C'est la vie au ralenti d'un narcisse triste.

Yves a-t-il été victime du même mal que Raphaël, le héros de *La Peau de chagrin* ? Dans un entrepôt hétéroclite débordant d'objets de toutes les époques, Raphaël acquiert une peau qui a le pouvoir d'exaucer les vœux de son propriétaire. En échange de sa vie. À chaque souhait, la peau rétrécit. Grâce à ce pacte maléfique, le héros de Balzac devient immensément riche, connaît la gloire et les succès mondains. Mais il vieillit prématurément, ne produit pas la grande œuvre projetée, et finit par vivre reclus, uniquement préoccupé de sa survie. Triste, amer, dupé, il comprend qu'il n'a rien fait de son pouvoir extraordinaire. Une métaphore de la célébrité ?

À l'étage en dessous, sur une étagère de la bibliothèque, est posée une photo de Marie-Laure de Noailles par Willy Maywald. Épaules nues dans une robe du soir de Schiaparelli, la vicomtesse se tient près d'une table recouverte d'orfèvrerie. Marie-Laure de Noailles est la clé de la rue de Babylone. « Sa grand-mère servit de modèle à la duchesse de Guermantes[164] », note Pierre Bergé. C'est à son décor que pense Yves Saint Laurent lorsqu'il prend possession de son nouveau logis en 1972, après trois ans de travaux.

« C'est moi qui ai amené Yves chez les Noailles », précise Pierre Bergé.

Il a rencontré le couple avec Bernard Buffet, auquel la vicomtesse avait acheté des toiles.

« Marie-Laure a fasciné Yves. Femme d'une liberté profonde, très anti-conventionnelle, elle était à la fois aristocrate et femme de rue. Sous une apparence pittoresque, un goût absolu[165] », dit François-Marie Banier, qui l'a photographiée.

Yves apprend par cœur le *Connaissance des Arts* n° 152 d'octobre 1964, avec en couverture Marie-Laure peinte par Balthus. À l'intérieur, un article sur « une des maisons-clé pour l'histoire du goût du XXe siècle ».

Yves Saint Laurent et Pierre Bergé ont visité l'hôtel Bischoffsheim, 11, place des États-Unis. Selon Gérald Van der Kemp, le conservateur du domaine de Versailles, la maison était « la plus belle du monde ». Jean-Michel Frank, grand décorateur de l'art déco qu'on surnommait le « dandy triste », y a réalisé deux pièces dépouillées et luxueuses. Minimaliste avant l'heure, Jean-Michel Frank ne meublait pas ses clients, il les démeublait somptueusement. En 1921, il décore la garçonnière de son ami Drieu La Rochelle, qu'il vide, ne laissant que les murs blancs, quelques meubles et un vase cubique déniché chez un électricien.

L'appartement de la rue de Babylone, attribué à un disciple de Jean-Michel Frank, a été acheté par les Bergé-Saint Laurent à Marie Curtolli, mécène et éditrice de tapisseries, qui commanda des cartons à Miró, Braque ou Picasso. Les boiseries et la rampe d'escalier chromée en sont les vestiges. Pour le décor, on est loin du dépouillement de Frank. Ce qui est raffiné, chez lui : l'alliance entre le rudimentaire du matériau brut et la sophistication d'un artisanat. La paille, l'écorce, le mica, la peau de requin magnifiés par la main de l'homme. Ses œuvres sont des louanges à la nature.

« Le jeune homme est charmant. Dommage qu'il ait été cambriolé », dit Jean Cocteau, découvrant l'appartement du décorateur, rue de Verneuil. Visitant la rue de Babylone, on pense l'inverse : se trouve-t-on chez un receleur ? Dans un garde-meuble huppé ?

Si beau, si riche et si orné, qu'il est inhabitable.

« Une cathédrale dédiée à l'amour de l'Art[166] », souligne François de Ricqlès, le patron de Christie's France.

Amour de l'art, ou quête de l'objet rare, que nul autre ne possède ? « Beaucoup de tableaux, peu de peinture », décréta Marie Curtolli, invitée à visiter un jour son ancienne demeure. C'est exagéré. Il y a ici des chefs-d'œuvre comme les rares dessins d'enfant de Géricault, les Juan Gris, le Léger. Si Yves Saint Laurent a imité le décor des Noailles, il n'en reproduit pas l'esprit, qui est celui d'une société élitiste et fortunée disparue pour toujours. Les couturiers, comédiens, écrivains à la mode, banquiers ou industriels qui finançaient une production de prestige ne sont plus.

Les Noailles étaient lettrés et curieux. « Ce couple a plus qu'aucun autre compris les devoirs qu'impose la fortune, c'est-à-dire servir la beauté soit en aidant les poètes et les peintres, soit en forçant l'imagination des gens du monde par des fêtes. On pense à cette phrase de Henry James : "J'appelle riches ceux dont les moyens peuvent satisfaire les besoins de l'imagination" », écrit Philippe Jullian, dans *Connaissance des Arts*.

Amie de Jean Cocteau, de Boris Kochno, de Christian Bérard, Marie-Laure de Noailles avait été celle de Christian Dior. Une fabuleuse collection de bronzes lui avait été léguée par son père qu'elle enrichit, bien avant Peggy Guggenheim, d'œuvres d'artistes de son temps : Miró, Dalí, Mondrian, Paul Klee, Max Ernst, Brancusi... Charles de Noailles, disait-on, avait acheté son premier Picasso avant d'avoir trente ans. Le couple fit meubler ses maisons par ses contemporains, Eileen Gray, Pierre Chareau, Jean-Charles Moreux ou Marcel Breuer et demanda une villa à Mallet-Stevens.

Rue de Babylone, aucune commande à des artistes vivants, à l'exception de quelques pièces des Lalanne, dont le bar de la bibliothèque baptisé le *Yves Saint Laurent*, et des portraits mondains de Warhol.

« L'harmonie qui naît du mélange entre des styles et des époques différentes ! Cela ne doit rien au hasard. Yves a organisé un dialogue entre ces œuvres. Dans cette maison, quelqu'un a construit une collection à laquelle il a donné son cœur, son argent, son esprit, son intellectualité », s'émerveille François de Ricqlès.

« On n'achète pas une œuvre parce qu'elle vous plaît. Un dîner est fait des amis que vous invitez, et aussi de ceux que vous n'invitez pas. Il manque à notre collection Hockney, Rothko, Barnett Newman, Bacon... Nous l'avons constituée avec rigueur et cohérence », dit Pierre Bergé.

Ce faisant, son compagnon et lui s'interdisent d'être eux-mêmes. Rien à voir, par exemple, avec la collection chamanique qu'André Breton rassembla dans son appartement de la rue Fontaine, qui nourrissait son âme. Empli d'une vie traversée de rencontres, d'échanges, d'amour, l'atelier de Breton vibrait de sève spirituelle.

Plus spéculateur qu'amateur d'art éclairé, le collectionneur qui s'approvisionne sur le marché se prive de la noblesse de cet échange. Comme les milliardaires qui s'offrent aujourd'hui du mobilier moderniste de Jean Prouvé ou Charlotte Perriand, des pièces numérotées de Ron Arad ou de Zaha Hadid, des œuvres de Damian Hirst ou de Cindy Sherman, Yves a acheté son appartenance à une caste. Une petite caste dans un petit pays. Les vestiges qui fourmillent ici traduisent certes un goût sûr : celui d'une époque et d'une société. Celle qui terrorisa Yves lorsque, à peine sorti du salon petit-bourgeois de ses parents, il dut l'affronter dans des mondanités intimidantes. Selon le sociologue Pierre Bourdieu, un couturier traduit en vêtement un capital social et culturel. Il incorpore dans ses vêtements le souci de distinction d'une classe. Un couturier peut, lui aussi, rechercher la distinction. Enfermé dans son palais référencé, Yves est resté un provincial, une Bovary oranaise qui avait rêvé de revanche. Il croyait s'enrichir, il s'appauvrissait.

Une photo de Helmut Newton

« La mode n'est pas un art, c'est un métier. »

Gabrielle Chanel

« La couture est avant tout un artisanat et non pas une philosophie ou un art avec un grand A. L'expression ancienne bon faiseur me paraît dans sa modestie définir au plus près ce que je souhaite être dans mon métier. »

Christian Dior

Belle à faire peur, elle stationne dans une rue déserte, une main dans la poche du pantalon. Androgyne effilé en complet masculin, elle est tracée d'un seul jet d'encre noire. Libre à nous d'imaginer ce qu'elle fait là, tandis qu'une cigarette se consume entre des doigts laqués, dans une nuit fantastique à la Brassaï, loin des beaux quartiers. Dans la blouse de crêpe marocain, comme extraite d'une séquence érotique inachevée, elle n'a pas de regard : elle n'est pas une femme mais une idée.

L'idée stylisée que se font de la femme deux hommes, Helmut Newton et Yves Saint Laurent, l'été 1975. Ambiguë, hardie, dominatrice, froide. « Accessible à condition d'y mettre du sien… et de l'argent », comme l'a dit Newton au *Monde*, avec cette ironie vache qui est sa marque de fabrique. Une femme qui coûte cher.

Newton aimait cette photo construite pour le magazine *Vogue* avec un mannequin allemand rue Aubriot, près de l'Hôtel de Ville, dans la rue où il habitait. Elle est un « bonheur d'expression », comme on dit en littérature. Ses photos de cette période comptent sans doute parmi ses meilleures. L'époque était sans doute inspirante.

Pour son usage personnel, Newton a tiré une seconde image, plus équivoque, rajoutant une fille nue, avec des accessoires empruntés à la séance. « J'ai toujours su employer au mieux les ressources de mes clients[167] », a-t-il dit cyniquement.

Ces images réaniment les héroïnes qui ont embelli son adolescence à Berlin. Saint Laurent et lui partagent la même culture visuelle, ils se sont gavés des mêmes images : celles du film noir hollywoodien des années trente et quarante, avec son cortège de femmes au comportement indépendant et hélas incontrôlable. À Oran, où son père distribuait des films et possédait une salle, Yves allait souvent au cinéma. Peintures, photos ou films, il était envoûté par les images de la femme. Et, plus précisément, d'une femme dangereuse à faire peur. « J'ai été profondément impressionné par une photographie de Marlene Dietrich en costume d'homme. Une femme qui s'habille comme un homme – que ce soit en smoking, en blazer ou en uniforme de la Marine – doit être terriblement féminine, pour pouvoir porter un vêtement qui ne lui est pas destiné[168] », a-t-il dit. « Terriblement » féminine : quel aveu que cet adverbe ! La féminité inspire à Yves Saint Laurent de la terreur : elle peut déclencher de grands malheurs. Peut-être aime-t-il avoir peur car, en juin 1973, il a assisté au récital parisien de Marlene et a admiré son sens de l'artifice, son expressionnisme peaufiné dans les cabarets de Berlin. L'actrice a longuement observé le jeu des travestis et même racheté leurs costumes pour son propre personnage dans *L'Ange bleu*. Elle leur doit sa féminité hautaine. Saint Laurent n'était pas né lorsqu'elle a fait scandale à Hollywood en se montrant en smoking, lors de la première du *Signe de la croix*, en 1932. Si Marlene insistait pour être parfaitement moulée dans ses robes, elle jouait de son apparence androgyne en portant des costumes identiques à ceux de Rudolf Sieber, son mari.

Mythe du cinéma hollywoodien des années quarante, Dietrich le hante. Oublier une femme pareille, c'est difficile. Avec Garbo, Barbara Stanwyck, Lana Turner, elle est une des plus grandes vamps de celluloïd. Plus qu'une femme, Dietrich est une idée. Une idée fixe. Derrière son masque, Dietrich n'est pas un corps, comme Marilyn Monroe, mais une collection stylisée de gestes, de poses, de contorsions, de postures mettant en valeur son physique. C'est une actrice de Kabuki au jeu codifié, pas un sex-symbol réaliste. Tout, chez elle, est artificiel. Dietrich est le ying et le yang, homme et femme à la fois. D'ailleurs elle plaît aux femmes comme aux hommes. Sa force et sa détermination réjouissent les premières, son érotisme glacé les autres. Son aplomb, son assurance fascinent Saint Laurent. Elle est l'homme qu'il aurait voulu être.

Saint Laurent sait tout d'elle, tout de ses garde-robes fabuleuses[169]. Il connaît celle de Lauren Bacall dans *Les Passagers de la nuit*, de Barbara Stanwyck dans *Assurance sur la mort* et tout le travail d'Edith Head, la brillante costumière de Hollywood.

Lorsque j'ai visité la chambre du couturier à l'automne 2008, des dizaines de DVD stockés en vrac sous le téléviseur à écran plat témoignaient de sa grande consommation d'images de cette période, qui représentaient 70 % du lot.

Dans le film noir américain des années quarante, les femmes sont déjà en YSL. Les restrictions imposées aux studios ont obligé les habilleurs à renoncer au luxe opulent des femmes fatales. La robe du soir est vaincue par le pantalon taille haute et la blouse de crêpe de Barbara Stanwyck dans *Assurance sur la mort*, le manteau de fourrure mis K.O. par le trench (carrément militaire, jeté sur un fourreau de crêpe entièrement rebrodé ou alors en satin noir pour Marlene dans *La Scandaleuse de Berlin*. Les habilleurs disposent d'un vocabulaire aussi concis que celui de la confection. Apparaît alors un nouveau personnage redoutable, la *bad girl*, plus toxique que la femme fatale parce qu'elle tire son charisme de sa cervelle. Si la Marlene de *Morocco* est assez idiote pour suivre son bellâtre dans le désert, celle de *La Scandaleuse de Berlin* est une vénéneuse calculatrice qui mène l'homme à sa perte. Dans sa garde-robe stylée, la *bad girl* affiche un glamour magistral, qui irradie ces enviables qualités que sont l'assurance, l'indépendance, l'intelligence. C'est ce glamour infaillible et dégagé qui intéresse Yves Saint Laurent. Il a puisé dans les costumes de cinéma, il a réveillé ce qui dormait et l'a rendu actif.

En France la société a changé depuis 1968, et les féministes ont gagné du terrain. La pilule est désormais autorisée. En 1974 a été élu un jeune président technocrate, Valéry Giscard d'Estaing. Avec une suite de gestes symboliques, il engage la rupture avec la société traditionnelle. Pour rajeunir la photo officielle, il a préféré le complet veston gris à l'habit et nommé la journaliste Françoise Giroud première secrétaire d'État à la Condition féminine. Elle s'habille chez Yves Saint Laurent Rive Gauche. En (faux) tailleur Chanel, Simone Veil, ministre de la Santé, fait voter la loi libéralisant l'interruption volontaire de grossesse.

Pierre Bergé affirme que Saint Laurent a « donné aux femmes le pouvoir ». « Il n'est pas innocent qu'Yves Saint Laurent ait donné le pouvoir aux femmes, qu'il les ait mises en pantalon, qu'il leur ait fait porter un complet veston ou un smoking et qu'ainsi les femmes aient affirmé leur identité, qu'elles soient arrivées à réclamer aujourd'hui la parité, etc.[170] » dit-il.

En réalité, la société bouge et la mode accompagne le mouvement. Un styliste ne façonne pas son époque, il est façonné par elle. Son talent est d'anticiper les besoins et d'offrir le bon produit au bon moment. De posséder un navigateur évolutif. Parce que les femmes changeaient, la mode a fait des propositions neuves. Yves Saint Laurent n'a pas transformé la société ni révolutionné les mœurs, ce n'est pas le rôle d'un couturier. Il a habillé le changement, ce qui est admirable.

Yves Saint Laurent fait du masculin-féminin, moins en inventant le genre qu'en le banalisant dans les garde-robes, dont le tailleur-pantalon devient une carte maîtresse. Il en fait une chose brillante, il épure, il tire une ligne. C'est net. La synthèse est parfaitement réussie : l'épaule est structurée, virile et douce. Les femmes, qui prennent du galon, l'adoptent. « À travers la coupe implacable et rigoureuse, sa féminité, sa séduction, son ambiguïté ressortent davantage », a dit Yves Saint Laurent de la femme en pantalon. Par des mises au point de plus en plus serrées, il a élaboré la panoplie jusqu'à la version achevée de 1975. Il a un complice, Jean-Pierre Derbord, premier d'atelier et soldat de l'ombre. Yves Saint Laurent est l'œil, Anne-Marie le bras, M. Jean-Pierre la main.

Une journée à l'atelier

Dans son appartement silencieux de Saint-Cloud, M. Jean-Pierre caresse la photo de Newton d'une main chargée de bagues. Perruque laquée en béret, il ressemble à l'acteur Jean Lefebvre. En grand deuil de veuf, pantalon, chemise et *sneakers* noirs, M. Jean-Pierre ne parvient pas à évoquer au passé le couturier dont il a si longtemps été la *première main*. Son M. Saint Laurent habite un éternel présent. Au centre de l'appartement palpite une photo magnétique d'Yves Saint Laurent dans un cadre d'argent. Spartiates et djellaba immaculées, Yves dessine sur une simple table en rotin à Marrakech. M. Jean-Pierre l'a reçue de Pierre Bergé lors des obsèques marocaines du couturier. Prise par Pierre Boulat, elle date de 1975, l'année de la photo de la rue Aubriot. Aux yeux de M. Jean-Pierre, Yves Saint Laurent n'est pas seulement un génie, mais un dieu : « je suis saint-laurentissime dans l'âme », dit-il. Corps et âme, en fait.

M. Jean-Pierre a été l'artisan virtuose qui étoffait les songes du couturier. « M. Jean-Pierre a été le génie de l'épaule Saint Laurent », dit Nicole Dorier.

Au premier coup d'œil, il savait décrypter les croquis. C'est presque rien, un croquis. Quelques lignes au crayon, à peine plus élaborées qu'une silhouette tracée par une collégienne dans la marge d'un cahier. Rien n'est gratuit dans cette partition cryptée qu'est le dessin. Mouvement, tombé, proportions, c'est une histoire sans paroles. « C'est le verbe du métier[171] », a dit justement Pierre Bergé. Aussi beau soit-il, le dessin n'est qu'une chose abstraite, encore faut-il qu'un artisan le regarde et le transforme en vêtement.

« Le dessin de M. Saint Laurent est en mouvement, c'est à moi d'en capter le caractère vivant. Par exemple, si la silhouette dessinée a la main dans la poche, je devine la longueur de la veste, où doit se placer le bouton[172]. »

La main dans la poche : non seulement Saint Laurent propose un costume, mais il suggère un jeu, une conduite, une façon d'entrer dans un vêtement comme dans un script. Saint

Laurent attitude : un jeu discrètement romanesque qui assure un surcroît de personnalité. Sinon remarquable, remarquée. Sinon belle, intéressante. « Tous mes vêtements viennent d'un geste », a dit Saint Laurent. Un brin racaille, la main dans la poche suggère la désinvolture, la légèreté. Le couturier a montré à M. Jean-Pierre une photo de Dietrich en costume d'homme. Saint Laurent en conserve l'allure et l'expression mais il veut réinventer la technique. La modernité du costume photographié par Newton, c'est sa construction. Il est tenu aux épaules, avec un col bien net, et du mouvement à partir de la taille.

Le croquis donné par M. Saint Laurent, M. Jean-Pierre en a fait une *toile* taillée dans un calicot blanc, une maquette en somme. Blanche pour souligner la construction du vêtement. Il travaille dans un atelier au dernier étage, avenue Marceau, où la maison a été transférée en juillet 1974. Le vieux Victor Grandpierre, le décorateur qui avait conçu pour Christian Dior la boutique du 30, avenue Montaigne, a conduit la rénovation. En bas, les grands salons sont réservés à la clientèle. En haut de l'escalier, à main droite, le bureau de Pierre et le service de presse. À main gauche, le studio d'Yves, dans lequel il a transporté la table et la chaise de la rue Spontini. Si, dans les salons vaporisés chaque matin au Saint Laurent Rive Gauche, l'opulent décor Empire évoque l'Opéra de Paris, les ateliers au second étage sont austères. Un univers de travail spartiate éclairé au néon, pourvu de longues tables de bois vétustes, ré-enchanté par les photos et les coupures de presse relatant les exploits du Maître, dont est recouvert le tableau des consignes de sécurité. Les pieds dans les chutes de tissu, la tête au firmament.

M. Jean-Pierre est entré en haute couture comme on entre en religion[173]. À quinze ans, il a commencé son noviciat chez Christian Dior en 1956, un an avant la mort du couturier. Presque en même temps qu'Yves. En dix ans d'existence, la maison avait essaimé des succursales dans le monde entier et employait plus de mille personnes. Avenue Montaigne, les locaux étaient si vastes que le jeune Jean-Pierre s'égarait dans les couloirs. Il ne gagnait pas grand-chose « mais la passion me faisait tout accepter ». La foi, il l'avait héritée de sa mère qui vénérait la couture. « La maison Dior n'a duré que dix ans, 1947-1957. Mais elle était mondialement connue. » Il veut dire la maison Dior sous Christian Dior, le père fondateur. Un soir de Sainte-Catherine, la Pâques alors fastueuse des ateliers de couture, il aperçoit un jeune homme raffiné mais réservé, un dessinateur qui travaille avec M. Dior et qu'on dit prometteur : Yves Mathieu Saint Laurent, qu'on surnomme « le petit curé », à cause de son air benêt. Séparés par la timidité et la stricte règle de la couture – un couturier s'adresse au premier d'atelier qui transmet ses instructions à l'ouvrier –, ils n'échangent pas une parole. Ce n'est qu'en 1965, une fois son apprentissage chez Dior achevé, que Jean-Pierre rejoint la rue Spontini. Deux ans plus tard, il est nommé premier d'atelier tailleur. À vingt-cinq ans à peine, il dirige dix-sept personnes. Le smoking, le tailleur-pantalon, le trench-coat, le caban, Jean-Pierre Derbord connaît tout le glossaire Saint Laurent comme sa poche. Il en sait les impératifs génétiques[174]. Avec ce bras armé, Saint Laurent se lance dans le tailleur dont il devient un maître.

Un œil sur le croquis accroché à hauteur de regard par une pince, un mètre autour du cou, Jean-Pierre Derbord sculpte la *toile* directement sur le buste d'un mannequin de bois. Sa main est sûre, nette, millimétrée. C'est un moment heureux de concentration. Si la construction du vêtement n'est pas bonne, il s'effondre. Si elle est juste, il trouve son mouvement.

Avec ses bolducs noirs en pointillé et ses droits fils au crayon, une *toile* de haute couture est une œuvre d'art, un tableau abstrait immaculé. Claire comme une épure, elle est parfois plus belle que le vêtement qu'elle annonce.

M. Jean-Pierre l'a mise aux mesures de la rousse Nicole Dorier si admirablement faite. Nicole s'est fait épiler les sourcils comme Dietrich, d'ailleurs ils ne repousseront plus. M. Jean-Pierre la regarde dans le miroir, corrige sa maquette de tissu. Dix, quinze jours plus tard, lorsque la *toile* est enfin impeccable, il monte au studio de création avec le mannequin.

Grand atelier blanc entouré de rayonnages, avec des rouleaux de tissus en batterie et des miroirs, le studio est l'espace de travail de M. Saint Laurent. Le saint des saints. Y pénétrer est un privilège réservé aux premiers d'ateliers. Les assistants restent sur le seuil, d'où ils épient les réactions du couturier. Le studio est un univers presque ascétique : M. Saint Laurent travaille en blouse blanche sur la planche recouverte d'une feutrine et protégée d'une plaque de verre. Celle de ses débuts ! Comme la chaise scandinave achetée en 1962. Lui qui, rue de Babylone, commence à collectionner les plus beaux objets du monde.

Sur la table, il a posé le mètre en bois de Christian Dior, des pots de crayon Staedler HB, des grigris, une pile de livres d'art, une collection de chiens Moujiks en porcelaine.

Sur des plaques de liège, au mur, il punaise des images découpées dans les magazines, des cartes postales, des souvenirs. (Lorsque je visite l'avenue Marceau en 2008, il y a des photos du prince William, qu'Yves trouvait élégantissime, son portrait par Bernard Buffet, une photo de sa nièce Marianne.) Pour l'essayage, de grandes tentures d'un blanc monacal ont été tirées devant les rayonnages, afin de concentrer l'attention sur les modèles.

L'instrument de travail, c'est le grand miroir qui recouvre toute la cloison du fond et découpe la silhouette comme un cadrage photographique.

« Le miroir est important, dans notre métier. Il vous donne un autre regard sur votre travail. Il offre un recul », dit M. Jean-Pierre.

Le studio est leur galerie des Glaces, « la grotte magique où s'opèrent les transmutations[175] ». Lorsque le mannequin fait son entrée vêtue de la *toile* inachevée, Saint Laurent ne regarde pas la porte qu'elle franchit précédée de M. Jean-Pierre, mais de l'autre côté, vers le mur tapissé de miroirs. Il juge et se juge, imité par Anne-Marie Muñoz, assise à ses côtés. Ils montrent le dos, cérémonial qui surprend les mannequins novices. Elles ignorent qu'ils perpétuent le rituel de Christian Dior.

À cet instant, Nicole Dorier n'existe pas : elle n'est qu'un porte-manteau stoïque. Il ne viendrait pas à l'idée d'Yves Saint Laurent de lui demander si elle se sent bien dans le vêtement. Seul le préoccupe l'effet du modèle. Un œil qui va du croquis à la toile, son regard au laser juge, évalue, rectifie. Il peut modifier cette recherche, la poursuivre ou l'interrompre. Il sait ce qu'il veut. Mais c'est un homme qui aime apprendre et se laisser surprendre, aussi est-il attentif aux suggestions. Puis il chuchote avec Anne-Marie Muñoz, qui transmet de menues modifications au chef d'atelier.

« Merci, Jean-Pierre, c'est très bien. »

Leur dialogue tient dans une bulle de bande dessinée. Ils n'ont pas besoin de mots pour se comprendre. La couture ne se raconte pas, elle a ses codes et son langage.

Mécontent d'une toile, Saint Laurent s'exprime en phrases laconiques que Jean-Pierre décode aussitôt. « Ce tailleur, il faut le refaire. » Ou bien : « Ce tailleur ne correspond pas à mon croquis. » Jean-Pierre Derbord se persuade alors qu'il a raté la collection. Il passe à l'atelier quinze ou vingt heures d'affilée, cherchant avec passion et probité à se dépasser. Sensible et émotif, il perd le sommeil tandis qu'Yves Saint Laurent se consume rue de Babylone, sanglotant dans les coussins d'un canapé. Morts de peur, l'un et l'autre.

Parmi les échantillons de tissus masculins rassemblés par Madame Muñoz, le couturier choisit. Gabardine de laine, grain de poudre, prince-de-galles, rayures, tweed. Saint Laurent drape un coupon sur Nicole, fait des effets dans le grand miroir, tente d'imaginer ce que la *toile* et le tissu vont donner. Le tissu mène la danse. On ne peut s'amuser avec lui sans qu'il parle tout seul. Il frémit, il respire, il est vivant. Trop sec, il regimbe. Trop mou, il se rebiffe. Qu'on méconnaisse ses qualités, il s'offusque, il se froisse. Ou il peut se raconter d'une autre façon que celle qu'avaient imaginée Yves et Anne-Marie : il faut alors en tirer parti.

Les toiles sont trompeuses, elles n'ont pas la même texture que le tissu. Une fois taillé dans celui-ci, le modèle peut décevoir. Autrefois, Yves croyait qu'il suffisait de dessiner. Confronté au corps de la femme, il a vite compris qu'un croquis n'était parfois qu'une abstraction, une fausse bonne idée. Aujourd'hui, lorsqu'il hésite trop, Saint Laurent élimine. De nombreuses *toiles* sont ainsi laissées de côté, rêves inachevés[176].

Mais cette fois-ci, Yves sait ce qu'il veut : une flanelle rayée, celle du costume du banquier[177]. Un tissu sec, difficile à travailler. Le vêtement doit avoir de l'aisance, il doit bouger sur le corps.

Fabriquer une seconde peau, le rêve du couturier. Dans les ateliers, des as du repassage materont la flanelle. Des Turcs très balèzes détendent au fer Casoli les coutures de l'épaule. Au col et aux revers, celles-ci sont dégarnies à fond et on ne les sent pas. La haute couture, un vêtement sculpté avec un fer à repasser. Dans l'atelier « tailleur », M. Jean-Pierre a composé un orchestre de vingt-cinq virtuoses dont les talents se conjuguent. Pas un millimètre d'à-peu-près dans leur travail. Aux hommes les tâches exigeant de la force, aux femmes les tâches délicates. Au revers de la poche du pantalon, elles piquent un biais d'organza afin d'éviter qu'elle ne se détende. Rue Aubriot, l'Inconnue peut crâner main dans la poche, celle-ci ne bâillera pas. Saint Laurent attitude, encore.

« C'est divin, mon Jean-Pierre », l'a complimenté le couturier.

Dans son appartement de Saint-Cloud, le doigt de M. Jean-Pierre redessine l'épaule du modèle photographié par Newton, dont la ligne s'incurve en douceur avant de remonter. Ce complet est plein de secrets de fabrique, de manipulations savantes, de tours de mains expertes. Le secret de l'épaule creusée est certes inspiré des années quarante, mais annexé, réinventé, estampillé YSL 1975.

« Regardez… »

Si la silhouette est si magiquement élancée, c'est aux techniques du *beau métier* qu'elle le… doigt. Avec des gestes de mime, M. Jean-Pierre raconte le *padding* de ouate sculpté à la main. En deux parties, picoté à la main, il part du cou et soutient le montage de la manche, s'intégrant parfaitement au vêtement pour donner, ni vu ni connu, de la hauteur à l'épaule. Contrairement au *padding* des années quarante, celui de Saint Laurent enveloppe le rond de l'épaule comme un cartilage de chiffon. La ligne de la veste est très étroite, très haute, ce qui permet au bras de se mouvoir avec aisance. La manche montée mord sur le corps et suggère un buste menu, presque enfantin.

« Elle se préférait ainsi, la cliente. »

La technique au service de l'évolution de la société et des nouveaux diktats de la sveltesse.

« Ma règle essentielle, c'est d'allonger les femmes et surtout de les amincir. Après cela il ne reste plus qu'à grossir leurs bijoux et elles sont ravies[178] », a d'ailleurs déclaré Yves Saint Laurent. Grosse bague, large bracelet : les attributs classiques de la femme fatale à Hollywood. De gros bijoux en toc, qui se voient de loin, comme au théâtre.

Magnifiquement proportionné, le tailleur de Jean-Pierre Derbord atteint la quintessence du genre. « On a essayé en vain de nous copier… », dit M. Jean-Pierre, songeur[179].

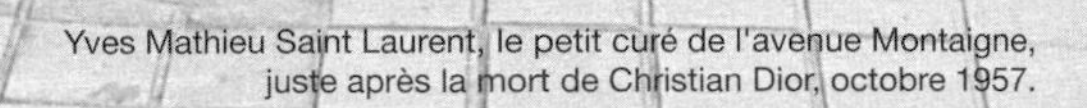

Yves Mathieu Saint Laurent, le petit curé de l'avenue Montaigne, juste après la mort de Christian Dior, octobre 1957.

1. Mariage de Charles Mathieu Saint Laurent et Lucienne Wilbaux, le 6 juillet 1935, à Oran.

2. Yves, sa jolie maman et ses sœurs en Algérie.

3. La famille Mathieu Saint Laurent (de gauche à droite : Charles, Yves, Michèle, Brigitte, Lucienn assise) fête les soixante-dix ans de Lucienne.

4. Yves et Robert Guérido à Trouville.

5. Yves seul, sans lunettes, dans la cour de la maison familiale à Oran. Il a baptisé ce coin « La Corse ». Il est photographié par ses sœurs.

6. Bal costumé à Oran. À l'extrême gauche, Yves déguisé en Bête. Simone en Belle… chinoise.

7. Yves et sa joyeuse bande de Trouville. Au premier plan, Simone dans une robe à grand col. Yves en chemise claire et foulard, à gauche.

1 Collection Brigitte Mathieu Saint Laurent

2 © Association Pierre & Alexandra Boulat

3 © Association Pierre & Alexandra Boulat

© Snowdon/Vogue/Camerapress / Gamma / Eyedea Presse

4

1. Le mariage de la petite Simone à Oran, le 5 août 1961. Yves a dessiné sa robe en piqué blanc et la mère de Victoire (photo n°3) l'a cousue.

2. Yves et Victoire rue Spontini, au début des années soixante.

3. Yves, Claude Licard, Victoire, Pierre Bergé (de droite à gauche) préparent le premier défilé de 1962. Comme son modèle Christian Dior, Yves travaille en blouse blanche.

4. Yves, en 1987, dans son studio parisien.

5. Yves et Brigitte dans sa robe de mariée, en 1971.

Collection Brigitte Mathieu Saint Laurent

5

1. 29 janvier 1962. Son amie Zizi Jeanmaire console un Yves en larmes (et cravate à pois), à la fin du premier défilé rue Spontini.

2. Yves et Andy Warhol.

3. Yves embrasse Noureev, avec qui il eut une liaison

4. Loulou de La Falaise, Yves et Betty Catroux.

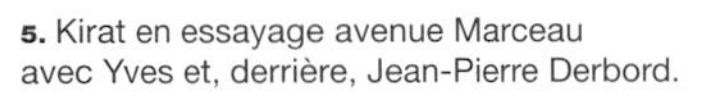

5. Kirat en essayage avenue Marceau avec Yves et, derrière, Jean-Pierre Derbord.

6. La robe Mondrian.

7. Anne-Marie Muñoz.

8. Yves et les Moujiks, photomontage de son beau-frère Gérard Bastian.

Cher Christophe 24 octobre 1989

* L'êtes

Avec Mon affection
toute entière et mes
voeux les meilleurs pour
continuer à conti Voeux faute
nuer à Vivre semblait
aussi et plus heureux encore avec
que vous l'êtez en ce Moment
Avec toute ma plus dont vous
sincère affection celle savez déjà
ce qu'elle
Yves Saint est
Yves saint Laurent Laud (faute)
Laurent

Pendant trente-huit ans, à la tête de l'atelier « tailleur », il a travaillé en symbiose avec le couturier, animé d'un soin perfectionniste.

Les murs recouverts de tableaux, la collection de crucifix précieux, les bijoux ethniques montrent l'influence du couturier jusque dans la chambre à coucher. Yves Saint Laurent lui a offert des dessins que Jean-Pierre conserve comme des ex-voto. Face au lit, le croquis rehaussé d'or du costume de Jorge Lago, le danseur de revue qui fut un grand amour d'Yves.

« C'est un métier passionnel et, quand vous l'arrêtez, c'est une grande coupure », dit Jean-Pierre Derbord en refermant la porte de son sanctuaire.

Il ne fera plus jamais de couture. « C'est comme si vous coupiez les racines d'un arbre... Comment travailler pour quelqu'un d'autre que M. Saint Laurent ? »

C'est comment,
porter un tailleur Yves Saint Laurent ?

Claude Brouet, rédactrice en chef au journal *Marie Claire*, craque pour un tailleur Saint Laurent. Avec sa veste Chanel, elle avait fait l'expérience de la volupté : aussi amical qu'un vieux chandail, elle lui apportait du réconfort. « Là, je me suis sentie forte. Une belle veste Saint Laurent donne de l'assurance. » L'habit fait le moine, en somme. Un simple vêtement peut faire de vous quelqu'un d'autre, au moins dans le regard des autres.

En transformant d'un coup de baguette magique l'apparence des femmes, le tailleur Yves Saint Laurent leur permet d'endosser le nouveau personnage social de la *superwoman*, de se raconter le petit scénario dominateur qui l'accompagne, tout comme la collection Quarante leur avait permis d'afficher leur envie de se taper des mecs.

Cette évolution de sa mode traduit des changements de mœurs souterrains. En 1972, Anne Chopinet, la première femme française à entrer à l'école Polytechnique, est major de sa promotion. La femme, désormais, rivalise avec l'homme. Au doudou qu'avait été le tailleur Chanel pour les premières femmes actives succède un équipement qui donne énergie et puissance. Yves Saint Laurent a armé les femmes, au sens militaire du terme. L'habile habilleur était très fort : en stupéfiante osmose avec les besoins des femmes de son temps.

Exotique Kirat

STUDIO. C'est inscrit en lettres dorées sur la porte, à main gauche en haut de l'escalier. Ce printemps de 1976, c'est Kirat Bhinder qui entre et, comme d'habitude, Anne-Marie et Yves Saint Laurent tournaient le dos, les yeux rivés sur les reflets de la réalité. Longue Indienne en vacances, Kirat s'est présentée au 5, avenue Marceau après que, dans une fête, une journaliste a affirmé qu'avec son physique, elle pouvait défiler chez Yves Saint Laurent. Kirat, étudiante à Londres, tente sa chance. Et puis si ça ne marche pas, elle pourra toujours raconter à ses copains londoniens qu'elle l'a rencontré, *the King of Fashion*, l'inventeur du smoking et du tailleur-pantalon. Un roi énigmatique dont les mannequins font les pleines pages du *Women's Wear Daily*. Travailler pour lui, c'est emporter un peu de son aura.

Elle a pris rendez-vous avec Anne-Marie Muñoz qui règne sur le recrutement des mannequins et dont il faut retenir l'attention. Chaque saison, la maison en recrute un ou deux nouveaux, capables d'apporter une saveur fraîche au défilé. Une façon de dire aux autres stylistes : « Vous trouvez cette fille superbe ? Attendez de voir à quoi elle va ressembler dans mes fringues. Je peux la rendre plus belle qu'elle ne l'a jamais été. » Prendre un matériau brut pour en faire une œuvre d'art.

Ferme et douce, Anne-Marie impressionne mais Kirat remporte la présélection, parce que, après les androgynes, Yves cherche de belles plantes exotiques. Avant de l'introduire devant M. Saint Laurent, on explique à Kirat l'étiquette. Mannequin, standardiste, attachée de presse, mère, sœurs, aucune femme n'approche jamais M. Saint Laurent sans être parée, lui dit-on. Maquillage et rouge à lèvres. Elle ne devra pas chercher à se mettre en avant, ni à la ramener, mais Anne-Marie lui suggère de flirter discrètement avec le couturier. « Comme avec un fiancé qu'on veut conquérir[180] », ajoute-t-elle.

Les yeux rivés au miroir, Saint Laurent sourit sans un mot. Avec sa délicate gestuelle de danseuse hindoustani, bras gracieux et jeu de mains qui volettent, Kirat lui plaît. Revêtue de la blouse blanche réglementaire, on demande à la jeune fille de marcher. Elle a un corps, un corps de femme, de vrais seins, des hanches, elle n'est pas plate comme beaucoup de filles. Elle, elle sent que le charme opère sur cet homme fragile et doux, et ne reste pas passive. Le miroir lui sert à régler sa parade amoureuse. Comme le dit Loulou : « Yves était fou de ses mannequins. À travers le vêtement, il y avait une conversation entre son mannequin et lui. Tout tenait aux gestes, à la façon de bouger, à l'enthousiasme de la fille. »

Kirat, qui a senti l'excitation s'emparer du trio, devine qu'elle a plu avant même qu'Anne-Marie ne lui confirme son engagement. Une connivence muette, un flirt sans parole, un délicat ballet visuel qui se clôt par un : « Merci, Mademoiselle. »

Yves Saint Laurent quitte la cabine, tandis qu'Anne-Marie appelle les premiers d'ateliers pour essayer les modèles qu'on destine à la jeune Indienne. Pierre Bergé passe une tête, jette un œil sans commenter. Désormais, il n'a plus sa place au studio. En mars, las des excès d'Yves, il a quitté le domicile conjugal et s'est installé à l'hôtel. A-t-il médité *Éloge de la fuite*, d'Henri Laborit, essai très remarqué de cette année-là ? « Quand il ne peut plus lutter contre le vent et la mer pour poursuivre sa route, il y a deux allures que peut encore prendre un voilier : la cape le soumet à la dérive du vent et de la mer, et la fuite devant la tempête en épaulant la lame sur l'arrière avec un minimum de toile. La fuite reste souvent, loin des côtes, la seule façon de sauver le bateau et son équipage. »

Depuis l'année précédente, l'état mental d'Yves se dégrade : il boit le whisky à la bouteille et sniffe de la cocaïne. Gerry Dryansky, le chroniqueur de *Vogue*, se souvient l'avoir vu trembler dans un ascenseur qu'ils avaient partagé porte de Versailles, au moment des défilés de prêt-à-porter. Et puis Yves continue à fuguer et Pierre, à le chercher :

« Jusque-là, nous avions mené une vie insouciante. Après le travail, nous nous retrouvions pour aller au cinéma, puis nous dînions et après le dîner, nous allions dans une boîte voir un spectacle de travestis. Nous nous couchions tard et cela n'avait pas de conséquences. Ce qui a fini par tout gâcher, c'est le prêt-à-porter. C'était trop lourd pour Yves, toutes ces collections. Il a été victime du syndrome Judy Garland », dit son ami Philippe Collin.

Le syndrome Judy Garland ? Entrée aux studios de la MGM à quatorze ans, Judy Garland fut victime de son succès. Pour qu'elle enchaîne les tournages en gardant la forme, les studios lui prescrivirent des amphétamines qui la rendirent insomniaque et nécessitèrent des barbituriques. Devenue toxicomane, sa santé se dégrada. Elle mourut d'une overdose de médicaments, après s'être rendue impossible sur les tournages. Trop de succès peut tuer.

Quatre collections par an avec une obligation de résultat : une existence usante coincée dans un cadre rigide.

« Au lieu de le rendre plus heureux, le prêt-à-porter l'a tué[181] », confirme Anne-Marie Muñoz.

Au début, Yves était heureux de voir ses vêtements se diffuser, de sentir son emprise sur la rue.

« Il avait imaginé le prêt-à-porter comme un jeu. Une idée lui viendrait, elle serait instantanément réalisée, comme on crayonne sur un carnet. Croyant accroître ses possibilités de création, il n'a pas anticipé les exigences rigides de l'industrie à laquelle il faut rendre les collections à date fixe[182] », dit Clara.

L'urgence industrielle, qui détruit le travail sensible du créateur, astreint Saint Laurent à des contraintes supplémentaires qu'il vit mal. Pour tenir, Yves, lui aussi, abuse des amphétamines. Et donc de tranquillisants pour dormir. Il traverse des périodes d'abattement complet et fait des crises d'hallucination.

Si la crise survient au studio, Anne-Marie garde impassible son beau visage un peu sévère et renvoie tout le monde. C'est rare, l'ordre artisanal et calme de la couture apaise Yves. Dans la concentration et la joie du travail collectif, il trouve un équilibre. Prévenant avec ceux qui appuient sa créativité, ouvriers ou mannequins, il s'inquiète de la maigreur de l'une, dit un mot gentil à l'autre. Une sollicitude suave et calculée, mais elles l'adulent. « Elles sont amoureuses de moi », dit-il. La maison de couture est un organisme vivant dont il est le cœur et elles, les petites mains ou le visage. Yves a fait don de sa personne à YSL, elles et lui, c'est un peu pareil.

C'est à la porte de la maison de couture que sa vie se découd. L'angoisse le dévore. Chez lui, Yves peut se déchaîner contre lui-même ou contre ceux qu'il aime le plus, surtout lorsqu'il a bu. À plusieurs reprises, des témoins le voient perdre la tête et balancer des projectiles sur ses proches. Sa puissance physique égale sa force intérieure. Yves est un athlète du lancer de cendrier. Stature et vigueur lui donnent facilement le dessus. Pierre confiera à Victoire que sa vie conjugale est devenue un enfer.

« C'était l'époque où Yves adorait le 7, les boîtes de nuit. il avait commencé de vivre une vie d'autodestruction dont je ne voulais pas être le témoin[183] », confirme pudiquement Pierre Bergé.

Les jeunes enfants d'Anne-Marie grandissent dans une atmosphère de drame : derrière une porte close, leur mère, aussitôt rentrée, chuchote à leur père les terribles secrets de sa journée avenue Marceau. Amphétamines, drogue, alcool commencent à créer chez Yves des dommages psychiques irréversibles. Sans doute devrait-il ralentir, mais il n'est pas un homme raisonnable. Et comment attendre de Pierre qu'il y pousse son compagnon, alors que les choses commencent à marcher ?

L'accord signé à Tokyo avec Seibu-Saison rapporte maintenant beaucoup d'argent grâce aux licences. L'ouverture au début des années soixante du rayon haute couture a fait connaître la marque à des femmes qui, jusque-là, portaient des kimonos. Actrices et chanteuses japonaises, folles d'Yves Saint Laurent, ont développé un culte bruyant qui se révèle très profitable.

Depuis 1972, Yves et Pierre sont propriétaires de la maison de couture et Pierre Bergé multiplie les licences. Vendre des tasses ou des ceintures griffées est plus rentable que de la haute couture. On gagne plus d'argent avec les pauvres qu'avec les riches, parce qu'il y a plus de pauvres. La conjoncture est propice. L'inflation galopante du milieu des années soixante-dix encourage les consommateurs à flamber plutôt qu'à thésauriser, un billet de banque valant davantage la veille que le lendemain.

Dans la compétition entre les marques, la meilleure a toujours été celle qui obtenait grâce au scandale le plus de publicité gratuite. Et Yves Saint Laurent a une longueur d'avance. Il n'est pas le premier à franchiser son nom, mais contrairement à Cardin, sa signature n'y perd pas son lustre. L'argent est réinvesti de façon à nourrir l'illusion : un siège social prestigieux au 5, avenue Marceau, des œuvres d'art – Yves y a accroché ses portraits de Warhol –, de belles maisons photogéniques pour revues de décoration.

La fortune naissante a ainsi permis l'acquisition d'une nouvelle villa art déco à Marrakech. En juin, Yves part y dessiner la collection de couture, seul avec le chien Hazel. Située dans une ruelle où traînent de jeunes enfants et des chats errants, à côté d'une station Texaco, la maison se cache derrière de hauts murs. Après deux ans de travaux dirigés par Bill Willis, c'est une maison spectaculaire qui concilie la richesse de l'architecture marocaine avec une rigueur graphique européenne. Elle comporte neuf espaces de vie, d'innombrables terrasses, une piscine, un grand bassin avec des nénuphars et un magnifique jardin. Yves y reçoit la visite du *Women's Wear Daily*, venu faire une séance de photos.

Dans cette villa baptisée Dar es-Saada la Zahia, ce qui signifie « la maison du bonheur dans la sérénité », Yves conjure une des pires crises de son existence. Le départ de son compagnon l'a anéanti. Pierre, qui ne pouvait plus vivre sous tension permanente, ne l'a pas délaissé pour un autre, mais pour se sauver.

Yves vit sa décision comme un abandon. Il ignore que Pierre ne laissera pas couler le vaisseau. Sa santé mentale se dégrade, il mélange whisky, Valium, cocaïne. Il ne sait rien faire – sauf des robes magnifiques.

Alors il dessine. « J'entre en collection », dit-il, comme on entre en religion. Il a un mois et demi devant lui. Il passe ses journées au lit, grillant cigarette sur cigarette, Kool ou Lucky Strike, et crayonne avec une fièvre inégalée. Par la fenêtre, il aperçoit la calotte jaune d'un des jardiniers qui arrose le jardin en bleu de travail. Un gardien, un cuisinier, des femmes de chambre, deux serviteurs vêtus de blanc sont à son service[184]. Dans la salle à manger, on dresse la table : belles assiettes de céramique brute, argenterie, verres peints à la main d'un serpent, fines serviettes de fil lavande. Aux meubles artisanaux en corde ou en rotin ont été mêlés des antiquités marocaines, syriennes ou perses, des meubles anglais et art déco. Jamais de fleurs dans la maison, sauf les opulentes roses de Marrakech en hiver. On apporte une salade à la coriandre, un tajine de poulet au citron, des glaces : il y touche à peine. Indifférent à son environnement, il retourne fumer des Kool au lit en feuilletant des livres sur Léon Bakst, le génial costumier des Ballets russes. Le dessin foisonnant et coloré du peintre l'inspire. Couleurs éclatantes, ornements luxuriants, formes empruntées à un cocktail de cultures, blouse de paysanne brodée et pantalons de harem, tunique slave et caftan. Frénésie de la gestuelle, érotisme passionné, les dessins de Bakst semblent avoir été tracés sous acide. Une drogue qui s'appelle les années vingt et qu'Yves absorbe avec avidité. Quatre ans auparavant, concevant les costumes du spectacle *Zizi je t'aime*, cette période déjà l'avait inspirée. Yves, qui dessine joliment, fouille les détails comme jamais. D'habitude, il esquisse de simples silhouettes en noir et blanc qu'il confie à Anne-Marie. Sait-il qu'il ne sera probablement pas en état de se rendre au studio ? Cette fois, sur chaque modèle, le moindre détail est colorié : chaussures, et bottes de moujik, chapeaux et turbans, châles, boucles d'oreilles, ceintures de passementerie.

« Peut-être craignait-il de ne pas être à l'atelier pour préparer la collection », dit Kirat.

Il a conçu une quantité impressionnante de modèles. « C'était la première fois que je travaillais comme cela, dans un grand élan de création[185] », dit-il. Rien à voir avec les petites robes étroites, simples et faciles à endosser de sa précédente collection. Lâchant la bride à sa nature romanesque, il se fait plaisir et redevient le jeune garçon d'Oran qui dessinait à Emma Bovary des costumes fastueux.

De retour à Paris, carbonisé, il demande à être hospitalisé à l'Hôpital américain.

Madame Felissa au volant

Habituellement, Yves Saint Laurent présente ses dessins aux ateliers, réunis par Anne-Marie. C'est un moment joyeux. L'équipe s'amuse des mimiques esquissées sur le visage des figurines et découvre ses inventions. Pour le couturier, la phase est déterminante. Parmi les ébauches éparses, il sélectionne, il rejette, il combine. Devant lui, il voit du bon, du médiocre et du mauvais. Soutenu par Anne-Marie, son âme sœur, il s'efforce de discerner une ligne, un fil invisible, de faire surgir l'esprit de la collection. Ce qu'il élimine est aussi important que ce qu'il conserve. C'est là que s'exerce son jugement aiguisé, son *regard intelligent*.

Cette fois, Anne-Marie doit seule se débrouiller avec des croquis étalés devant elle par centaines.

« C'était effrayant. Une marée avait recouvert le sol du grand salon, nous nous sentions noyés par toute cette beauté, angoissés même. Chaque dessin était plus beau que l'autre, c'était de la folie, vraiment de la folie, une folie de beauté. Chaque détail avait été pensé, dessiné, colorié, il avait tout imaginé dans sa tête, tout conçu, c'était surhumain. Et nous, nous avions peur. Jamais nous ne parviendrions à être à la hauteur », relate Jean-Pierre Derbord.

Ces dessins sont conservés à la fondation : la profusion extravagante des détails, la sûreté du trait, le mouvement des vêtements impressionnent. De quoi donner le vertige aux petites mains chargées de leur exécution, qui expriment leur inquiétude : comment feront-elles sans M. Saint Laurent ?

« Je leur ai expliqué qu'Yves était un roc, qu'il allait revenir. Je savais tenir les ateliers, les rassurer[186] », raconte Anne-Marie.

Elle croit Yves indestructible : elle l'a déjà vu renaître de ses cendres. Elle sélectionne cent dix modèles qu'elle distribue entre les ateliers. Il reste trois semaines avant le défilé et Yves est toujours hospitalisé. Elle commande les tissus en se fiant aux esquisses.

« Rien qu'en regardant le papier, je savais ce qu'il fallait proposer. Il y a une logique, dans la beauté. Yves avait cette chose extraordinaire, il faisait vivre le papier[187]. »

Anne-Marie connaît les étoffes et leurs secrets. Pour sentir la qualité d'un grain de poudre, elle froisse l'échantillon et le sniffe comme une ligne de cocaïne[188]. Yves et elle vivent en symbiose, elle sait ce qu'il veut, elle sait faire en sorte que les choses soient à son œil. Pendant ces quelques semaines, ses enfants ne la voient plus : certains soirs, elle ne rentre même pas dormir.

Les ouvrières travaillent onze ou douze heures par jour. Formées sur le tas dans les ateliers parisiens depuis leur plus jeune âge, beaucoup ne sont pas allées à l'école. Elles ont commencé comme arpette ou lapin de couloir, transportant des cafés d'un étage à l'autre. Puis elles sont devenues petite main et, sept ans plus tard, première main débutante puis seconde d'atelier, si elles sont douées. Ces femmes aux doigts d'or habitent loin de l'avenue Marceau, elles sont payées modestement mais dans le vêtement mettent parfois toute leur âme. Il y a une grande probité dans la couture : chacun donne le meilleur de lui-même. « Mes tailleurs et mes couturières se sentiraient humiliés s'ils livraient un travail médiocre », a dit Christian Dior.

Les plus grands couturiers ne sont pas toujours français, mais les meilleures ouvrières sont à Paris, c'est pourquoi un grand couturier travaille toujours à Paris. De cet ordre au service du beau, il reste de simples prénoms inscrits au crayon sur les croquis des maîtres : Colette, Claude, Françoise, Georges, Paul, Jean-Claude. Ils possèdent un sens inné de la mesure. Quelque chose de mystérieux, qui doit peut-être à la France, à l'harmonie de ses paysages et de son climat, à un certain esprit logique, aussi, qui fait d'elle aujourd'hui un pays de mathématiciens.

En mars de cette année, une première d'exception a rejoint la maison avec ses titres de noblesse : Madame Felissa. Une Espagnole ! Elle a travaillé aux côtés du grand Cristobal Balenciaga jusqu'à la fermeture de sa maison en 1968. « Devant la pauvreté des besoins des femmes, je préfère fermer ma maison », a-t-il déclaré.

Felissa Hirigoyen a réalisé son dernier vêtement, la robe de mariée de la petite-fille de Franco, la duchesse de Cadix. Dans les archives de la maison Balenciaga, deux photos d'Henri Cartier-Bresson la montrent lors d'un essayage, échangeant avec le grand Espagnol. Sur la première, les deux mains sur les genoux, le collier de perles en bataille, elle se penche vers lui, qui précise ses intentions. Sur l'autre, ils semblent chuchoter. Leur langage est celui des sourds-muets : ils échangent par gestes et phonèmes. Balenciaga est un magicien. Qu'il habille une femme contrefaite, grosse ou voûtée, et le simple étui de sa robe la redresse et l'affine miraculeusement. Avec un paletot, il transforme une jument de labour en yearling. Ce n'est pas de la couture, c'est de l'orthopédie. Grand admirateur de Balenciaga dont le travail l'a inspiré à ses débuts, Yves le place aux côtés de Chanel dans son panthéon haut-couturier. Avec Felissa, il recrute une fée qui va lui prêter sa baguette. Son arrivée avenue Marceau provoque l'effet d'un cyclone tropical.

« Elle entrait dans le studio en ouragan sans y avoir été invitée », se souvient Nicole Dorier.

Un crime de lèse-majesté que seule une duchesse du dé à coudre peut se permettre. Madame Felissa raffole des robes du soir et surtout des volants qu'elle confectionne comme personne. À Yves qu'elle stimule, elle enseigne de nouveaux secrets techniques.

« Je connaissais le biais, bien sûr, et je l'utilisais mal, un peu comme un compositeur qui ignorerait les dièses, mais je ne "voyais" pas en biais. Et puis une femme m'a tout appris sur le biais, quels étaient les ressources, les dérivés de la couture en biais », relatera plus tard Yves à Sagan.

Et de livrer la clé, la vraie clé de sa profuse collection de 1976 : « C'est l'année, tu sais, où toutes mes robes sont devenues folkloriques, gonflées, russes... Les journalistes ont parlé de l'influence russe, du goût de l'exotisme, du baroque, etc. En fait, j'avais simplement appris la technique du biais. »

Les modèles de Madame Felissa sont si extraordinaires, si inspirés que, parfois, personne, pas même elle, n'arrive à les reproduire. Dans ses robes à bustier, les femmes se sentent nues. Mais elle n'en fait qu'à sa tête, Madame Felissa. C'est à grand-peine qu'Anne-Marie finit par obtenir qu'elle réalise une jupe toute simple.

« La simplicité, Felissa détestait. Mais comme elle était géniale, elle a fait une jupe à mourir. Elle cherchait le dos bien droit, les hanches bien en place », raconte Anne-Marie Muñoz.

Anne-Marie elle-même est une virtuose de la jupe, dont elle a allégé l'ourlet pour lui donner un côté plus moderne, plus souple.

Avenue Marceau, Kirat prend ses marques. Dans le harem de la maison, elle retrouve l'atmosphère du pensionnat de l'Himalaya où elle a grandi. D'ailleurs la maison de couture est en train de devenir son université. Entre les essayages, les filles tiennent salon en buvant du *darjeeling*. Anne-Marie Muñoz dirige sans avoir l'air d'y toucher, avec fermeté et douceur. Sur les dessins, Kirat découvre les robes qui lui sont destinées, et dont elle essaie les toiles.

Après trois semaines d'isolement, une voiture vient chaque matin chercher Yves à l'Hôpital américain et le déposer avenue Marceau avant de le reconduire, le soir, à Neuilly. Toujours formel, il enfile sa blouse blanche et se met au travail. Anne-Marie a maintenant adopté son uniforme noir, jupe et pull-over. Plus la collection avance, plus elle évite d'entrer en dissonance avec la profusion de couleurs. Le regard rivé au miroir qui reflète le mannequin dans sa robe, ils évaluent les modèles. En public, Yves appelle cérémonieusement Anne-Marie « Madame Muñoz », tout comme il appelle Pierre, « Monsieur Bergé ».

Deux ouvrières entrent dans le studio, un coupon de satin dans les bras. Yves Saint Laurent en déroule quelques mètres qu'il jette sur l'épaule de Kirat.

Commence le corps à corps extraordinaire qui a émerveillé tous les témoins qui, un jour ou l'autre, ont vu Yves Saint Laurent à l'œuvre. L'écrivain Jean-Jacques Schuhl le dépeint comme une lutte féerique entre le couturier et la matière : le tissu est vivant, frémissant des mains qui l'ont tissé. « Extraordinaire spectacle que ce corps à corps, écrit pour sa part Bernard-Henri Lévy. Dans ces moments-là, Yves Saint Laurent ne coud plus comme on peint ou on écrit, mais comme on sculpte[189]. » Dans le langage de la couture, cela s'appelle « faire un effet ». Le tissu est placé devant le mannequin pour simuler le vêtement et en vérifier le tombé. Tout à coup, le chiffon devient robe. L'acte de transformation est magique. Le spectateur a l'impression que le couturier est possédé.

Le 19 juillet, le hold-up de la Société générale de Nice, baptisé « le casse du siècle », fait la manchette de tous les journaux. Le slogan tracé sur les murs par Albert Spaggiari laisse les enquêteurs perplexes : « Sans armes ni haine ni violence. »

À l'hôtel Intercontinental, c'est un autre casse du siècle qui se prépare. Pierre n'a pas lésiné sur les moyens : cinq cent mille dollars, dit-on, pour un spectacle unique, soit l'équivalent actuel d'un million quatre cent mille euros. Il ne s'économise pas, ça a du panache. L'impresario de ce défilé opulent, c'est Bergé. Yves a écrit et orchestré le livret, Pierre l'a réalisé. Pour la théâtrale collection de sa diva favorite, Bergé a retenu la fastueuse salle de bal de l'hôtel, « dans les salons conçus par Garnier, tout en ors et en lustres, comme à l'Opéra », précise Yves. La bande-son très lyrique a été confiée au jeune et beau Joël Le Bon, qui a sélectionné des airs d'opéra.

Pour la première fois, un défilé va avoir lieu en dehors des salons de la maison de couture. Jusque-là, les mannequins ont présenté les modèles avenue Marceau devant les seules clientes ou acheteurs, mais l'hôtel particulier Napoléon III est devenu trop étroit pour contenir les invités : acheteurs, mais aussi photographes, journalistes du monde entier, presqu'un millier de personnes. Les plus fidèles des clientes de la haute couture ont réduit leurs achats. Pour le jour, elles s'habillent désormais en Rive Gauche, réservant leurs commandes aux tenues du soir. Selon Alice Rawsthorn, la couture ne rapporte plus à l'époque que deux millions de dollars par an (soit 5 millions six cent mille euros), contre deux cent millions pour les licences (cinq cent soixante millions). La mode devient un grand spectacle destiné à promouvoir l'image des griffes.

Le 28 juillet 1976, Pierre commence par infliger une longue attente à ses invités. C'est l'année de la sécheresse. Pas une goutte d'eau n'est tombée sur le pays de tout l'été. La France connaît des baisses de tension électrique. Les barrages sont vides, la sidérurgie et les papetiers doivent réduire leur production. Dans les supermarchés, l'eau minérale est rationnée. Rue de Castiglione, les invités s'éventent à l'aide du précieux carton d'invitation, en jaugeant le chic de leur voisin en douce. La chaleur incandescente fait monter l'excitation.

Eugenia Sheppard, amnistiée depuis son papier de 1971, est au premier rang de la presse anglo-saxonne. Les riches clientes comme Nan Kempner ou Lynn Wyatt, la jolie blonde texane, ont fait le voyage. La garde rapprochée, Betty, Philippe Collin, Charlotte Aillaud, Thadée, tous les amis sont présents. D'autres ont attendu jusqu'à la dernière minute de recevoir le carton frappé du sigle YSL. « Sur certaines collections, j'ai vu des types habituellement sains d'esprit se damner pour obtenir un siège bien placé et se prendre la tête au point d'en avoir la bave aux lèvres[190] », raconte John Fairchild, du *Women's Wear Daily*. Pierre joue avec les nerfs.

Le salon Impérial a été divisé en deux. Dans la coulisse, le bazar est chatoyant. Sous les ors des plafonds, les filles troquent des jeans délavés contre des atours époustouflants dans un soyeux piapia tandis que maquilleurs et coiffeurs s'activent au coude à coude. Outre les mannequins de la cabine comme Nicole Dorier ou Kirat, il a fallu recruter des filles dans les agences parce que le nombre de passages est important. Pour la première fois, certaines devront se glisser dans des robes qui n'ont pas été conçues sur mesure pour elles, mais seulement modifiées à la va-vite. Privilégiée : Kirat a vu Yves enrichir son vestiaire de saris.

« C'était féerique, se souvient Kirat. D'habitude, le *backstage* n'est pas très glamour. Mais là… »

Kirat, qui a grandi à Delhi en feuilletant des numéros de *Vogue* défraîchis, vit un rêve éveillé. Un matin de Noël au milieu de boîtes, de rubans et de papiers cadeau. Dans les miroirs, sa propre métamorphose l'émerveille.

« Avec l'aide d'une habilleuse, j'ai enfilé une grande jupe de satin duchesse turquoise sur un haut de velours noir, avec des manches de satin orange. Coiffée d'un turban doré, je portais un châle en lamé. Une robe de reine. »

Pierre Bergé chasse les photographes du podium, puis fait ôter le film plastique qui protège la scène avant de déclarer en roulant les « r », « *The show is about to start* ». Dissimulé derrière le rideau, il envoie le premier mannequin tandis que démarre la bande-son.

En voyant surgir la belle Indienne, Thadée songe à Claudel : « Le théâtre, c'est une femme qui arrive. » Les épaules rejetées, les hanches qui impulsent, sa dignité de mouvement est débarrassée de toute pesanteur. Le dessin réalisé à Marrakech et la robe portée par la jeune femme, tout est identique, au pompon prêt. Ses vêtements l'ennoblissent. Le geste devient plastique, la démarche se rythme, le corps est magnifié. Kirat défile en majesté.

Au premier rang, Judy Fayard est éblouie. Journaliste au *Women's Wear Daily*, elle vient de s'installer à Paris et assiste à son premier défilé. Le faste du décor, le lyrisme de la bande-son, la voix hypnotique qui scande les passages : « Numéro trente-deux, *number thirty two* », la flamboyance des couleurs, l'extrême profusion ornementale, tout plonge la jeune Américaine dans l'admiration. La haute couture, mirage de perfection, l'étourdit. « Comme plusieurs personnes autour de moi, j'avais les mains sur la tête, prêtes à applaudir à chaque apparition de ces vêtements incroyables. Couleurs, étoffes, ornements, tout était hippie de luxe au énième degré », dit Suzy Menkes, assise un peu plus loin. La chroniqueuse, qui assiste au défilé pour le *Times* de Londres cite ce défilé comme un des plus brillants auxquels elle ait jamais assisté[191]. Sur certains visages, les larmes coulent. Est-ce la beauté des choses éphémères ou parce que, comme Proust, Yves Saint Laurent fait se déployer « l'édifice immense du souvenir » ? Est-ce la musique déchirante qui hante le défilé comme un écho poignant à sa douleur, souffrance dont il a extrait la beauté qu'il offre ce jour-là pour une unique représentation ?

« C'est la période de la folie d'Yves. Une créativité délirante s'était emparée de lui en même temps que le plus noir désespoir », dit Thadée.

Des coulisses, le couturier convalescent observe la salle, heureux des bravos qui accompagnent chacun des cent un modèles. « Les robes du soir en faille passaient sur les airs de *La Tosca*, de *La Traviata*, du *Trouvère* chantés par la Callas, par Siep, par Gobbi. La musique épousait les vêtements, l'atmosphère était électrique, et chaque robe applaudie[192] », a relaté Yves.

La vedette de ce show, c'est le long corps souple de Kirat et son jeu de mains de danseuse royale. Chaque passage déclenche un tel enthousiasme qu'elle suscite l'envie des dames : « Celle-là, elle me donne le tournis avec ses mains », grince Sao Schlumberger.

Avec la finesse des grands mannequins, Kirat habite les robes et les fait vivre sans avoir l'air d'y toucher. C'est Yves qu'elle veut séduire avec sa pavane. « J'ai besoin du mannequin et du tissu, qui sont les deux vérités de la robe : le geste du mannequin que le tissu accompagne[193] », a dit Yves Saint Laurent. Kirat est l'appât gracieux avec lequel il prend le public dans ses filets.

Comme par un repli de l'imagination, Yves Saint Laurent a fui vers l'exotisme, le voyage, le songe et pourtant, il est *de son temps*. En dépit des conditions irrationnelles dans lesquelles elle a vu le jour, la collection a trouvé sa cohérence. Elle n'est pas la plus inventive mais son éclat est merveilleusement opportun.

Depuis le choc pétrolier de 1973, la France traverse une mauvaise passe. L'inflation galope, le chômage augmente. « Nous, les Français, on n'a pas de pétrole mais on a des idées », dit un slogan. En 1976, l'empire de Jean Prouvost, magnat du textile et de la presse est démantelé, Peugeot prend le contrôle de Citroën et Lip est mis en liquidation. Le président parle de « morosité » économique.

Avec son luxe fabuleux, le défilé « Opéra-Ballets russes » ainsi qu'il sera ensuite baptisé, est une réponse féerique à la « morosité » économique. Pendant quelques instants, Yves Saint Laurent a saturé le terne présent de l'éclat de ses couleurs. Satellite géostationnaire, de la course des nuages, il a déduit le sens du vent. « C'était vraiment la force du personnage :

tout en obéissant à ses seules inclinations, il était complètement en phase avec ce qui se passait dans le monde[194] », note Suzy Menkes.

« De toutes mes collections, ça n'est pas la plus réussie, mais c'est la plus belle, dira-t-il. C'était un spectacle profondément égocentrique ! Je suis revenu à l'ère de l'élégance et de l'aisance. Je me suis en quelque sorte replongé dans mon passé, en faisant référence à tous mes peintres et opéras préférés. C'était du théâtre ! Mais c'était aussi tout ce qui demeure caché au plus profond de moi-même[195]. »

En se faisant d'abord plaisir, en redevenant adolescent, il rencontre une nouvelle fois les besoins du moment. Le poète allège la vie, dit Nietzsche. Alors Saint Laurent est un poète. Son chant mélancolique passe dans ses robes.

Un ouragan médiatique

À New York, de perfides designers tels que Ralph Lauren, Calvin Klein ou Halston persiflent un défilé jugé aussi somptueux que complaisant. Ce n'est pas faux. Déconnectées de la réalité, les clientes de Saint Laurent semblent parfois se rendre à un bal costumé.

« Rencontrer à l'Opéra Marie-Hélène de Rothschild ou Sao Schlumberger vêtues de ses robes de bal m'a fait une impression bizarre. Réminiscence du passé, elles étaient des costumes », dit Judy Fayard. Les robes sont si amples qu'elles ne rentrent pas dans les voitures.

La collection remporte le plus grand succès commercial de la haute couture Saint Laurent depuis 1962 : Marie-Hélène de Rothschild, Hélène Rochas, Soraya Khashoggi, la baronne Van Zuylen, la vicomtesse de Ribes, l'impératrice Farah Pahlavi, la baronne Thyssen, Mme von Bulow (qui fait cet été-là ses dernières emplettes avant d'être assassinée) ou Bianca Jagger commandent des tenues.

Simplifiée dans le prêt-à-porter Rive Gauche – jupes de taffetas à volant et gilets afghans –, la collection plaît à tous. « Cette collection avait été faite au moment où on disait que la haute couture était finie. Or, elle voulait encore dire quelque chose[196] », dit Yves Saint Laurent. Quelque chose, oui, mais autre chose.

Le succès médiatique est inouï. La mode ne réalise pas encore de mesures d'audience, mais il n'est pas difficile de mesurer l'impact de cette collection lyrique, mélancolique et belle. Entre le 26 juillet et le 9 août, Judy Fayard ne cesse d'écrire : le *Women's Wear Daily* consacre pas moins de six unes à ce seul événement. Le *New York Times* fait pour la première fois sa manchette avec un défilé. « Yves Saint Laurent a présenté aujourd'hui une collection d'automne qui changera le cours de la mode. »

Si la collection marque un tournant décisif, c'est par son côté spectaculaire. Un nouveau type de show vient de naître. Le mannequin ne se présente plus devant la cliente, de plain-pied avec elle dans le salon de la maison de couture, mais sur un podium. Juchée sur une scène, elle devient une actrice et les clientes, son public. Ce changement traduit une métamorphose : la haute couture a quitté le niveau de la rue, c'est-à-dire de la réalité. Ring, musique, décor, elle devient un spectacle total. Elle s'éloigne du vêtement pour devenir une forme de théâtre muet, un kabuki sans acteurs. Un pur rêve gratuit. Elle ne fabrique plus de vêtements, mais des images. Selon la journaliste Alice Rawsthorn, le lendemain du défilé, la boutique Rive Gauche de Madison Avenue affiche un chiffre d'affaires de vingt mille dollars (cinquante-six mille euros), soit vingt fois plus que l'année d'avant, en vendant des produits de la collection… précédente. Peu importe le pantalon, pourvu qu'on ait l'yvresse.

Ce show préfigure notre époque : la couture est devenue un divertissement. La mode actuelle, qui n'est plus qu'image, est l'héritière de ce défilé historique. Un couturier, aujourd'hui ? Un professionnel des médias qui déclenche les retombées médiatiques et fait recette, pas un technicien compétent. Le vêtement est devenu un prétexte.

Si Kirat et Yves Saint Laurent font la une du *Point*, son triomphe ne rend pas le couturier plus heureux. Le 1er août, il célèbre ses quarante ans à Marrakech en ne quittant pas son lit de la journée. Le 6, Clara Saint et Warhol célèbrent leur anniversaire au Cipriani, à Venise, avec une brochette de beaux et jeunes garçons[197].

« Éprise de Fred Hughes, Clara m'entraîna à sa suite à Venise. Pierre jalousait un peu Warhol et le pôle d'attraction rival qu'était sa bande, tous ces jeunes gens plutôt jolis, nimbés d'un parfum vénéneux. Le Noël suivant, fâché avec Clara, je suis parti en voyage à Ceylan, où elle m'a écrit ; on avait retrouvé Yves errant pieds nus dans les rues[198] », dit Thadée.

La mode dévore ses enfants tout crus.

Le mariage des seventies

L'après-midi du 30 juin 1977, dans le bois de Boulogne, Yves Saint Laurent en grande forme décore le Chalet-des-Îles avec une profusion de fleurs et d'étoffes : il donne une grande fête pour le mariage de Loulou et Thadée.

« Je suis rentré de Ceylan en mai. Dieu sait ce qui s'est passé, en juin j'ai épousé Loulou[199] », dit Thadée.

Clara apprend la nouvelle par un faire-part du *Figaro*, ainsi qu'elle l'a confié à Andy Warhol[200]. Non seulement elle vit avec Thadée depuis treize ans, mais elle travaille chaque jour avec Loulou. Offrir le bal est une gifle que lui flanquent Yves et Pierre. Clara n'assiste pas à la fête mais, le lendemain, elle est au bureau, fidèle à son poste d'attachée de presse où elle restera jusqu'à son départ en 1999. Elle n'est pas la seule stupéfaite, d'ailleurs. Mais elle, elle n'en laissera rien paraître. La Saint-Laurentie est une secte endogame dont Yves est le gourou : chaque groupie efface son ego (et ses humeurs) au profit de celui du maître. Saint Laurent est à la fois Dieu le père tout puissant et le Christ rédempteur, et sur Pierre il a bâti son église. Certes, Clara est une grande prêtresse en titre : elle règne sur l'appareil de célébration, dont elle a étendu le prestige en introduisant Yves dans la jet-set artistique, de Noureev à Warhol en passant par Paloma Picasso. Mais lui seul possède le pouvoir quasi miraculeux de produire des objets rares par la seule imposition de sa griffe – sans avoir même besoin de les fabriquer[201]. Un quasi-chrisme, ce monogramme, avec les bras levés de la lettre Y. Si un apôtre comme Clara s'avise de dénoncer sa cruauté, elle sera Judas.

En Rolls Royce noire, Pierre conduit à la mairie une mariée dont il a toujours été proche. Vêtue à la Poiret – sarouel blanc, écharpe d'organza, turban à aigrette et profusion de perles –, Loulou est chaussée de sandales dorées portées sur des chaussettes blanches. Très Gatsby, Thadée se marie en costume blanc.

Avec une cruauté renouvelée, chacun des mariés a demandé à un amant en titre d'être son témoin à la mairie : Joël Le Bon pour Loulou, la chanteuse Caroline Loeb pour Thadée.

« Plus que jamais, le jour de la cérémonie, le couple était d'une beauté à couper le souffle[202] », relate la jeune fille, dont Thadée est le premier amour.

Thadée et Loulou forment le couple le plus en vue de Paris. Élégant et silencieux, le fils de Balthus semble mystérieux. Comme paralysé par la stature de son père, il se laisse vivre. Il a passé des journées entières chez Clara, rue Jacob, à bouquiner ou rêvasser.

« Pierre et Yves imaginaient que nous deviendrions de grands personnages. Parrainer notre succès mondain les excitait », dit Thadée.

Ils en seront pour leurs frais. Trop nonchalant pour être arriviste, ce beau couple ne tiendra pas ses promesses.

« Le champagne coulait à flots, tant et si bien que je me retrouvai ivre de tristesse. Je me mis à pleurer toutes les larmes de mon corps. Mon bel amour était perdu pour moi et, soudain, je m'en rendais vraiment compte. Il tenta affectueusement de me consoler. Yves Saint Laurent, amusé, m'appela "Rachel", du nom de la grande tragédienne. »

Pour fêter l'événement, Thadée et Loulou se sont fait un *speedball*, une ligne de coke mêlée d'héroïne.

« Ça nous a mis d'une bonne humeur qui a duré toute la nuit. Tout le monde nous avait offert des cadeaux poudreux que j'essayais de refiler. Épouvanté, Mick Jagger est allé se plaindre à mon frère. J'avais essayé de lui donner de l'héroïne[203] », raconte Thadée.

L'éclectisme des invités reflète la mue de la société. Les pop stars comme Mick et Bianca Jagger côtoient les femmes très civilisées comme Marie-Hélène de Rothschild et Antoinette de Watteville, la mère de Thadée. Nouveaux venus, les punks. En guise d'orchestre, le critique Yves Adrien a conseillé d'engager les Stinky Toys, un groupe gracieux et léger qui vient de jouer à Londres au 100 Club, la Mecque du punk. La pop froide et naïve de Jacno est un charmant remède à la tristesse du nouveau Premier ministre, un professeur au visage poupin, Raymond Barre, qui a majoré l'impôt sur le revenu et les sociétés, la vignette automobile et la taxe sur les produits pétroliers, et a déclaré : « Le temps de la facilité est terminé. »

Les trente glorieuses s'achèvent tandis qu'à Londres, dans la boutique *Sex* sur King's Road où Malcolm McLaren et Vivienne Westwood vendent des vêtements lacérés inspirés des boutiques fétichistes, la chemise *Anarchy* et le costume

Bondage sont des best-sellers. Au cœur de Paris s'achève la construction d'un nouveau musée d'art moderne, semblable à une raffinerie de pétrole. Le mariage de Loulou et Thadée, en 1977, marque la fin d'une époque. C'est aussi la fin de l'âge d'or d'Yves Saint Laurent. Jamais plus il ne sera aussi inventif.

Le parfum de l'argent

> RifiaO6 : — Yves Saint Laurent est décédé à 71 ans.
> Marokashna1 : — Ça veut dire que je vais plus pouvoir me parfumer ?
> Sur Yabiladi.com, forum du 2 juin 2008

Ce que j'ai éprouvé en découvrant *Opium*, je m'en souviens avec netteté : je me suis trouvée nez à nez avec un opossum hybride à fourrure bleu électrique. Le flacon opaque en laque, le nom toxique et la vénéneuse photo de Jerry Hall, tout était enivrant. Ce parfum tonitruant a aussitôt remplacé *Ho Hang*, le parfum masculin que j'utilisais en 1977. Je me croyais unique avec ces fragrances baroques, j'étais seulement tombée dans un guet-apens. Et je n'étais pas la seule, comme je l'ai compris un jour dans les jardins du Palais-Royal, un été où Serge Lutens donnait un thé. Nous avons joué à faire la liste des fragrances qui avaient compté pour nous : c'est comme écrire son autobiographie. Chaque parfum fait renaître une époque, et l'image de l'homme qu'on aimait. Eh bien, toutes les femmes en âge de se parfumer en 1977 avaient porté *Opium*. C'est que l'affaire avait été drôlement bien calculée.

Si le toxique *Opium* a laissé son empreinte sur les métiers du parfum, c'est grâce à de l'intox.

« Jusque-là, je visitais le président de la société, et c'est lui que je devais séduire avec ma formule. Là, le président déléguait tout son pouvoir à un directeur du marketing », dit le parfumeur Jean-Claude Ellena, qui concourut pour *Opium*.

À l'instar des missiles nucléaires, les parfums sont devenus beaucoup trop sophistiqués (commercialement) pour être laissés entre les mains de ceux qui les créent. Au milieu des années soixante-dix, un parfumeur ne doit plus vamper le patron, mais un nouveau rabatteur très ficelle : le chef de produit. Un type d'une trentaine d'années diplômé en marketing qui parle le franglais. Un parfum ne peut entrer au box-office sans posséder un certain nombre d'attributs statistiques, dont ce type a la clé. Loïc Delteil, celui d'YSL, veut un produit international : *Opium*, dont le nom de paradis artificiel a été choisi par Yves Saint Laurent, doit séduire les Américaines avant de plaire aux Françaises. Par ailleurs, il exige que le prix du concentré soit divisé par deux : de mille deux cents francs de l'époque (six cent trente-six euros), il doit passer à six cents francs (trois cent dix-huit euros) comme aux États-Unis, où le concentré est moins coûteux mais les jus, plus concentrés.

« Du jour au lendemain tous les concentrés se sont vendus à moitié prix. Comment garder les marges tout en proposant un parfum de qualité ? En modifiant les techniques de formulation », dit Ellena.

En clair, la proportion de produits naturels chute drastiquement au profit des produits de synthèse.

Ellena propose un jus inspiré d'un morceau de haschich qu'il s'est procuré mais son approche, trop réaliste, n'est pas retenue. C'est Jean-Louis Sieuzac, chez Roure, qui remporte l'affaire avec un cousin de *Youth Dew*, la bombe olfactive dégoupillée par Estée Lauder en 1953, saturé de patchouli et d'ambre. En réalité, la formule d'*Opium* n'était pas très éloignée de celle d'*Ho Hang*, mon ancien parfum gorgé de notes animales, charnelles, sexuelles en un mot. Mais si j'ai décroché, c'est qu'*Opium* attirait irrésistiblement les proies dans la soyeuse toile de l'araignée Saint Laurent.

Était-ce à cause de Jerry Hall, la fille photographiée sur *Siren*, l'album de Roxy Music ou de tout ce que j'imaginais de la vie d'Yves Saint Laurent, ou parce que le nom du parfum scandalisait, mais curieuse de le sentir, je me suis rendue dans une boutique. J'étais foutue. Un pur objet de désir, le flacon, avec son étrange exosquelette. En laque de Chine, avec un pompon en passementerie entourant le bouchon. Pierre Dinand, le créateur du flacon, s'était inspiré des inro, les boîtes où les Samouraï rangeaient épices, médicaments et… opium. La passementerie, elle, symbolisait Marrakech ou la couture. Dinand aurait répondu à une attente d'Yves Saint Laurent, qui souhaitait retrouver dans ce parfum son expérience du LSD. « Il voulait quelque chose de psychédélique. Yves a dit qu'il voyait des brassées de fleurs de feu, l'éclat d'or des chandelles, des rouges et des pourpres. » Une (superbe) marchandise fétichisée, comme dit Karl Marx. Ma main s'est emparée de ce rêve moulé dans du plastique acrylique, et le traquenard s'est refermé.

Pour la première fois on ne vendait plus une marque et un flacon, mais un scénario, une histoire racontée par un parfum. Quatre ans auparavant, les jeunes Américaines avaient plébiscité *Charlie*, lancé par Revlon avec un film enjôleur dans lequel une célibataire décidée en pantalon Ralph Lauren allait se taper un champagne cocktail dans un bar après une journée de travail. En une seule année, *Charlie* avait rapporté cent millions de dollars.

En matière d'histoires, Yves Saint Laurent était un fabuleux véhicule de fiction, un tapis volant en soie rehaussé d'or et d'argent, surtout après l'opulente collection des Ballets russes.

Opium capitalise tout l'âge d'or d'Yves Saint Laurent. Synthétisant les influences et les sublimant avec la perfection de la haute couture, il a été médiumniquement en phase avec l'esprit du moment, colonisé par l'Orient.

Yves Saint Laurent a signé l'histoire relatée par *Opium*, c'est pourquoi il a fait tant de victimes. Il brodait comme il respirait. François-Marie Banier affirme être l'auteur du nom ambigu, chargé d'un mélange dérangeant de répulsion et de désir. Il n'est pas officiellement crédité. Helmut Newton a shooté la photo, mais Yves a dirigé lui-même la séance, rue de Babylone. Il a dessiné le costume de Jerry Hall et mimé sa pose languide. Une Texane, cela aurait pu manquer de mystère. Mais fiancée à Brian Ferry puis à Mick Jagger, Jerry Hall est une princesse pop. Encore une fois, Jerry Hall, c'était Yves.

Quand je songe à *Opium,* je revois le paysage de la fin des années soixante-dix, albums de Roxy Music, *L'Antivoyage* de Muriel Cerf et romans d'Yves Navarre, LSD et un tas d'expériences sensorielles bizarres. Chaque époque a son énergie interne. Celle-ci est souvent racontée comme un âge d'or, un moment d'une folle gaieté, où chacun allait s'éclater au Palace. Dans ce cas, mieux valait être ivre ou défoncé. Éclairée par les pinceaux des lasers, la foule en transe collective que menait de main de maître un infernal DJ, enchaînant sans transition un tube de Donna Summer bien chaud, comme *Love to love you baby*, sur un morceau wagnérien saturé de pathos, ça pouvait être repoussant. J'en garde le souvenir d'une période hybride et confuse que la pacotille stylée d'*Opium* symbolise assez bien : une Texane en veste chinoise et pantalon Mille et une Nuits complètement défoncée, un flacon en bakélite, des fanfreluches de soie, du patchouli double dose...

Diana Vreeland, interrogée sur la fragrance par une journaliste lors du lancement à New York déclara : « J'aime l'odeur de l'argent. » C'était bien vu.

Toute la parfumerie d'Yves Saint Laurent est intéressante. Les noms sont intelligents : *Rive Gauche*, *Eau libre*, *Opium*, *Paris*, *Jazz*, *In love Again*. Les campagnes publicitaires, iconoclastes : un couturier tout nu s'affiche. Deux mains, l'une noire et l'autre blanche, s'emparent de la même bouteille de parfum. (Premier parfum unisexe, une Cologne très agrume de couleur verte vendue dans un long flacon de verre, *Eau libre* fut un flop.) Les slogans ont de l'esprit : « *Rive Gauche* n'est pas pour les femmes effacées » ou bien : « *Opium*, pour celles qui s'adonnent à Saint Laurent » et plus explicite encore en anglais, « *for those who are addicted to Saint Laurent* ». Ou encore : « C'est si bon d'être *Jazz.* »

Directeur artistique de sa marque, Yves supervisait tout, avait un droit de regard sur tout et ne faisait pas de compromis. Pour *Kouros*, en 1981, il aurait demandé une fragrance qui sente les draps après l'amour. Certains prétendent que *Kouros* sent la pissotière, ou plutôt la plaquette parfumée qui tente d'en masquer les odeurs peu recommandables. Outre la lavande, *Kouros* utilise deux molécules synthétiques, l'animalis et le costus, à odeur animale, sauvage, presque fécale. Pour le lancement de *Paris*, il fit reshooter le film publicitaire parce qu'une fermeture Éclair pointait sa bobine.

Ce qui est passionnant, avec les parfums de cet expert de l'air du temps, c'est que chaque succès renseigne sur l'état de la société française. Un parfum véhicule la substance de son époque. Saint Laurent avait du flair. Avec *Paris* en 1983, un jus fleuri, poudré et bourgeois, la femme est une rose. Alors que l'épidémie de Sida rend le sexe dangereux, la parfumerie renonce aux notes organiques et sauvages, qui ne sont d'ailleurs jamais revenues sur le devant de la scène. Même une fragrance aussi exubérante qu'*Angel* a planqué sa sexualité sous un arôme de chocolat. Gloutonne mais pas cochonne, sa cliente fait la petite fille. Un sommet d'innocuité puritaine est atteint dans les années quatre-vingt-dix avec le très aseptisé *Eau d'Issey*, conçu pour… ne rien sentir.

Sans doute tenons-nous à distance nos pulsions animales, ce qui expliquerait la vague des senteurs aqueuses, fruitées ou fleuries.

En 1983, le nom de *Paris* et le film publicitaire tourné devant la tour Eiffel reflètent ce qu'Yves Saint Laurent est devenu. Un monument, un élément du patrimoine. Il a l'odeur de sa cliente des années quatre-vingt. Une bourgeoise pas fraîche. À sa façon mercantile, *Paris,* cependant, innove encore. À partir de ce best-seller, les chefs de produits demandent à un jus d'être performant : son odeur doit durer. Le grand public exige qu'un parfum ne change pas au fil de la journée, sinon il a l'impression d'avoir été trompé. Les découvertes surprenantes offertes par le parfum évoluant sur la peau au fil des heures sont interprétées comme un mensonge. Les lessiviers lavent les cervelles. En parfumant les détergents à la galaxolide, musc synthétique longue durée qui survit au rinçage, ils ont reformaté l'odorat d'une partie du public, lequel souhaite retrouver cette sensation linéaire dans ses parfums. Pour susciter le consensus, le parfum flatte les habitudes. Dans les classes populaires, où beauté est synonyme de propreté, le parfum de la Soupline, celui du linge propre, est apprécié. Puissant marqueur social, la galaxolide déclasse celui qui l'exhale. L'élite au nez châtié n'utilise pas d'assouplissants parfumés. Aux jus industriels prévisibles, elle préfère les fragrances qui évoluent sur la peau au fil des heures, comme l'humeur.

Une parfumerie d'auteur, dont Serge Lutens est le chef de file et le modèle, est apparue sur le marché. D'un côté, la grande masse des victimes du marketing. De l'autre, la nouvelle élite qui sait trier l'information. L'olfaction consacre la fracture sociale.

Un dimanche avec Sagan

« Il n'y a pas de légende sans œuvre et comme je l'avais dit tout petit, je veux devenir une légende. »

Yves Saint Laurent

« Le champion, c'est celui qui sait souffrir plus que les autres. »

Jacques Anquetil

Ce dimanche après-midi, au début de l'année 1980, Françoise Sagan et Yves Saint Laurent sont installés dans la bibliothèque, rue de Babylone, où ils paressent sur les grands canapés blancs, tandis qu'il pleut sur le jardin. La tenue d'Yves, un complet sombre de banquier taillé à Milan chez Caraceni, étonne Françoise.

« La seule chose à me mettre passé quarante ans », lui confie-t-il.

À quarante-quatre ans, Yves se croit vieux. Les traits livides et empâtés, il a renoncé aux fantaisies hippies pour un classicisme un peu terne. Ceux de Françoise, qui n'a qu'un an de plus que lui, sont chiffonnés malgré le léger lifting. Mais derrière les stigmates, en dépit de tout, un même air d'enfance.

Bien qu'ils se croisent souvent, Françoise et Yves ne se sont pas vus en tête à tête depuis longtemps. Ils ont les mêmes intimes, Paola Sanjust, Jacques Chazot, Marie-Hélène de Rothschild. Charlotte Aillaud est leur grande confidente à tous deux. Autrefois, avec Pierre, Yves venait souvent se mettre au vert chez Françoise, en Normandie.

Ces deux enfants gâtés ont subi le même cataclysme, la gloire à vingt ans. Elle a régné sur les années soixante, lui sur les années soixante-dix. Non seulement Yves Saint Laurent habille la nouvelle *middle class*, mais son personnage d'homosexuel est un symbole des mutations culturelles. Que leur réserve la nouvelle décennie ?

Lorsqu'Yves l'a rencontrée, Françoise Sagan était la vedette de l'époque et lui, un petit provincial drôlement épaté d'être admis dans son cercle. Puis c'est Yves qui a bluffé Françoise en devenant une star internationale. Avoir son nom sur les plus belles avenues des plus belles villes du monde, ce n'est pas rien. Dans chaque dîner, toutes les femmes sont habillées en Saint Laurent ou semblent l'être. Françoise achète rue de Tournon des pièces Rive Gauche qui ne lui vont pas toujours très bien. Dans une blouse à nouettes, elle ressemble à un travelo embourgeoisé. Un pantalon tout simple, un beau pull d'homme suffisent à son élégance naturelle. Lorsqu'il allume sa Kool, Françoise remarque sur le poignet fin la montre Cartier du modèle qu'elle offre à ses amis, la Tank.

Devant le jardin dévasté par l'hiver et noyé de pluie, ils sont comme deux rescapés fourbus au fond d'une citerne. Yves pense que Françoise est douée mais ne travaille pas assez. Une idée reçue mais qui souligne combien lui, il travaille. La présence légère de Sagan lui fait du bien. Il vit de plus en plus seul. Pourtant, sept personnes, pas moins, sont au service du grand solitaire fameux et de son chien. Le chauffeur Paul, le cuisinier Christian, un couple de valets de chambre Bernard et Albert, deux femmes de ménage et une repasseuse. Logés sur place, les valets sont souvent sa seule compagnie. Entré au service de Pierre en 1950, lorsqu'il vivait avec Bernard Buffet, Bernard est presque un membre de la famille.

« C'est le plus beau cadeau que j'aie fait à Yves[204] », dit Pierre Bergé, sans entendre ce que sa remarque a de bizarre.

Installé à l'hôtel Lutetia dans une suite décorée par Jacques Grange, Pierre a entamé une liaison avec un jeune étudiant américain, Madison Cox. Un futur paysagiste, en affinité avec Pierre, amoureux des arbres et de la nature. Long garçon très sensible pourvu de lunettes, Madison est du même format qu'Yves jeune. Pierre n'a pas abandonné son partenaire des débuts. Plusieurs fois par jour, il lui parle au téléphone ou déjeune avec lui rue de Babylone, lorsqu'ils se supportent. Yves est jaloux, très jaloux.

« Je vais parfois à l'Opéra mais je ne lis aucun journal, je n'écoute pas la radio, ne regarde jamais les nouvelles. En fait, je peux les voir si je veux parce que mon valet de chambre a une télévision dans sa chambre alors je passe la tête et je vois ce qui se passe. J'ai dû rester des années sans lire la presse. L'image d'une femme prostrée dans les rues de Beyrouth, d'un bébé qui pleure, me bouleversent. »

D'une sensibilité extrême qu'aiguise l'angoisse, Yves ne supporte pas la vie. C'est dans la bibliothèque qu'il se tient le plus souvent, lorsqu'il n'est pas dans sa chambre. « Mes plus beaux voyages sont immobiles, je les ai faits sur ce canapé où vous êtes, lisant des livres illustrés, si je regarde un livre sur la Renaissance, je peux imaginer les fastes et les formes des costumes, m'abandonnant au plaisir d'une connaissance interprétée[205]. »

Ce dimanche, Yves se souvient qu'il aime converser. Attentive et vive, la présence amicale de Sagan le stimule. Et puis ils se ressemblent. Ils font le même métier, au fond, raconter des fictions, l'un avec des robes, l'autre avec des mots. Entre ces deux irréguliers, le dialogue est spontané et tendre. Avec une intelligence du cœur qui lui est naturelle, une bonté dépourvue de jugements, Françoise Sagan devine les états d'âme d'Yves. Alors il se confie. Il vient de présenter sa dernière collection de couture et parle à Françoise de la tristesse, du vide qui surgissent à la fin de la présentation.

« Quand tout est fini, la dernière épingle mise, on se sent orphelin. »

Un *post-partum* blues qu'elle doit connaître lorsqu'elle achève un livre. À la tension de la création succède un abattement qui n'est peut-être que de l'épuisement. Une grande fatigue physique. Un besoin de repos, de restaurer ses forces.

Yves, lui, préfère parler de ses tourments et se compare à Rimbaud, à Baudelaire. La souffrance, croit-il, est la marque de l'artiste. Jamais Françoise, qui ne se prend pas pour un grand écrivain, n'aurait le ridicule d'une pose si outrée. Le statut d'artiste, elle s'en fiche. Dans le sanctuaire en liège du studio, avenue Marceau, Yves a affiché une citation recopiée dans *Le Temps retrouvé* :

« Les œuvres, comme dans les puits artésiens, montent d'autant plus haut que la souffrance a plus profondément creusé le cœur. »

Son entourage le conforte dans la pose du martyr qui sert sa vocation.

« Loulou nous a dit que YSL était un tel génie qu'il n'arrivait pas à le supporter. Il doit prendre un million de pilules, tout le bureau est déprimé quand il est déprimé, sauf elle », écrit Warhol dans son *Journal*, le 11 février 1980. Poète maudit ou artiste *mody* ? La situation de Saint Laurent n'a rien de tragique. Loin d'être incompris, son travail remporte un vif succès. N'empêche qu'il souffre.

Son tempérament exacerbe la fatigue. La pression l'affole, sa sensibilité exige calme et tranquillité. Toute la journée, dans la maison de couture, il fait bonne figure. Le soir, lorsqu'il rentre du studio, il laisse la douleur le submerger et sanglote, convulsé dans les coussins du canapé comme dans un cocon. Terrifié par ses responsabilités, il craint de n'avoir plus rien à offrir. Yves Saint Laurent n'est pas né avec une dépression nerveuse, comme le répète Pierre Bergé. Sa grande énergie prouve le contraire. Lui-même adopte l'explication, mais avec une nuance réticente : « Pierre Bergé avait indéniablement raison de dire que je suis dépressif de naissance[206]. » C'est Pierre qui le dit, pas lui.

« J'ai vu Saint Laurent malheureux, je ne l'ai pas vu dépressif, dit son cardiologue, le docteur Philippe Abastado. Par exemple, il ne s'autodépréciait pas comme le font les dépressifs. Il était triste, anxieux. Je l'ai vu plus angoissé que dépressif, l'angoisse allant jusqu'à la paralysie, l'absence d'initiative. Pour fuir la sensation de malheur, il adoptait des conduites addictives[207]. » C'est un hypersensible, submergé par des émotions intenses qu'il ne contrôle pas. Une angoisse douloureuse le hante. On le dit plaintif, préoccupé par lui-même, égocentrique, replié sur lui-même : il s'isole de crainte d'être blessé. Pour conjurer les idées noires, il prie la Vierge à l'église Saint-François-Xavier et s'entoure de cristaux de roche aux vertus magiques. Sa collection de crucifix prend des proportions stupéfiantes. À celui qui fabrique des tailleurs qui donnent de la force aux femmes, il manque une peau qui protège son psychisme. Écorché vif, il est d'autant plus seul que personne, semble-t-il, ne comprend son désarroi. Il lui manque une peau pour supporter la vie.

Dans le studio, il a affiché une citation tirée du *Côté de Guermantes* :

« Supportez d'être appelée une nerveuse. Vous appartenez à cette famille magnifique et lamentable qui est le sel de la terre. Tout ce que nous connaissons de grand nous vient des nerveux. Ce sont eux et non pas d'autres qui ont fondé les religions et composé les chefs-d'œuvre. »

Proust excepté, Yves n'est pas un grand lecteur. La plupart des volumes alignés dans la bibliothèque laquée de blanc appartiennent à Pierre. En visitant la rue de Babylone à l'automne 2008, j'ai ouvert des volumes au hasard. Beaucoup étaient dédicacés à Pierre Bergé. Dans la chambre d'Yves, la pyramide tournante, à côté de son lit, contenait deux romans de Sagan. Si Yves lisait davantage, et autre chose que Proust, il serait différent. Plus fort, mieux construit.

Un domestique emporte le cendrier, rempli déjà de mégots de Kool, leur marque favorite. « Toutes vos idées sont passées et fichues ; elles vont disparaître comme celles d'avant, comme celles d'après. Il ne restera rien de tous ces efforts, de toutes ces nuits blanches... Ça, c'est cruel. Donner le jour à des choses qu'on ne reverra plus et dont l'essence même est de disparaître[208] », dit Yves à Françoise.

Contrairement aux chefs-d'œuvre, les robes prennent des rides. Yves cite Cocteau, « la mode est ce qui se démode ». Un travail vain, semblable au supplice de Sisyphe condamné à rouler un rocher en haut d'une colline, lequel redescend avant d'avoir atteint le sommet. La mode fabrique inéluctablement de la mort. La mode le tue.

« De mes robes ne subsistent que des photos », se plaint-il.

Quelles photos ! Depuis sa toute première robe photographiée par Richard Avedon, Yves Saint Laurent a été gâté. Saison après saison, les plus doués des photographes ont magnifié ses créations. Irving Penn, Jerry Schatzberg, Horst, Jeanloup Sieff, Guy Bourdin et, surtout, Helmut Newton. Parce que ses défilés narratifs transforment les femmes en héroïnes, les photographes aiment s'emparer de ses costumes. Mais ça ne lui suffit pas, en ce mois de janvier pluvieux. Un feu crépite dans la cheminée, entretenu par le domestique. Dehors, les arbres sont détrempés et des flaques s'accumulent au fond des sièges de jardin.

Autre chose chiffonne Yves. Si Sagan s'exprime dans un art dit « majeur », lui travaille pour un art appliqué dans lequel il obéit moins à ses goûts qu'à ceux de ses clientes.

« Un art mineur », remarque-t-il.

C'est Louis XIV, leur ancêtre commun, qui a établi cette hiérarchie qui élève les disciplines magnifiant la gloire du roi et la splendeur de l'État au rang de grand art : littérature, peinture, musique. Yves descend de lui par Colbert, Françoise par Madame de La Fayette. Colbert, le surintendant des manufactures, l'exportateur des produits de luxe[209].

« Quand vous êtes jeune et que vous avez du talent, c'est comme si vous aviez des ailes » dit le romancier japonais Haruki Murakami. Dans des cages dorées, Yves et Françoise ont perdu l'usage des leurs. Ce n'est pas une question d'âge. Dans leurs métiers, on tire fierté de soi-même longtemps. Dostoïevski a publié *Les Frères Karamazov* un an avant sa mort, à l'âge de soixante ans, et Chanel lancé son tailleur à soixante-dix ans passés.

Depuis des années pèsent sur leurs épaules de lourdes responsabilités. Chaque saison, on se demande s'ils sont finis. Leur gloire précoce a suscité des attentes insoutenables. « Chaque année, on le croit mort pour ses amis et mort pour la couture et chaque année on sort de sa collection hébété, confondu et, quand on est de bonne foi, ravi[210] », écrit Sagan.

Ce retournement du sentiment effectué en deux heures, il doit le répéter quatre fois par an, tout comme elle doit produire près d'un livre par an, dont on se demande s'il sera bon… ou mauvais. L'un et l'autre sont essoufflés. Françoise s'apprête à rendre à son éditeur un manuscrit qui va lui attirer un procès pour plagiat et une assommante cascade de tracas. Yves, lui, délègue son prêt-à-porter à ses assistantes. Son enthousiasme initial a fait place à de la lassitude. Si la presse française est complaisante, la presse anglo-saxonne l'éreinte. « Yves Saint Laurent sans *new look* » a titré le *International Herald Tribune* après la présentation de la collection Rive Gauche à l'automne. Son vestiaire pour épouse de sous-préfet a ennuyé les rédactrices. Yves Saint Laurent laisse à Anne-Marie le soin de prélever des thèmes dans la précédente collection couture pour les adapter à Rive Gauche et à Loulou celui d'accessoiriser les silhouettes. Coincées dans le cadre rigide de ce qu'on appelle l'identité de la griffe, elles ne peuvent innover. Yves se contente de suggérer quelques modifications à la veille de la présentation. Son rôle le plus consistant se résume à saluer à la fin du défilé, comme un pensionnaire de la Comédie-Française. Ce qui n'est pas toujours une mince affaire. Jusqu'à la dernière minute, on ignore s'il sera capable de faire bonne figure. Puis, à bord d'une Peugeot 604, son chauffeur le reconduit dans un de ses beaux écrins.

Comment pourrait-il se renouveler ? Yves n'a plus de contact avec la réalité. Il aimait faire la fête, s'amuser, aller en boîte. On ne le voit plus ni au 7 ni au Palace, ou très rarement. Il a besoin de sécurité et l'extérieur est de plus en plus anxiogène. Dans les lieux publics, Loulou, Betty ou Clara le protègent et l'isolent. Aussitôt qu'il entame une conversation, celle qui surveille à distance le rejoint. Jamais on ne le laisse seul. Si, malgré tout, un intrus s'approche, Yves a élaboré une tactique de charme. Il sourit gentiment, complimente son interlocuteur sur sa tenue ou ses goûts en attendant l'arrivée de la garde rapprochée. Sa vie est très organisée. Il va de l'avenue Marceau à son appartement conduit par le chauffeur, lui à l'avant, le chien sur la banquette arrière. Sur les femmes dans la rue, il ne jette qu'un œil rapide et les décrète *épouvantables*.

De Françoise et d'Yves sont exigées des performances hors normes, aussi pour trouver la concentration se regonflent-ils avec des substances illicites comme le culturiste dope ses muscles avec des stéroïdes. Ils n'y vont pas de main morte. À quarante ans passés, ils entrent dans la zone de l'irréparable. Au gré des désintoxications, Yves et Françoise ont fréquenté les mêmes cliniques. Elle a dû arrêter l'alcool, pas lui. Lui aurait pris du LSD, substance hallucinogène qui s'incruste dans les cellules et peut provoquer, à long terme, crises d'angoisse et dépression. Pour un être *borderline*, c'est une folie. Quoi qu'il fasse, c'est avec excès. Thadée se souvient qu'à Marrakech, Loulou, fatiguée d'avoir à lui rouler joint sur joint, lui avait expliqué qu'il pouvait aussi en manger. Yves avala la boulette tout entière.

Sagan et Saint Laurent consomment des amphétamines. Depuis qu'elles deviennent introuvables, ils se rabattent sur la coke. Ils doivent rester en tête du peloton. Drogue idéale, la coke donne le courage artificiel de jouer les champions de haut niveau et procure un sentiment de toute-puissance. Publier un roman à succès ou créer quatre collections par an sont des entreprises mégalos. La cocaïne donne l'illusion de maîtriser les émotions, elle repousse la fatigue, le doute, la peur de l'autre, de l'échec, de l'avenir, du présent.

Yves n'est pas le premier couturier à abuser de ce produit dopant. La coke est le secret de la stupéfiante énergie de Coco Chanel qui, à soixante-seize ans, gigotait comme un ouistiti sous amphétamines[211].

Les problèmes financiers ou d'approvisionnement qui sont – parfois – les garde-fous de Sagan ne freinent pas l'appétit de Saint Laurent. Une organisation de premier plan lui livre une drogue d'excellente qualité à profusion. Yves n'a même pas à passer livraison au dealer. S'il est en partie responsable de son malheur, il a bénéficié de complicités.

Longtemps, Sagan et Saint Laurent ont menacé leurs amis de partir ensemble sous des huttes au soleil, dont ils ne reviendraient pas. Mais, dit-elle, ils ont reçu ce « somptueux cadeau qu'est la liberté de créer[212] », et ils ne fuiront jamais.

« Il faudrait tout abandonner », dit-il.

La porte est grande ouverte, mais quand Yves la franchit, c'est sous l'œil de M. Paul, le chauffeur, un moustachu baraqué qui fait office de garde du corps. Après plusieurs accidents, Pierre a exigé qu'Yves renonce à conduire sa Volkswagen.

Sur la porte qui mène à l'ancienne chambre de Pierre, la tache rouge d'un papier collé de Matisse arrête le regard de

Sagan. Un châle noir s'envole comme une idée sombre. À l'étage au-dessus, elle a entrevu un Picasso, une sculpture de Brancusi, des Mondrian. Grâce à leurs royalties, Yves et Pierre sont passés de la catégorie des riches à celle des super-riches. La maison YSL est désormais une grosse affaire. Les licences rapportent des dizaines de millions de dollars par an. Pendant des années, Pierre a réinvesti les bénéfices en multipliant les boutiques Rive Gauche ou en finançant des défilés spectaculaires. Depuis 1977, notamment grâce aux licences japonaises, la maison gagne beaucoup d'argent. De cent cinquante à deux cents produits frappés du logo effilé de Cassandre sont distribués dans le monde entier, des montres en passant par les lunettes, les chemises, les bas, les sacs à main et même les cigarettes[213]. La maison perçoit cinq à dix % de royalties sur le prix de gros. Selon la journaliste économique Alice Rawsthorn, avec toutes ses licences et sa chaîne de boutiques, l'empire Saint Laurent rapporte deux cent cinquante millions de dollars (six cent cinquante millions d'euros) de chiffre d'affaires par an, ce qui laisse de substantiels profits. À lui seul, *Opium*, le best-seller lancé en 1977, en rapporte deux et demi par an (six millions et demi d'euros). Même la haute couture génère un million de dollars (2 millions six cent mille euros) chaque saison.

C'est désormais dans leur Learjet qu'Yves et Pierre, qui ne passent plus que les vacances ensemble, se rendent à Marrakech. Pierre prend des cours de pilotage et a acheté un hélicoptère. Hazel et Ficelle, les chiens, dorment dans des lits sur mesure. Yves est plus vieux, plus riche, plus malheureux.

Yves ne sera pas Bérard, Françoise ne sera pas Proust. Ils ont vécu dans le plaisir immédiat, consumant leur vie et bâclant leur œuvre. Ils ne grandissent plus et souffrent de se savoir inachevés. Yves dit qu'il n'a jamais été jeune[214]. Ils ne connaîtront pas la vieillesse, avec l'âge, ils deviennent de vieux grands enfants. Françoise, c'est tout, tout de suite. Yves, c'est « tout, terriblement », le mot d'Apollinaire qu'il fera broder sur une veste de velours dans la prochaine collection. Des mots d'ordre puérils. Des adultes protecteurs réparent leurs bêtises : la styliste Peggy Roche pour Françoise, Pierre pour Yves. Pierre est la chance et le malheur d'Yves, le remède et le poison. Françoise apprécie Pierre, un grand frère qui veille sur elle. Il conseille même Peggy, disciple de Chanel, qui veut ouvrir une maison de couture.

Pierre a le génie de la protection. Ou la manie de la protection, qui engendre la sujétion. Yves est devenu incapable de se prendre en charge. « Il faudrait tout abandonner », répète-t-il. Hors de sa maison de couture, il est perdu. Pierre n'ouvrira pas lui-même la cage. Il a tant travaillé à bâtir leur empire qu'il ne peut laisser Yves le saccager.

Un œil sur les moutons de bronze grandeur nature qui broutent le tapis de laine chocolat, Françoise tente avec délicatesse de ramener Yves vers des terres plus rieuses. La procrastination, ce n'est pas son truc. Légère en apparence, Sagan est grave au fond. L'inverse d'Yves : lourd en surface, léger au fond.

Sur les rayonnages remplis de livres hétéroclites, des photos : Pierre Bergé jeune, Madeleine Renaud, Loulou de La Falaise, Cocteau, Rimbaud, Kirat. Sartre, regard effrayé derrière de grandes lunettes. Comme Yves ? Sagan aperçoit une photo de Noureev, sur qui elle a écrit un de ses plus beaux textes. Ils sont sensibles aux mêmes charmes. Elle le ramène vers ses robes, vers la façon dont il les crée. Il raconte, avec une passion sincère, parce qu'il fait l'éloge des artisans qui l'accompagnent. Sa conversation est émaillée de remarques surprenantes, pleines de finesse. Yves n'est ni très cultivé ni très curieux, mais il possède une grande intelligence instinctive. Puis, inexorablement, il revient vers ses souffrances. Yves aime être malheureux. Françoise, pas.

Caviar et Concorde

La première tâche de Julia Kennedy, la nouvelle secrétaire irlandaise de Pierre, a été d'adresser une longue lettre au patron d'Air France, pour se plaindre de la qualité du caviar servi à bord du Concorde. Ce n'est que la première d'une longue série de missives de la même inspiration. Dans chaque restaurant, Julia Kennedy doit réserver la meilleure table. Si celle de Maxim's n'est pas libre, elle se rabat sur le Grand Véfour. Lorsqu'un détail déplaît à Pierre, elle rédige une lettre de réclamations[215].

Pierre profite de la vie et d'une fortune qui ne cesse de croître. Pour ses virées à Manhattan avec Madison Cox, il loue une suite à l'année au Pierre qu'il fait décorer par Peter Marino, un ancien architecte de la Factory. Jed Johnson, l'ex-petit ami de Warhol, chine pour lui du mobilier américain XIXe. La suite, Pierre l'occupe peu. New York n'est pas son biotope. Cet homme doué pour la conversation, qui parle littérature, peinture ou opéra, ne s'y épanouit pas.

À Paris, raconte Julia Kennedy, Pierre ne manquerait pour rien au monde un dîner chez les Rothschild dans leur belle maison de l'île Saint-Louis. Le brillant causeur séduit Marie-Hélène et son mari, qui partagent ses centres d'intérêt. La France est en campagne électorale et tous trois sont d'accord. L'arrivée de la gauche au pouvoir provoquerait un désastre économique. D'ailleurs tous immigreront. François Mitterrand veut « changer la vie » ? Pierre et ses amis ne lui ont rien demandé, leur vie leur convient. Au fond, la recette de Giscard, « le changement dans la continuité », s'applique à la maison Saint Laurent, dont elle a fait la fortune.

Lors des élections présidentielles de 1981, Bergé, qui apprécie la politique de rigueur menée par Raymond Barre, soutient la candidature de Valéry Giscard d'Estaing. Il écrit même à l'amiral Philippe de Gaulle, le fils du général alors sénateur, lui demandant d'être un recours pour la France[216]. Avenue Marceau, Pierre harcèle Anne-Marie et Loulou, qui vont voter pour le candidat socialiste.

« J'ai voté pour Giscard mais je n'en étais pas proche. Ce n'est pas ma tasse de thé. Giscard, c'est la droite que je déteste. La droite bonapartiste au ventre mou, prête à basculer d'un côté ou de l'autre, je n'ai pas d'estime pour elle. Mais c'est comme ça, c'est la vie, j'ai voté pour lui[217]. »

Deux années durant, Pierre restera brouillé avec son vieux complice Philippe Collin, qui a voté Mitterrand.

Tais-toi, Yves !

Le 5 décembre 1983, un homme confus cherche son chemin dans les sous-sols du Metropolitan Museum lorsqu'un vigile, intrigué, demande à vérifier son identité. C'est Yves Saint Laurent, l'homme dont le nom flotte sur une bannière accrochée à la façade du musée, qui vient voir sa propre rétrospective[218].

Dans le grand musée new-yorkais rempli de trésors, tombes romaines, armures de la Renaissance, jades antiques, c'est la première fois qu'un créateur de mode s'expose de son vivant. Il y a de quoi être égaré. Cristobal Balenciaga lui-même n'y a été célébré qu'après sa mort. Déphasé, le fragile Yves traverse les grandes salles froides du musée, assistant au spectacle de sa propre descente au tombeau. Ses mains tremblent, il a du mal à se déplacer. Arrivé à l'exposition, il découvre des silhouettes oubliées, surgies du passé. Jusqu'à la rétrospective, peu de modèles ont été gardés par la maison. Les conservateurs de l'Institut du costume ont puisé dans les riches collections du Met et convaincu des Américaines, dont les garde-robes de *trophy wives* sont abondamment pourvues en YSL, de prêter leurs robes. Dans ce pays où la seule réussite est matérielle, la haute couture est prospère. Yves voit surgir les surprenantes robes en perles de bois et raphia de sa collection africaine ou, confiée par une maîtresse française de Darryl Zanuck, la robe en soie transparente et plumes d'autruche faite sur Danielle Varenne en 1968. Son passé sous vitrine, sa vie suspendue sur des mannequins de cire. Ne tenant pas sur ses jambes, il s'évanouit dans une allée, victime d'une crise d'hypoglycémie.

Le couturier, qui ne se déplace plus sans son SAMU personnel, infirmier et médecin, est promptement secouru. Une neuropsychiatre, le docteur Claire Bougaran le suit comme une ombre. Griffée YSL des pieds à la bouche passée au rose *shocking*, elle duplique Betty Catroux, museau de belette et longs cheveux filasses. Plus Yves va mal, plus le docteur Bougaran est présent.

« Il aimait ça, d'ailleurs. Il s'était installé là-dedans », dit Christophe Girard, qui devient le secrétaire particulier du couturier.

En lui permettant d'échapper à la pression, la maladie lui offre d'appréciables bénéfices secondaires. Yves ne voulait pas venir à New York, il ne prend aucun plaisir à voir cette exposition. Il a fallu la fermeté de Pierre pour qu'il se déplace.

C'est à Diana Vreeland, la légendaire rédactrice en chef du *Vogue* américain qu'Yves doit les honneurs du Met. Devenue consultante à l'Institut du costume, Vreeland, qui a démarré à *Vogue* au moment où Yves lançait sa maison, est sa complice. Aussi célèbre à New York qu'Andy Warhol, Diana Vreeland est un sacré personnage. Andy Warhol a dit qu'elle était la femme la plus sexy du monde, mais ce n'est pas ce qui la qualifie le mieux. Le mot *allure* semble avoir été inventé à son intention : cette belle laide a du chien, de beaux gestes, un caractère. Des pieds de fillette, des mains de lutteur. Une tête d'oiseau de proie, des paupières passées à la vaseline, un teint blanc, des pommettes chargées de rouge comme son modèle Marie-Antoinette. Les cheveux sont teints en noir cirage et coiffés d'un large nœud plat, relevés en pain de sucre avec des guiches.

« Elle semblait coiffée d'un petit chapeau en cuir », dit Katell Le Bourhis, historienne de la mode, alors son assistante.

Son style sophistiqué et excentrique a fait de Diana Vreeland une des femmes les plus influentes de la mode des années soixante, à une époque où les rédactrices en chef des grands magazines détenaient un vrai pouvoir. La publicité ne dictait pas encore la ligne éditoriale des magazines comme l'a déclaré Pierre Bergé dans un entretien aux confidentiels *Cahiers de Médiologie* : « Aujourd'hui, avec les médias, il s'agit de complicité et de collusion. Tant de pages de publicité équivalent à tant de pages de rédactionnel[219]. » Vreeland doit son influence à ses manières créatives. Une célèbre photo d'elle : à côté de son beau mari en short, elle porte des tongs vernis noir sur des ongles laqués à la perfection, une bourse léopard, un large pantalon, un cardigan de cachemire jeté à la diable sur ses épaules. Le tout dans les années quarante ! Un chic sans effort. Très américain, jamais inconfortable ni apprêté.

« Diana Vreeland a adoré deux couturiers, Yves Saint Laurent et Balenciaga », dit Katell Le Bourhis.

Vreeland a lancé Yves Saint Laurent en Amérique dans les années soixante. Elle et lui font des fixations identiques. Vreeland aime les jupes gitanes et l'orientalisme, les couleurs violentes, rouge sang ou vert épinard, les robes de mousseline qui dansent sur le corps. Surtout elle aime la haute couture, cet artisanat pour lequel rien n'est impossible, pas même l'extraordinaire.

D'Yves, elle dit qu'il a grande allure : « Et toute l'atmosphère qui l'entoure a grande allure, aussi. » Lorsqu'elle passe à Paris, il l'invite à déjeuner. « Yves comprend son époque jusqu'à table. Lorsque vous déjeunez chez lui, on vous sert le genre de choses que vous aimez manger ou boire, des plats simples, légers[220] », dit Vreeland, à qui rien n'échappe. Du caviar, probablement. Avec l'âge, Diana Vreeland n'aime plus que cela, avec la vodka Smirnoff et les lys géants au pollen bien rouge qui tache les habits. Yves lui en adresse de fabuleux bouquets accompagnés de lettres charmantes.

Célèbre pour son humour et ses aphorismes, Vreeland a du panache. Laide, elle épousa un bel homme. Absolument loyale envers ce garçon incapable de gagner sa vie et passionné par les autres femmes, elle en fut éprise jusqu'à la fin. Son élégance ne s'arrêtait pas au seuil de sa garde-robe. Elle a perdu le mari en 1966 et son job en 1971. Entamant une seconde vie à soixante-huit ans, elle est devenue consultante au Met pour assurer son train de vie.

À quatre-vingts ans, elle vit sur Park Avenue dans un petit appartement tendu de rouge où la servent une femme de chambre péruvienne et une secrétaire. C'est là que Pierre Bergé, accompagné de Christophe Girard, lui rend visite.

Bergé est soucieux. L'état d'Yves ne cesse de se dégrader. Il a plongé sans retenue dans l'alcool et la drogue, et les séances de piscine à Marrakech ne réparent plus les dégâts. Julia Kennedy est priée un jour par le valet de chambre d'envoyer le chauffeur de Pierre acheter du Tranxene, et de le livrer dans la Rolls avec une seringue[221].

« Mieux que quiconque, Pierre savait qu'Yves ne pourrait plus travailler normalement et qu'il devait trouver autre chose », relate Christophe Girard.

Yves Saint Laurent vient de fêter les vingt ans de la maison au Lido. À Victoire, conviée à sa table avec sa famille, il a expliqué qu'un coma éthylique suivi de complications lui avait laissé des séquelles neurologiques. Il mélange whisky, tranquillisants et cocaïne, diététique qui lui procure autant de plaisir que de détresse. « Je ne peux plus dessiner, ma main tremble », lui a-t-il dit. À quarante-six ans, sa beauté s'est envolée. Le visage est bouffi, il boite. Une souffrance, sans doute, pour un esthète. Dans le magazine commémoratif distribué ce soir-là, Victoire a lu le mot affectueux de John Fairchild, le patron du *Women's Wear Daily.* « Le monde se régale de lui depuis maintenant vingt ans. Quel dommage qu'Yves Saint Laurent ne se réjouisse pas lui aussi de tout ce qu'il nous a donné. »

Victoire a regardé son ami sourire aux photographes au bras de Catherine Deneuve. Son sourire a fait place à un drôle de rictus. La bouche se fend en une longue estafilade, semblable à la cicatrice de Joker, l'ennemi de Batman.

Victoire a pensé à ces vers de Baudelaire,

> Je suis de mon cœur le vampire,
> Un de ces grands abandonnés
> Au rire éternel condamnés,
> Et qui ne peuvent plus sourire !

C'est la dernière strophe de *L'Héautontimorouménos,* le meilleur portrait d'Yves selon elle. Titre d'une comédie du poète grec Terence, *L'Héautontimorouménos* est un homme qui se châtie lui-même. De quelle faute inexpiable se punit Yves ? Sous la photo-souvenir qu'il envoie à Victoire, l'écriture vacillante dont il a tracé quelques mots est un indice visible de ses troubles.

Comment résoudre le problème qu'on éprouve à résoudre un problème ? En visant à faire disparaître ce problème. Illusionniste d'exception, Pierre Bergé a mis en application le précepte de Wittgenstein. L'acteur principal n'est pas présentable ? L'escamoter, le rendre inaccessible. En faire un monstre sacré. Pour les apparitions exceptionnelles, le pomponner avant de l'extraire de son écrin. Tout le monde ignore, et doit ignorer, qu'Yves Saint Laurent souffre de graves troubles psychiques. Créateur connu mondialement, son empire commercial est en pleine expansion.

Sur le portrait du couturier réalisé en 1983 par Irving Penn, Yves Saint Laurent a à demi disparu. Une main cache son visage, n'en livrant qu'un œil. *Aveuglé de peur*, comme l'écrit Marguerite Duras. Un produit du hasard, certes : Penn a shooté au moment où Yves remontait ses lunettes. Mais elle symbolise la nouvelle donne.

« Pierre était inquiet. De là est née cette idée remarquable : pour protéger la marque, la faire entrer au musée. Une chose naturelle puisqu'à ses yeux, Yves Saint Laurent est un artiste », dit Christophe Girard.

Pierre n'a pas besoin d'avoir lu Bourdieu pour savoir que le luxe est un discours qui célèbre la création et fait valoir les produits. Quelle meilleure caisse de résonance qu'un musée ?

« Et il a convaincu Diana Vreeland. »

Persuader Philippe de Montebello, le directeur du Met, d'accueillir une exposition Saint Laurent n'est pas une mince affaire. Jamais un couturier, fût-il d'exception, n'est entré au musée de son vivant. La mode est un commerce, rien n'y est gratuit, pas même les relations humaines. Tout cache toujours un calcul, une arrière-pensée, aspect qui n'échappe pas aux conservateurs du musée.

« Il fallait justifier scientifiquement une telle présence au Met. Diana a expliqué à Montebello que Saint Laurent était l'homme qui avait changé la rue. Pour la première fois, un couturier y avait pris son inspiration, l'avait fait adopter par l'élite, avant de la remettre dans la rue[222] », dit Katell Le Bourhis.

Pierre a de solides arguments sous la forme d'un mécène. Puisque la société Yves Saint Laurent ne peut ouvertement financer sa propre rétrospective, c'est Gustav Zumsteg, le patron d'Abraham, fournisseur zurichois de tissu de haute couture, qui la parraine.

Ce premier lundi de décembre est donnée au Metropolitan « *The Party of the Year* », dont la recette finance l'Institut du costume. Pour les femmes du monde, c'est l'occasion de porter leurs tenues d'apparat. Nancy Kissinger, Marie-Hélène de Rothschild, Jacqueline de Ribes, Hélène Rochas, Catherine Deneuve, Paloma Picasso, toutes sont en Saint Laurent. Yves, lui, est l'ombre de Saint Laurent. Sous le regard de huit cents convives, un zombie traverse l'immense salon dans un état second, donnant la main à une Diana Vreeland presque aveugle. Deux divas cabossées offrent un grand dîner à New York. La profusion de fleurs, de feuillages, d'étoffes chatoyantes, est à la mesure de la fragilité d'Yves. Plus il s'affaiblit, plus le décorum augmente.

« Il fallait cacher l'état d'Yves, cacher l'état de Diana[223], se souvient Katell Le Bourhis. Le service de presse du Met avait des consignes. »

Celui d'Yves Saint Laurent n'en a pas besoin. Chacun redoute les éclats de Pierre et tient sa langue. Gabrielle Buchaert passe son temps à refuser des interviews tout en expliquant que certes M. Saint Laurent a eu des problèmes, mais qu'il va de mieux en mieux.

Dans la presse française soumise à une longue tradition de connivence avec les milieux de la mode, peu de choses transparaissent. Elle ne parle ni des addictions d'Yves Saint Laurent ni de ses accès de délire. À la fin d'un entretien pour *Marie Claire,* la journaliste Claude Brouet demande à Yves de lui donner un croquis inédit pour son magazine. Le couturier lui montre ses mains tremblantes : « Lorsque j'en serai capable. » La porte du bureau s'ouvre brutalement sur un Pierre Bergé furieux : « Tais-toi, Yves[224] ! » Claude Brouet ne demande aucune explication et, dans son compte rendu, passera l'incident sous silence.

Une maison de couture est un appareil de relations publiques autant qu'un studio de création. Croyance collective, la mode s'autocélèbre avec un discours militant. Styliste : demi-dieu médiatisé dont on colporte bons mots ou manies. Médias : instrument de propagande qui diffuse la légende. Chroniqueur de mode sympa : type qui propage le culte des icônes, autrefois nommé thuriféraire. Chroniqueur sceptique : mécréant sacrilège, aussi appelé trou du cul ou fils de pute. Comme l'a écrit le patron du *Women's Wear Daily*. « Certes, la mode n'est pas un monde trouble, mais elle est agitée de complots politiques et de magouillages, et si vous le révélez, si vous le rapportez loyalement et refusez de vous prosterner ou d'alimenter le grand battage publicitaire, vous entrez automatiquement dans la catégorie des fils de pute[225]. »

Pierre Bergé n'a rien à craindre, personne ne le contredira : qui malmène le panégyrique s'expose à des représailles – un journal hostile est interdit de défilé ou perd son annonceur. Comment ne pas abuser d'un tel pouvoir ?

C'est pourquoi les seuls éloges mesurés concernent généralement la *Fashion Week* des autres pays. À l'égard de la mode française, la presse anglo-saxonne n'hésite pas à faire preuve de curiosité et d'indépendance. Après le vernissage au Met, le *Time* dépêche un journaliste rue de Babylone, dont le rapport est alarmiste : l'épuisement du couturier justifierait un congé sabbatique. Dans une clinique de Garches, il a suivi une cure de désintoxication. Un appétit chasse l'autre. À présent, il boit vingt-cinq canettes de Coca-Cola par jour. Cinq fois par semaine, il rencontre son obligeante psy à domicile. Omniprésente, elle assiste même aux défilés et le suivra jusqu'à Pékin lorsque, tout au long des années quatre-vingt, les expositions vont se succéder à Moscou, Leningrad, Sydney, Tokyo…

« Lorsque vous mettez la barre aussi haut que l'a fait Pierre, en commençant par le Met, vous pouvez ensuite décliner dans le monde entier », dit Christophe Girard.

La rétrospective Saint Laurent au Met suscite cependant une vive controverse aux États-Unis. C'est comme prêter une aile de musée à General Motors pour y exposer ses Cadillac, protestent certains. Une spectaculaire campagne publicitaire, l'art et l'histoire du costume n'étant que des alibis. L'historienne Debora Silverman publie un pamphlet, *Selling Culture*[226], où elle dénonce Diana Vreeland et la nouvelle aristocratie du goût dans l'Amérique de Reagan. Elle y compare la politique du Met à celle des grands magasins Bloomingdale. Silverman n'a pas tort, mais ses critiques sont effacées par le succès populaire de l'exposition.

Dans ce jeu de pouvoir qu'est la mode, la rétrospective au Met est une formidable opportunité commerciale pour Yves Saint Laurent. Dans la haute couture, où ne subsistent plus que vingt et une maisons en 1983, les plus anciennes cherchent à se revitaliser sur le modèle d'YSL. Rue Cambon, Alain Wertheimer, le patron de Chanel, recrute Karl Lagerfeld pour redynamiser une griffe assoupie depuis la mort de Coco. Il lui confie couture et prêt-à-porter. Pour la première fois, Karl est en position de rivaliser avec Yves. Lors de son premier défilé pour Chanel, le 25 janvier 1983, il casse les codes-maison avec l'aide inspirée de son mannequin fétiche, Inès de La Fressange, une grande bringue chic et espiègle, qui contribue à sa version ironique et légère, du vestiaire Chanel. Brillant *performer*, Karl ne « revitalise » pas la marque, il la met sous amphétamines.

L'exposition au Met permet à Pierre Bergé de réaliser un médusant tour de magie. Peu à peu escamoté de la vie publique, Yves fait place au personnage rimbaldien du grand artiste foudroyé par son propre génie. Génie, oui, le mot est employé. Une idée de Pierre, sanctifiée par la grande prêtresse Vreeland dans le catalogue du Met : « Pourquoi Saint Laurent ? Parce que c'est un génie, parce qu'il sait tout des femmes. »

Artiste, déjà, ça se discute. Jamais Chanel ne s'est prise pour une artiste, elle qui était l'amie de Pierre Reverdy, Picasso, Diaghilev, Bresson. Christian Dior, proche de Christian Bérard, d'Henri Sauguet, de Max Jacob, d'Erik Satie, non plus. D'ailleurs Yves, au début, trouvait ridicule que Pierre le compare à un artiste. La mode n'est qu'un art appliqué. Génie, maintenant ! Un grand mot sonore comme un tombeau vide. C'est aussi ça, la mode. Une apologie idolâtre distillée par chaque griffe qui instrumentalise le langage. Un créateur qui a une bonne idée est talentueux, deux bonnes idées, génial, quatre bonnes idées, divin. Avec quelle balance de précision mesure-t-on le génie ? C'est quoi, être génial, dans la couture ? Ou en sciences ? Proust, Freud, Le Corbusier étaient-ils des génies ? Proust, un génie littéraire ? Croire que certains êtres possèdent de miraculeuses facultés tombées du ciel tient de la superstition. Oui, Yves Saint Laurent a du talent, un grand talent de couturier. Inventif et émouvant, il a une écriture personnelle et un impact frappant sur les foules. Il travaille, et beaucoup, à s'en rendre malade.

Tout ce qu'il absorbe, tout ce qu'il observe, il le rapporte obsessionnellement à une idée fixe, la mode.

Génie, donc. L'étiquette est lancée, que Pierre Bergé, habile manager, se charge de faire fructifier. Un fantasme qui fascine et dissimule le délabrement d'Yves. Un tour de passe-passe qui va s'amplifier et durer… vingt ans. Après tout, la maison n'a-t-elle pas démarré sur un coup de bluff ?

Gauche caviar

Patiente araignée, Pierre Bergé a mis plusieurs années pour attraper François Mitterrand dans sa toile. Il l'a tissée large : Jack Lang a été la première prise. Lorsque le ministre de la Culture, qui s'habille chez Thierry Mugler et dont la femme

Monique apprécie le shopping, a annoncé en 1982 la création d'un musée des Arts de la mode au sein du musée des Arts décoratifs, les deux hommes se sont rencontrés. Bergé possédait le genre d'arguments qui transporte l'homme politique français : un Learjet et un hélicoptère.

L'année suivante, Lang le présente à Danielle Mitterrand, l'épouse du président. Pierre devient un généreux donateur de France Libertés, une association en faveur des Droits de l'homme qu'elle lance en 1986. En 1984, Danielle lui présente son mari. « Je m'étais détaché de la politique lorsque je fis la connaissance de François Mitterrand[227] », écrit Bergé. Détaché ou pas, le pouvoir l'amuse, il veut être là où ça se passe. Et puis il continue à se chercher une position. « Quand Pierre veut séduire, il séduit. C'était fascinant à observer[228] », dit Alain Minc.

Mitterrand a dû aimer l'homme singulier qui a construit un petit empire et règne sur une des marques françaises les plus importantes dans le monde, le séducteur homosexuel assumé. « Me donna-t-il son amitié ? Je me le suis demandé puisqu'il ne croyait qu'à la recommandation du temps, mais cela était de peu d'importance puisqu'il encouragea la mienne », écrit Pierre Bergé dans *Les jours s'en vont, je demeure*. Les deux Charentais excellent dans le seul art qu'ils aient jamais pratiqué, la conversation : le goût de la saillie, le sens de l'allusion, de la littérature d'avant-guerre. L'un et l'autre sont atteints du syndrome littéraire ou académique. L'un et l'autre admirent les écrivains, qu'ils ne seront jamais. À la place, ils collectionnent les livres rares.

En octobre 1984, à l'issue de la semaine du prêt-à-porter, le président de la République donne une réception à l'Élysée. À ses côtés, Bergé le présente aux designers. Dans une cérémonie des Oscars inventée par Jack Lang et qui n'aura qu'un épisode tant le premier fut pompier, Yves Saint Laurent reçoit un prix officiel pour sa contribution à l'histoire de la mode. Enterré vivant, il devient une institution.

Très vite, Pierre Bergé se rend indispensable et s'invente des parrainages. En 1987, il lance le magazine *Globe*, qui soutient la candidature de Mitterrand aux élections de 1988 et met sa flotte aérienne au service du président. Il participe en première ligne aux rites de la mitterrandie, escalade annuelle de la Roche de Solutré, excursions à Latché, déjeuners du samedi dans les bonnes tables de la capitale.

Pierre Bergé, c'est le parrain bienfaiteur. Prodiguant sa générosité à diverses causes, il se fabrique un rôle public. Sa spécialité, les minorités : il lance l'association des parrains de SOS Racisme ou s'engage dans la lutte contre le sida avec Arcat Sida.

« François Mitterrand, qui avait une grande confiance en lui, l'a beaucoup consulté durant la période des grands travaux. C'était romanesque, sentimental, artistique[229] », dit Laure Adler, ancienne conseillère du président. Après la réélection de François Mitterrand, Pierre Bergé reçoit un cadeau mirobolant : la présidence de l'Opéra de Paris, c'est-à-dire du palais Garnier, de l'Opéra-Comique et d'un troisième établissement en cours de construction à la Bastille. Lui, le fils d'une soprano amateur !

La beauté, c'est les larmes

C'est à cette époque que j'assiste à un défilé Yves Saint Laurent à l'hôtel Intercontinental. Dans le grand salon décoré en faux Louis XV, mon nom est inscrit au dossier d'une petite chaise dorée. Une enveloppe de papier glacé blanc, frappé en noir du sigle YSL, a été déposée sur le siège. Le bruissement bizouteur de rédactrices en Saint Laurent Rive Gauche m'étourdit un peu. La présentation tarde à commencer et les lèvres se pincent. Au premier rang pépie le gotha socialiste, la femme du ministre de la Culture, celle du Président et sa sœur, Christine Gouze-Raynal.

Les années quatre-vingt ouvrent une nouvelle période. La croissance des trente glorieuses a été balayée par la crise économique. Les idéaux soixante-huitards ont abdiqué face au chômage de masse qui quadruple entre 1973 et 1993, aux clochards rebaptisés *sans domicile fixe*, au sida, le nouveau virus qui ravage les homosexuels. L'optimisme cède la place au cynisme et au calcul. Aux États-Unis, Christopher Lasch vient de publier un essai visionnaire, *La Culture du narcissisme.* « Devant la désintégration de la sphère publique, le narcissisme est une stratégie de survie dans une société déréglée, violente, imprévisible », écrit-il. En France, Gilles Lipovetsky lui fait écho en publiant *L'Ère du vide.* L'ère du narcissisme, c'est aussi la montée en puissance des logos. La mode est à la mode. Le journal de gauche où je suis reporter me demande de couvrir les meetings politiques comme les présentations de mode. De nouveaux noms font monter l'adrénaline. Les défilés de Thierry Mugler, de Claude Montana, de Jean-Paul Gaultier, mais aussi ceux des japonais Yohji Yamamoto ou Rei Kawabuko suscitent le même enthousiasme que des concerts de rock. Comme une pop star, Thierry Mugler organise au Zénith une présentation ouverte au public contre l'achat d'un ticket. La mode n'est plus réservée aux seuls professionnels, elle est spectacle.

« Il y a eu alors à Paris une explosion féroce de créativité, un feu d'artifice qui a duré quelques années. Les gens se battaient pour obtenir des places aux défilés » dit Judy Fayard, la journaliste du *Women's Wear Daily*.

Une troisième génération de créateurs a surgi : Marc Audibet, Martin Margiela, Martine Sitbon, Sybilla, John Galliano, Jean Colonna, Corinne Cobson, Patrick Kelly, Jean Touitou, Lionel Cros, Frédéric Molenac, Helmut Lang, Dries

Van Noten, Walter Van Beirendonck, Donna Karan, Marc Jacobs, Zucca… Marc Audibet invente un matériau technologique, le stretch, une des plus importantes innovations du textile dans les années quatre-vingt. Charmant et juvénile, le jeune Christian Lacroix, que vient de recruter Patou, ouvre grandes les portes de sa maison de couture à des reporters qui envahissent les coulisses et explorent l'envers du décor. C'est grâce à Lacroix que je découvre la féerie de la haute couture et que je me retrouve au défilé Saint Laurent.

Les premières robes sont franchement tartes et les couleurs, abominables. Yves Saint Laurent, un grand coloriste ? Pas toujours. Mais petit à petit, je suis ensorcelée. La lente liturgie scandée par la voix fabuleuse qui égrène les numéros des modèles m'hypnotise. Des vêtements parfaits, présentant d'infimes variations, défilent sur la piste, habités par des femmes d'une beauté renversante. Le rythme du défilé, la psalmodie des chiffres, « numéro vingt-deux », « *number twenty two* », me transporte dans un monde idéal. Des filles splendides, une rousse martiale, une blonde délicate, contournent le lustre gigantesque qui dégringole du plafond tandis qu'une beauté noire se poste au bout du podium, poing dans le creux de la taille. Sur ses hanches africaines, une jupe merveilleusement simple, merveilleusement coupée. Une émotion fugace retranscrite dans une étoffe. C'est poignant, bouleversant comme les mots d'une chanson, je pense au texte de Léo Ferré, « la beauté, c'est les larmes ». La beauté fait naître la tristesse, peut-être parce qu'éphémère, elle nous abandonne à nous-mêmes. Rythmé par les sanglots de la Callas, le défilé laisse une impression déchirante et inoubliable.

À la fin, un grand animal infirme coiffé comme Johnny vient saluer avec gaucherie. À l'intérieur de la carcasse maladroite, le cœur bat encore. Sa tristesse passe dans des robes ruisselantes de nostalgie. Dans ses vêtements, il y a plus que de la mode. Yves Saint Laurent est un artiste.

« Ma solitude est devenue une telle part de moi-même que je suis incapable d'aimer ou d'être aimé[230] » déclare Yves Saint Laurent. Des mots qui font écho à ceux de Betty Catroux, au téléphone : « Yves n'avait pas d'ami. Il n'aimait personne... » Ou à ceux du photographe François-Marie Banier : « Personne ne savait qui il aimait[231]. »

La plupart des « amis » d'Yves Saint Laurent sont ses obligés. Pierre Bergé, Clara Saint, Loulou de La Falaise, Anne-Marie Muñoz : tous des salariés de sa société. Les copains : Jacques Grange décore ses maisons, François-Marie Banier lui vend des photos de gens de la rue, lui qui n'y met plus les pieds. Jusque dans son entourage, l'admiration a tourné à la dévotion. Autour de lui, uniquement des admirateurs ou des courtisans.

Karl Lagerfeld, qu'il ne voit plus, accuse les « proches » d'Yves de l'avoir isolé. « Je l'ai connu avant tout le monde. Yves fut mon meilleur ami pendant vingt ans. Il était si drôle, il racontait beaucoup de blagues, notamment sur Pierre. Il faut dire que Bergé, à l'époque, n'avait rien d'un beatnik ! Yves était l'être le plus amusant et sympathique qui soit. Quand je dis ça, les gens tombent des nues. Ce que je reproche à son entourage, c'est de ne pas l'avoir surveillé. On l'a enfoncé. On lui a tout permis et on a flatté ses pires travers[232]. » Victoire partage son point de vue. « La vie d'Yves s'est arrêtée à quarante ans. Il était drôle, moqueur, adorait s'amuser... Après le coma éthylique, ça a été terminé. Pierre en a fait une diva. » Paloma Picasso est plus nuancée : « Pierre n'est pas responsable. Il a répondu à la demande d'Yves : l'appel du vide[233]. »

L'appel du vide. Pierre et les autres s'y sont engouffrés. Noyau d'un puissant atome offrant d'immenses espaces vides, sa force intérieure retient les électrons, même gravitant à distance. Rien n'est plus puissant que le silence, mais le silence isole.

La maladie n'a pas besoin de Pierre Bergé pour isoler Yves Saint Laurent. Durant ses périodes de crise, la dépression, l'angoisse et les bouffées délirantes suffisent à faire le vide autour de lui.

« Comment être ami avec un type qui tombe dans son assiette au milieu du dîner ? », demande Christophe Girard.

Partout, on l'observe. Un soir, accompagné d'un ami, Yves entre chez Caviar Kaspia, place de la Madeleine. Le silence se fait sur son passage. Au milieu du repas, sa tête tombe sur sa poitrine. La salle se pétrifie.

Le corps est épuisé, mais la tête vibre encore. Lorsqu'en 1984 la mère de Christophe Girard se suicide, Yves lui adresse la plus émouvante des lettres de condoléances.

Si les proches s'éloignent, c'est aussi parce qu'ils vivent leur vie. Depuis qu'elle a eu une petite fille (et une hépatite virale en 1981), Loulou ne boit plus et a renoncé au night-clubbing. Betty s'occupe de ses filles. De plus en plus occupé par ses nouveaux amis socialistes, Pierre a ses propres centres d'intérêt pour la première fois.

Yves se réfugie à Marrakech, où il est exfiltré dès la fin des défilés. Il y retrouve Boule de Breteuil, Bill Willis ou son vieil ami Fernando Sanchez, qui a racheté la Maison du serpent. Ils dînent à la Mamounia ou chez Yves et, certains soirs, Willis organise des fêtes, où les invités regardent Yves flirter ouvertement avec de jeunes Arabes[234].

À Marrakech, il relit inlassablement le tome IX de la correspondance de Proust, comme un adolescent cherchant dans ses lectures le reflet de lui-même. Un choix narcissique. Ce recueil de lettres adressées par un Proust souffrant à ses amis comme à son banquier n'est pas passionnant. Peut-être Yves y entend-il un écho de son propre malaise.

« Les cloîtrés de la maladie vivent à l'écart des joies et des peines du monde », écrit Proust. Ou bien : « De nouveau sous la double cloche de la maladie et du travail ou du chagrin et de l'isolement. »

Au château Gabriel, à Bénerville, une demeure Belle Époque dont Pierre et lui viennent de faire l'acquisition, Yves a demandé à Jacques Grange de concevoir un décor en hommage à Proust. La maison se dresse sur une colline, offrant une vue sur Deauville et la côte normande. Proust, qui y a rencontré pour la première fois son éditeur, Gaston Gallimard, mentionne Bénerville dans *À la recherche du temps perdu*. Deux ans de travaux sont nécessaires pour la transformer selon les goûts de son ami et client. Jacques Grange a carte blanche pour acquérir du mobilier Napoléon III, des canapés Chesterfield, des vases chinois en hommage à Boni de Castellane, l'ami de Proust. Avec ses amaryllis et ses palmiers en pot, le jardin d'hiver est copié sur celui de la princesse Mathilde, dont Proust et bien d'autres fréquentèrent le salon. Chaque chambre, attribuée à tel ou tel des invités, porte un nom : la *Albertine* à Anne-Marie, la *Verdurin* à Loulou et Thadée, la *Guermantes* à Charlotte Aillaud, la *Madeleine Lemaire* à Betty, la *Charlus* à Pierre. Yves se réserve la *Swann*. Il envisage de donner des soirées élégantes et Pierre, de conduire une calèche.

En attendant, Yves, qui limite ses contacts avec l'extérieur, vit reclus rue de Babylone : « J'adore mes amis, mais je les vois peu parce que je suis contraint à certaines règles médicales[235] », dit-il.

Son hypersensibilité n'a jamais été favorable aux contacts, mais les choses ne s'arrangent pas. Il devient neurasthénique. Son plus fidèle compagnon est Moujik, le bouledogue français noir et blanc, qui a remplacé le chihuahua Hazel, lequel mourra à Marrakech d'une piqûre de scorpion. La vie d'Yves a été accompagnée de chiens. Zouzou, qu'il avait trouvé dans les rues d'Oran, Bobinette, que sa mère a ramenée d'Algérie. Moujik, qui a un sale caractère, ne le quitte jamais. « Je suis comme on dit un homme à chien. C'est-à-dire que je vis complètement avec lui. La nuit et le jour[236] », dit Yves.

Sa vraie compagne, c'est l'angoisse. Elle a pris toute la place.

Une visite chez la psy

Le docteur Claire Bougaran me reçoit dans son cabinet du boulevard Saint-Germain. Troll à longs cheveux blancs, elle me précède dans un appartement haussmannien dont toutes les boiseries ont été badigeonnées de bleu délavé.

Tout est décoloré : ses cheveux et l'ensemble en jean dans lequel elle flotte, les bouquets de fleurs mortes dans les vases, les boiseries. Sur des rayonnages qui grimpent au plafond, les livres aux couvertures jaunies s'effritent lorsqu'on les ouvre. L'appartement a dû être plongé dans un bain d'acide. La psychiatre me précède dans son cabinet, pièce sombre où chaque objet est couvert d'une patine balzacienne. Elle m'assigne un fauteuil, je sors mon carnet et le pose sur son bureau.

« Rangez ça tout de suite ! »

Agrippée aux accoudoirs de son fauteuil, elle me fixe d'un regard délavé.

« Rangez ça. Je ne vous dirai rien.

— Mais vous m'avez accordé ce rendez-vous.

— Le secret professionnel m'interdit de vous parler.

— Je ne vous ai encore posé aucune question… »

Pourquoi m'a-t-elle fait venir ? Je ne l'aurais pas questionnée immédiatement sur la marque de la camisole chimique prescrite à son patient. Ni demandé si, comme Philippe

Abastado, le médecin qui suivait Yves à la fin de sa vie, elle pense qu'il n'était pas maniaco-dépresssif. J'aurais commencé par des choses neutres : combien d'années l'a-t-elle suivi ? Comment l'a-t-elle rencontré ? Pourquoi a-t-elle accepté de le suivre lors de ses déplacements ? S'est-il jamais allongé sur un divan ? Est-il jamais venu ici, boulevard Saint-Germain ?

Elle est là, en face de moi, les lèvres serrées dans un visage où le sang ne circule pas.

« Je ne vous parlerai pas.

— Pourquoi m'avoir accordé ce rendez-vous ?

— J'ai lu votre livre sur Sagan et je voulais voir votre tête. »

Ouah !

L'ex-psychiatre d'Yves Saint Laurent siège au conseil d'administration de Sidaction, dont le président est Pierre Bergé. Lui a-t-elle téléphoné à la dernière minute ?

Garçon manqué

Le 12 mars 1985, François Mitterrand, le président de la République, remet à Yves Saint Laurent les insignes de Chevalier de la Légion d'honneur. Assommé de médicaments, le couturier embrasse le président en somnambule. À Charles Mathieu Saint Laurent, son père, il fait ce jour-là une déclaration bouleversante :

« J'avais mon beau ruban rouge, et ne sais pas pourquoi je me suis retrouvé seul avec lui et j'ai pleuré. Et je lui ai dit : "Papa, tu sais ce que je suis. Tu aurais peut-être voulu que je sois un vrai garçon qui poursuive ton nom." Il m'a dit : "Mais ça n'a aucune importance, mon chéri[237]." »

1985 ! L'année où il se rend à Pékin en costume de lin vanille pour son exposition et où la belle Violeta Sanchez défile devant Raïssa Gorbatchev entourée de ses gardes du corps, avenue Marceau. Il faut imaginer Yves Saint Laurent, un vieux jeune homme un peu lourd qui pleure devant son papa. La hantise, malgré les années et la gloire, d'être un garçon manqué. Le clan Mathieu Saint Laurent se retrouve chez Lucienne, où Pierre prend la dernière photo de la famille réunie. Le père et le fils ne se rencontreront plus.

Yves a attendu trente-cinq ans et l'honorabilité octroyée par la République pour parler de son homosexualité avec son père. Comme s'il se sentait réhabilité. Il a vécu dans la honte, la dissimulation, la peur et l'appréhension : « Être homosexuel à Oran, c'était comme être meurtrier[238]. »

Une telle culpabilité apparaît inexplicable. « Saint Laurent avait tout, mais il souffrait de sa sexualité. Quand un homosexuel vieillit, même s'il a travaillé pour le corps de la femme, il n'a pas connu la moitié de l'humanité. Il n'aura pas de descendance. C'est pour cela que je déteste les militants gays. Le sexe, c'est très important mais faire d'une déviance sexuelle, car l'homosexualité est déviance, obsession, une motivation politique, non[239] ! » dit Tan Giudicelli. Une déviance, l'homosexualité ? Dans la génération de Tan et d'Yves, l'homosexualité est même perçue comme une maladie ou une perversion. Peut-être Saint Laurent se sentait-il un fils indigne.

L'ordre républicain lui rend son honneur. « Mon père, qui appartient à une vieille famille de notables oranais, ne croyait guère au début à ma "vocation". Aujourd'hui il se résigne et accepte que je sois "l'artiste de la famille" », avait-il dit dans sa toute première interview en 1955, avec Janie Samet, dans *L'Écho d'Oran*. La Légion d'honneur fait de lui un notable digne de son père. Elle a un écho plus profond encore.

« Ce jour-là, mon père n'a rien appris. Il était au courant depuis Oran, comme nous tous. Et tout le monde s'en fichait. »

Les hanches étroites serrées dans un jean blanc, Brigitte Mathieu Saint Laurent ressemble à son frère, dont elle possède le regard magnétique.

« C'est Yves qui avait du mal avec ça… »

La belle voix rauque est cassée par la fumée des cigarettes qu'elle allume à la chaîne.

« Quand j'avais douze ou treize ans, j'ai fait un voyage en France. Yves m'a demandé d'habiter chez Victoire : il commençait à vivre avec Pierre et voulait me le cacher. »

Elle n'était pas dupe mais affectait de ne rien voir. Brigitte assure que son frère, qui n'acceptait pas son homosexualité, s'est fait soigner contre l'impuissance. Victoire dit la même chose. Un soir où Yves et elle partaient dîner, elle l'a entendu poser une question stupéfiante. « On me soigne actuellement avec des produits dérivés d'hormone. Si cela me donne envie d'une femme, veux-tu bien être la première[240] ? »

Sur une table couverte de photos des petits-enfants de Brigitte, celle de Helmut Newton publiée dans *Vogue* en 1969. Le frère et la sœur posent en saharienne, lui une main sur la hanche, l'autre entourant les épaules de la jeune femme. Le premier mari de Brigitte aurait demandé le divorce à cause de ce cliché.

« C'est faux. Il avait bien d'autres griefs… » dit Brigitte en riant.

Possède-t-elle des photos d'enfance ?

« De notre enfance, non, rien. Plus rien. Et maman non plus. Plus d'archives, rien. Elle a dû en donner à Yves, d'autres ont été volées. »

Dans son jardin de Neuilly au pied d'un immeuble des années soixante-dix, elle installe un généreux pique-nique à la méditerranéenne, tonnelet de vin rosé et hors-d'œuvre multicolores.

« Dès que je découvrais une bricole, un souvenir, je l'apportais à mon frère… Notre arbre généalogique, par exemple. »

Le mari de Brigitte hoche la tête en débouchant une bouteille de champagne.

« Tout ce que vous aviez, vous le lui donniez ! »

Elle le regarde, penaude.

« Eh bien, oui ! C'est mon frère ! Ça lui faisait tellement plaisir. »

Des amis d'Oran ont envoyé des photos des maisons de la rue Stora et de Trouville, la cité balnéaire oranaise. Celle de la rue Stora est récente. Les rideaux de fer anti-bombes installés par Charles Mathieu Saint Laurent sont toujours en place. Au rez-de-chaussée, la chambre des parents a été transformée en épicerie. La maison n'est pas entretenue, mais rien n'a changé. Celle de la villa de Trouville est plus ancienne. Le garage dans lequel Yves organisait des boums a fait place à une villa construite par un parent sur la parcelle familiale avant les événements. Dans chacune des maisons, Brigitte montre l'emplacement de la chambre de son frère. Rue Stora, pourvue d'un petit balcon, elle surplombe celle des parents. Au bord de la mer, à l'étage, elle regarde la Méditerranée. La position de la chambre démontre la place centrale d'Yves. La meilleure lui est octroyée. Le monde tourne autour du fils aîné.

Des plats exquis apparaissent sur la table familiale lorsqu'Yves est de retour, délicats filets de soles, cocktails de jus de fruits, poulets au citron, sablés à l'orange préparés par Angèle, la cuisinière.

« On ne mangeait que ce qu'Yves aimait. »

Enfant-roi, il est le fils unique, préféré de toutes les femmes de la maison, sa mère, ses sœurs, ses tantes, et surtout la grand-tante Renée Cayla, qui a élevé leur mère. Une figure centrale de la famille, la tante Renée. À la naissance d'Yves, elle a offert une somptueuse robe de baptême. Ondoyé dans la dentelle. À l'adolescence, c'est encore elle qui l'introduit auprès de Michel de Brunhoff, le prestigieux rédacteur en chef de *Vogue*, qui deviendra son protecteur. Veuve fortunée d'un banquier de Saïda dont elle a deux fils, Pierre et Jean Carrafang, la tante Renée s'est remariée avec l'architecte Émile Cayla, compositeur et directeur de l'orchestre philharmonique d'Oran. Elle collectionne les meubles de Majorelle et de Gallé et mène une riche vie sociale.

Lorsqu'Yves est né, la famille de son père venait de perdre un enfant d'une piqûre de guêpe : « Yves, c'était comme le bon Dieu » disait leur mère, Lucienne. Brigitte et Michèle ont appris à le laisser tranquille mais à accourir dès qu'il réclamait leurs services. À faire ses courses sans songer à lui disputer ses privilèges ou à se rebeller.

« C'était normal ! Il était le fils aîné », dit Brigitte.

Une chose a sans doute manqué à ce petit garçon : un père présent, qui l'aurait séparé des femmes.

Yves Saint Laurent a reçu une éducation tendre et désastreuse. Toute sa vie, il a obtenu tout ce qu'il voulait des femmes ou de la part féminine des hommes qui l'entouraient. Il joue et surjoue d'une nature faible qui déclenche chez les autres un instinct de protection. Les femmes en particulier lui prodiguent leur dévouement. Parce qu'il demande sans imaginer un refus, qu'il semble fragile, désarmé, elles ne lui refusent rien. Dans sa famille d'abord puis dans sa maison de couture, les femmes (et quelques hommes) lui ont donné le meilleur d'elles-mêmes. Victoire, Anne-Marie, Betty, Loulou, ses mannequins, ses ouvriers et ouvrières, la liste est longue des êtres qui se sont mis à son service. Les femmes le jugent irrésistible. « En plus du talent, il a un charme physique très réel, très raffiné aussi, parce qu'il n'en semble pas conscient, qu'il est timide et que ce charme en est à la fois caché et redoublé[241] », écrit Sagan. Redoublé et redoutable.

Plus tard, ses sœurs, comme lorsqu'elles étaient enfants, attendront ses appels. Dressées à l'admirer et à le laisser tranquille. Une docilité qui fait soupirer Gérard Bastian, le mari de Brigitte. Et Yves téléphonera de moins en moins, oubliera de les rappeler lorsqu'elles bravent leurs inhibitions. Le silence, encore. Elles continueront à lui apporter tous leurs trésors. Brigitte a même donné à son frère les bijoux… qu'il avait offerts à leur mère. Lucienne, en vieillissant, risquait de les égarer.

Lorsqu'elle raconte cette anecdote, son mari lève les yeux au ciel.

« Nous sommes comme ça, dans la famille ! » dit Brigitte.

Brigitte s'est mariée deux fois avec son second époux, Gérard Bastian. Ils avaient divorcé, parce qu'il supportait mal qu'elle fasse de la politique. Brigitte soutenait la candidature de Jean-Charles Marchiani à la mairie de Toulon. L'ancien agent secret, qui a travaillé pour les services de contre-espionnage français du temps de la guerre d'Algérie, compte de nombreux amis chez les pieds-noirs du Var, « premier département rapatrié de France ». En bonne Méditerranéenne, pour organiser son divorce, elle demanda conseil à son grand frère, qui la renvoya vers Pierre. Par la porte de son bureau restée ouverte, tout l'étage, avenue Marceau, entendit le flot d'injures que déclenchaient les amitiés politiques de Brigitte : « Toutes des salopes, dans cette famille ! »

De tous les Mathieu Saint Laurent, la benjamine est la plus fidèle à ses racines algériennes. Comme vingt-trois mille abonnés, elle lit *L'Écho de l'Oranie*, un mensuel de la communauté. Brigitte passe une partie de l'année à Toulon, au bord de la Méditerranée. Sous la blondeur hâlée et les éclats de rire, la blessure ne guérit pas. Comme beaucoup de pieds-noirs qui attendent encore la vérité sur les massacres du 5 juillet 1962, révoltés que l'armée française ait reçu l'ordre de les abandonner, elle n'a jamais commencé son deuil. Elle est encore la gamine au cœur broyé qui débarque au Havre le 14 juillet 1962 au milieu du feu d'artifice. Rapatriée : revenir vers sa patrie. Une patrie indifférente, sinon hostile à ces Français d'Algérie, responsables eux aussi de massacres.

« Yves, pendant des années, n'a plus parlé de l'Algérie. »

Il a choisi le silence, mais que pensait-il au fond de lui-même ?

« Jusqu'à la fin, l'Algérie est restée dans son cœur. Il a attendu la mort de papa, le 8 novembre 1988, pour me questionner sans relâche. »

Charles Mathieu Saint Laurent habite Monaco depuis 1972, devant sa « chère Méditerranée ». Lorsqu'il a quitté Oran, en 1963, il est resté tout le long de la traversée sur le pont du bateau, regardant sa vie disparaître. La plantation de roses en serre créée à Biot avec son gendre a périclité et il s'est installé à Monaco, où son fils l'a pris en charge. L'homme de la famille, c'est Yves. Il protège ses sœurs, assume l'entretien de ses parents, à la méditerranéenne. Chaque après-midi, Charles passe à la boutique Saint Laurent Rive Gauche et bavarde avec les vendeuses. Fier de la réussite de son fils, il assiste aux collections ou, s'il ne peut se déplacer, envoie un télégramme. Grand fumeur, il est emporté par une maladie respiratoire.

Le jour de sa mort, Brigitte appelle Yves et, comme d'habitude, doit se contenter de laisser un message à Albert et Bernard. « Madame Brigitte, votre frère arrive avec son avion », lui téléphonent-ils dans l'après-midi, lui demandant de l'accueillir à l'aéroport. Yves arrive avec Jean-Francis Bretelle, le directeur financier de sa maison. Brigitte le conduit au Funérarium de Monaco et assiste à une scène bouleversante.

« Yves a poussé un cri. Un cri que j'entends encore. En le voyant, il a crié "Papa". Je n'oublierai jamais. Tout son amour passait dans ce cri, et aussi le regret de ne pas l'avoir connu. »

Yves Saint Laurent s'agenouille auprès du cercueil de celui qu'il surnommait le cacatoès, à cause de son grand rire rauque, et arrange sa pochette de soie.

« Et vous savez, la chose qui m'a le plus touché, c'est quand je l'ai vu dans ce cercueil ! Il était d'une élégance, d'une minceur ! Les mains étaient particulièrement belles, comme dans un tableau du Greco[242] », raconte-t-il plus tard.

On a remis à Brigitte les effets personnels de son père puisque c'est elle qui s'occupait de lui. Pour consoler Yves, elle lui montre dans la voiture son trésor : la montre et la chevalière de leur père. « Tu prendras ce que tu veux », lui offre-t-elle. Yves ne veut rien. Il est inconsolable.

Les cendres de Charles sont dispersées au Cap Brun, à Toulon, au pied de la Vierge blanche du cap Falcon. Le cap Falcon : le grand lieu de mémoire des Oranais. Après l'indépendance, la statue qui veillait sur le golfe d'Oran a été kidnappée et rapatriée par un pied-noir, « François d'Algérie », corrige Yves Saint Laurent. Lors des obsèques de Charles à l'église Saint-Pierre de Neuilly, Yves retrouve des amis d'Oran, dont Simone, son amie d'enfance, qu'il présente comme son ex-fiancée.

« Après la mort de notre père, Yves a commencé à parler de l'Algérie. Avant, il était dans son monde. »

« Toute ma vie je me souviendrai de mon adolescence et de ma jeunesse passées dans ce merveilleux pays qu'était l'Algérie. Je ne me sens pas pied-noir. Je me sens Français d'Algérie[243]. »

À Brigitte, il demande la chevalière de leur père.

« Tu ne préfères pas la montre ? »

Non, Yves veut la chevalière. Une intaille en cornaline gravée des lettres MSL. Elle la lui prête et ne la récupérera plus. Yves se souvient qu'il interroge sa sœur, proche de leur père, pour tenter de le découvrir.

« Ce qui lui a manqué, c'est de ne pas l'avoir mieux connu. »

De son père assureur, Yves avait un peu honte : un jour que son amie Simone et lui le regardaient jouer au volley, elle entendit son ami critiquer son style. L'exubérance de ce grand brun à la peau foncée, legs d'un ancêtre mexicain, le mortifiait. Dans les débuts de la maison de couture, Charles a proposé son aide qu'Yves a ignorée. Le père et le fils se sont manqués. Lorsque Charles est mort, ils ne s'étaient pas croisés depuis trois ans.

Brigitte répète inlassablement à Yves combien leur père était fier de lui.

« Pardon, tu sais que je suis une tapette… » lui rétorque-t-il.

« Yves a rendu nos parents heureux. Il ne s'en rendait pas compte. »

Non seulement il a pris en charge financièrement son père, sa mère et la plus jeune de ses sœurs, mais il leur a offert sa réussite.

« Yves n'a jamais admis son homosexualité. »

Légionnaire de la hype

« Mon grand-père n'était pas le père de ma mère. »

Dans le Paris désert du mois d'août, Brigitte Mathieu Saint Laurent et son mari m'ont emmené déjeuner au Tao Tao, un restaurant chinois où ils ont leurs habitudes.

« Pardon ? »

Brigitte Mathieu Saint Laurent éclate de rire et ses bracelets d'or cliquètent.

« Le mari de ma grand-mère n'était pas le père de ma mère. Mais je vous l'ai déjà raconté. »

Quel est l'âge de Brigitte ? Avec ses longs cheveux blonds qui lui mangent le visage, elle a quelque chose de si enfantin que Roubignolles, le dogue français assoupi sous sa chaise, semble un gros doudou en peluche.

« Non, Brigitte, vous ne m'avez pas raconté. »

Selon l'état civil, sa mère, Lucienne, est la fille d'Edmond Wilbaux, ingénieur belge des mines de charbon de l'Ouenza et d'une hispano-alsacienne de Sidi-Bel-Abbès, Marianne Muller.

« Son père, en réalité, était un légionnaire de Saïda. »

Tandis que je fixe le boulevard vide, la nouvelle fait l'effet d'un feu d'artifice en plein jour. Un Képi blanc ! Avec le personnage du marin, le légionnaire est un mythe absolu de la culture homosexuelle. Avant même de voir le jour, Yves est tombé dans la marmite pédé. Lui, petit-fils d'un soldat du Corps expéditionnaire, cela semble inventé. Pourquoi pas filleul de Querelle, le marin de Jean Genêt ?

> Il était minc', il était beau,
> Il sentait bon le sable chaud,
> Mon légionnaire !
> Y avait du soleil sur son front
> Qui mettait dans ses cheveux blonds
> De la lumière !

« À sa naissance en 1914, ma mère a été prénommée Lucienne, comme son père Lucien. Lucien Flo. »

Garnison du 2e régiment étranger, Saïda accueillait les légionnaires de retour des campagnes du Sud-Oranais, du Tonkin, du Dahomey, du Soudan, du Siam ou de Madagascar. Qui était ce Lucien Flo ou Flaud, Fleau, Flaut, Flot, Brigitte n'est pas sûre de l'orthographe. Il appartenait, semble-t-il, à la Musique de la Légion étrangère. Comme chantait Marie Dubas l'année de la naissance d'Yves,

> J'sais pas son nom, je n'sais rien d'lui.
> Il m'a aimée toute la nuit,
> Mon légionnaire !
> Et me laissant à mon destin,
> Il est parti dans le matin
> Plein de lumière !

La femme séduite et abandonnée par un mystérieux légionnaire est un pur cliché mille neuf cents. Lucien Flo n'a pas abandonné son amante, il a essayé de revoir Marianne et sa petite fille, mais a été repoussé par la famille de la jeune femme. Marianne écrivit à ses proches une lettre destinée à être lue après sa mort. Une parente l'a placée, encore scellée, dans le cercueil. Marianne a emporté avec elle son secret. Que craignait donc son entourage, pour ne pas oser lire son message ?

Marianne Muller, la mère de Lucienne, était la fille d'André Muller, un autre légionnaire incorporé au 1er régiment étranger, le plus ancien de la Légion, créé par Louis-Philippe pour la conquête d'Alger. La motivation des premiers soldats, mal payés, mal nourris et mal équipés, était souvent le désespoir provoqué par une crise, un échec ou une désillusion. Alsacien, André Muller a quitté sa patrie en 1870 au moment de la guerre franco-allemande pour choisir la nationalité française. L'armée puis la Légion, où il s'est engagé en 1874 ont sans doute été ses seules issues.

« Le Képi blanc acquiert une nouvelle fierté – presque un snobisme – celle d'appartenir à une tribu, à une phalange, que tout rend différente et on ne cesse de l'en persuader, supérieure : le recrutement, les rites, les traditions, la tenue, le passé, le règlement, la sévérité de l'instruction », explique le site de la Légion. Snobisme amer que celui de cette véritable armée dans l'armée, qu'on surnomme les « forçats de la gloire ».

L'arrière-grand-père maternel d'Yves Saint Laurent est un homme hors du commun. Ses états de service au 1er régiment étranger indiquent qu'il a combattu en Afrique et a participé à l'expédition du Tonkin. Il est décoré de la médaille militaire, a reçu l'Ordre royal du Cambodge et la médaille commémorative du Tonkin[244]. Son héroïsme lui a valu la vraie Légion d'honneur, celle d'une époque où la décoration récompensait des services. André Muller est mort un an après la naissance de sa fille Marianne en 1891, à Sidi-Bel-Abbès, berceau de la Légion. La fillette a reçu une éducation en France, dans une maison d'orphelines de la Légion d'honneur. Le 8 octobre 1914 à Oran, sa petite-fille Lucienne reçoit aussi le prénom de son grand-père, Andrée.

« Ma mère a eu une enfance très dure. Parce que ma grand-mère n'a pu épouser Lucien Flo, marié à une folle qu'il ne pouvait délaisser, elle a été placée dans une famille d'accueil. »

Lucienne a donc été deux fois abandonnée. Par un père qui lui donne un prénom mais pas son nom. Par une mère qui confie le bébé à un couple de gens âgés auxquels elle s'attache au point de les appeler Papa et Maman Marguerithe.

« Maman Marguerithe, hélas, est morte lorsqu'elle a eu quatre ans et demi. Un arrachement, pour ma mère. »

Une nouvelle fois délaissée, Lucienne finit par rejoindre le foyer de sa mère, qui a épousé Edmond Wilbaux, qui l'avait reconnue à sa naissance en 1914. Le couple a deux fillettes, Renée et Jacqueline.

« Ma mère s'en est occupée. »

Puis Lucienne est placée en internat. Ces ruptures n'ont pas fait d'elle une enfant repliée sur elle-même, mais au contraire ont aiguisé sa sociabilité. Excessivement liante, la rieuse Lucienne est accueillie pendant les vacances par sa tante Renée, la sœur de sa mère. Grâce à elle, Lucienne assiste à son premier bal à seize ans. Un été, envoyée en France en compagnie de ses deux cousins germains, et conduite par un chauffeur en Bugatti, elle découvre la vie insouciante dans les grands hôtels. Jeunesse dorée et enfance rejetée, elle a manqué de sollicitude maternelle mais ni de luxe ni de divertissements. Femme charmante, elle développe deux passions : le champagne et la canasta.

« L'histoire de sa naissance, ma mère a attendu la mort de notre père pour nous la raconter. »

Le secret de Lucienne. Un demi-siècle de silence. Aussi muette que la carpe albinos qui tourne dans l'aquarium du Tao Tao. Qu'a-t-il pensé, Yves, en apprenant la nouvelle ? Lui qui aimait tant les mélos, il en est le fruit. A-t-il songé à *Morocco* ? C'est le premier film que tourne Dietrich avec Josef von Sternberg à Hollywood, en 1930. En frac, chapeau haut-de-forme et nœud papillon blanc, elle conclut son numéro dans un cabaret rempli de légionnaires en embrassant une femme sur la bouche. Pour la première fois, une femme en smoking à l'écran. Yves a vu et revu ce film qui le hantait. Marlene, grand-mère imaginaire d'Yves Saint Laurent…

Au Commandement de la Légion étrangère, à Aubagne, le bureau qui délivre des renseignements sur les anciens légionnaires déclare que ces éléments sont trop minces pour retrouver le dossier de Lucien parmi les cinq cent soixante-trois mille qu'il détient[245]. Il manque son numéro de matricule ou sa date de naissance. Et ce patronyme, Lucien Flo, était-ce sa véritable identité ou une d'emprunt, puisque la Légion respecte l'anonymat de ses recrues ? Et cette histoire est-elle vraie ?

« Qu'elle soit vraie ou fausse, elle est importante, dit la généalogiste Myriam Provence. Si elle était imaginaire, cette filiation prouverait que Lucienne s'est inventé un père parce que le sien n'était pas celui qu'elle souhaitait[246]. » La généalogiste a été frappée par les ramifications cosmopolites de la famille d'Yves Saint Laurent : dès la quatrième génération, des Belges, des Alsaciens, des Espagnols, des Mexicains avec un point commun, l'Algérie, où tous se retrouvent. Un mélange rare à une époque où les individus se marient dans la même région sur cinq ou six générations.

Du côté des Mathieu, une longue tradition de gens de robe dont Ignace Mathieu, baron de Mauvières, qui avait rédigé le contrat de mariage de Napoléon et Joséphine. Notaire à Saint-Forget, Joseph Ignace Mathieu a été le tuteur du comte Léon, un fils bâtard de l'Empereur, qui en remerciement fit son notaire baron de Mauvières. Le grand-père d'Yves était bâtonnier d'Oran et chevalier de la Légion d'honneur. D'ailleurs, Yves Saint Laurent n'est-il pas un homme… de robes ?

Du côté maternel, des guerriers. Dans chaque branche, un aïeul remarquable. Au milieu de tout cela, un mystère dans une lettre non décachetée. Et un père, Charles, qui a sans doute failli, à la fois comme père en étant absent, et comme homme puisqu'il rompt avec la tradition familiale des hommes de droit (il était assureur), et dont la guerre d'Algérie brise la trajectoire.

« Ma famille dont les origines sont alsaciennes avaient débarqué sur ce sol, alors aride, en 1870, pour ne pas être sous l'occupation allemande. Le même exode en sens contraire allait se produire en 1962, ayant tout perdu[247]. »

Les secrets de famille, disent les psychogénéalogistes, pèsent sur les descendants tant qu'ils ne sont pas dévoilés. En parasitant le psychisme de leur ombre noire, ils prennent la tête, en quelque sorte. Et Dieu sait qu'Yves se faisait des cheveux ! Destitué par Christian Dior, il a cru devenir fou. Son angoisse indicible, son insécurité proche de la terreur, ses penchants autodestructeurs, son masochisme ont-ils un lien avec ses origines ?

Enfant bousculée, Lucienne a investi son fils aîné d'un amour fusionnel, elle en a fait l'homme miniature qui lui avait manqué. En retour, Yves ne l'a jamais trahie pour une autre femme. Toute sa vie, il est resté un garçon, son garçon. Il a fait tout ce qui était en son pouvoir pour la combler, rachetant un passé dans lequel elle avait compté pour des prunes. Il lui a même offert un nom illustre.

Le destin d'Yves Saint Laurent est remarquable. En choisissant le retrait, il a transformé en force sa faiblesse. Digne de sa lignée de guerriers et d'hommes de robe, il ne quitte plus la chevalière des Mathieu Saint Laurent. Sait-il qu'elle a été fondue dans l'or des dents de ses ancêtres ? Un forçat de la gloire, lui aussi.

Cousu Minc

Que fait donc Samuel Beckett en veston de tweed patiné, quintessence de l'élégance frugale, au mur d'une officine vouée à l'intrigue balzacienne ?

Rendre visite à Alain Minc n'est pas désagréable. La compagnie d'une personne intelligente est stimulante. Lorsque je sors de son bureau, j'ai l'impression d'avoir pris une ligne de coke. Minc fourmille d'idées saugrenues, d'analyses inattendues, d'informations surprenantes, de rumeurs qu'on n'est pas obligé de colporter. Il charme avec un esprit vif et péremptoire.

Assis dans un fauteuil Eames, il passe une jambe par-dessus l'accoudoir, me fixe d'un regard aux pupilles opaques, parle jusqu'au moment où sa secrétaire le bipe – un code entre eux toutes les cinquante-cinq minutes – et prend congé très courtoisement.

Au n° 10 de l'avenue George-V, Alain Minc partage ses bureaux avec Jean-Francis Bretelle, l'homme d'affaires de Pierre Bergé[248]. Les bureaux appartiennent à Pierre, important propriétaire foncier.

Certains sont sévères avec Minc. Selon le journaliste Laurent Mauduit, qui lui a consacré une longue enquête très informée, il a trahi des copains de classe, ruiné un milliardaire italien, tenté de vendre un grand groupe français ou deux à des puissances étrangères, tué la micro-informatique nationale, vidé de son âme *Le Monde*. Il a été condamné pour plagiat[249], et l'une de ses sociétés l'a été pour opération frauduleuse[250]. Un traître, un trafiquant d'influences, un habile, un retors ? La dénonciation personnelle de Minc est insatisfaisante. Si c'est vrai, un système dont nous sommes collectivement responsables dérive. À cause de notre immobilisme. Minc, lui, profite de la situation. Ce qui est pris est pris. Alain Minc est joueur. Comme un gosse névrosé accroché à sa PlayStation, il fait des coups. De gros coups ou des mauvais coups. Des petits coups en douce et des coups tordus. Il joue comme si tout était virtuel.

La première fois que j'ai rencontré Alain Minc, une surprise m'attendait : il m'a dévoilé le secret de son premier coup, le rapport Nora-Minc sur l'informatisation de la société, best-seller de l'année 1978. Rhétorique brillante, pédagogie rassurante, ce rapport lança Alain Minc, un jeune inconnu de vingt-neuf ans[251].

« Visionnaire », le rapport imaginait la télématique du futur comme un simple accès à une banque de données centralisée. Une vision préhistorique, au moment où, de l'autre côté de l'Atlantique, Steve Jobs et Steve Wozniak essayaient désespérément de vendre l'Apple 1, le premier micro-ordinateur grand public. Le rapport a donné naissance au Minitel et tué dans l'œuf la micro-informatique française dont notre pays avait été un pionnier[252]. Adieu le Steve Jobs ou le Bill Gates *Frenchy*.

Loin de battre sa coulpe, Mini-Minc sur son fauteuil basculé avait balayé mes réticences (et le contenu de son rapport) d'une pichenette. Tout euphorique, il m'avait expliqué que les conclusions étaient téléguidées par la puissante direction générale des Télécoms, laquelle souhaitait obtenir de l'État un budget pharaonique. Sorte de jeu de simulation multijoueurs en réseau, ce rapport n'était qu'une arme politique équivoque ! Tel un ado fanfaron, Minc vendait la mèche, comme si tout cela s'était déroulé dans un monde virtuel. C'était diablement intéressant et j'étais repartie fort satisfaite de notre entrevue. Du coup, je suis revenue de temps en temps le questionner.

Sa notoriété, Minc la met au service des milliardaires et des princes. Il est l'intellectuel engagé au service de la liberté… de s'enrichir. La France, avec ses entreprises familiales et sa haute administration puissante, échappe aux lois du capitalisme pur et dur. Grande bourgeoisie économique, politiciens de premier rang et grands journalistes forment un système clanique, lié par un jeu de connivences opaques dont Minc maîtrise les règles. Soumises à l'audimat et aux lois du marché, les élites, qui ne dirigent plus, sont sensibles à ses offres de service. Homme de réseau, Minc pousse ses pions le plus loin possible et ramasse le butin. « Depuis 1975, je suis rentier du système » a-t-il claironné un jour. 1975, l'année où il est sorti major de l'ENA. Dans la sphère du capitalisme intégriste, Minc aurait disparu depuis longtemps ou bien il travaillerait chez Ubisoft.

Il y a un homme que jamais Minc n'a trahi, c'est Pierre Bergé. Je me demande bien pourquoi. Qu'est-ce qui rapproche deux hommes si différents ? Minc se prétend fasciné par Bergé. C'est peu probable. Minc n'est pas du genre à être fasciné. Et Bergé n'est pas fascinant. Un jour, me dit une des femmes les mieux informées de Paris, Minc pourrait devenir l'exécuteur testamentaire de Bergé. D'habitude, c'est Bergé qui exécute (les testaments) : Yves Saint Laurent, Jean Cocteau, Bill Willis, Jacques Chazot, d'autres peut-être.

Minc sait beaucoup de choses sur la façon dont Pierre Bergé a géré la fortune de son compagnon. Sur la plaque en cuivre dans le hall de l'immeuble, on peut lire : *AM Conseil* (Alain Minc Conseil) mais aussi *Les amis de Jean Cocteau*, *Les films de Pierre*, et *Oléron Participations*. Oléron, à cause de Saint-Pierre d'Oléron où est né Pierre. La société de capital-risque appartint à Yves Saint Laurent, Pierre Bergé et Alain Minc, et aujourd'hui aux deux derniers.

Yves a-t-il su qu'il était un spécialiste de la gondole pour hypermarchés ? Un des principaux actionnaires du n° 1 en

France du mobilier pour grande surface, sept cents salariés, usine à Romorantin, filiales en Russie ? Qu'il était opérateur de télévision à Troyes et à Caen ? Savait-il que sa holding, Berlys (Bergé et l'anagramme de YSL), était immatriculée au Luxembourg ?

Mocassin Lobb battant la mesure au-dessus de l'accoudoir, Mini-Minc commence son récit :

« Le type était ferme, décidé et audacieux. Il voulait racheter une société dix fois plus grosse que lui. C'était compliqué et risqué. »

De ses pupilles sans tain, Alain Minc scrute l'homme qui lui fait face. Il ne sait pas grand-chose de Pierre Bergé, sinon qu'il lui offre une opportunité épatante.

Pour racheter aux Américains les parfums Yves Saint Laurent, Bergé a besoin d'argent. Le groupe Squibb met en vente Charles of the Ritz, propriétaire des parfums YSL. Une pépite, avec ces deux best-sellers que sont *Opium* et *Paris*. En changeant d'actionnaire, Pierre risque de voir le pouvoir lui échapper. Aucune banque n'accepte de prêter deux milliards et demi de francs (cinq cent soixante-quinze millions d'euros) au patron d'une PME de haute couture qui en rapporte à peine un dixième par an ! Un pari mégalo, mais Minc est à son affaire.

Dans le monde du luxe, les grandes manœuvres ont commencé. Un jeune polytechnicien lillois du BTP vient de mettre la main sur les vestiges de l'empire Boussac, dont une maison de couture poussiéreuse, Christian Dior. Après les parpaings, Bernard Arnault va vendre du vent. Son Vautrin ? Antoine Bernheim, de la banque Lazard, qui lui apprend à placer son argent là où il en rapporte le plus. Chez Hermès, le jeune Jean-Louis Dumas réveille la maison familiale en l'internationalisant tandis que Henri Racamier, le nouveau patron de Louis Vuitton, s'allie à Moët Hennessy, maison de spiritueux propriétaire des parfums Dior, et forme le groupe LVMH, avant de se le faire piquer par Bernard Arnault. Le

Lillois est la bête noire de Pierre Bergé, qui redoute de le voir s'emparer de sa cassette.

Et lui, Bergé, que sait-il de ce cadet de la taille d'un enfant qui le fixe en souriant ? C'est Yves-André Istel, un banquier de la First Boston International, qui lui a suggéré l'aide de Benedetti. Riche fils d'un industriel italien, Benedetti a fait fortune en revendant l'entreprise de son père à la famille Agnelli, puis en achetant et redressant la compagnie Olivetti. Son vrai métier, c'est la finance. Et tous les financiers sont attirés par le luxe, ce jackpot. Le format de Minc, son représentant, inspire la sympathie : on ne se méfie pas des petits, surtout lorsque, comme lui, il joue les sales garnements en décochant des traits d'esprit assassins. Minc est la contre-clé qui ouvre à Bergé les portes de la haute finance.

Pierre se sent immédiatement à l'aise avec ce ouistiti ficelle aussi snob que lui. Tous deux sont de petite taille et issus de milieux modestes. Comme Proust, ils méprisent les mondains et ne fréquentent qu'eux. L'esprit de cour, persistance de l'Ancien Régime, est familier à ces deux hommes avides de respectabilité. Tout en se réclamant à grand bruit tout symbolique d'une « éthique », les deux hommes n'ont ni morale ni préjugés. Et puis le tempérament de Minc divertit Pierre. Curieux de tout, il l'approvisionne en informations auxquelles Pierre n'a pas accès. « En vingt minutes, le montage était bouclé[253] », racontera plus tard Bergé, avec une pointe d'exagération, au journaliste économique Stéphane Marchand.

C'est ainsi qu'à l'automne 1986 Pierre Bergé rachète une boîte dix fois plus grosse qu'YSL à un prix exorbitant[254]. Minc assure à Pierre qu'il aura vite fait de rembourser. En quinze jours, le tour de table est réuni, une holding créée pour accueillir tous les actifs Yves Saint Laurent et un montage de reprise d'entreprises (LBO) élaboré. « La communauté financière parisienne, qui n'a jamais vu une opération de cette envergure se dérouler aussi vite, est subjuguée », note le journaliste Stéphane Marchand. C'est beaucoup d'argent, mais Minc suggère de préparer l'introduction en bourse de la maison.

Trois ans plus tard, la chose est presque faite (28 juin 1989). Un seul problème : Yves lui-même. L'exhiber aux futurs actionnaires est impossible. Yves n'est pas montrable. Atteint de problèmes de prostate et sous cortisone, il a grossi et présente des troubles d'élocution. Ses lèvres tremblent, il peine à tenir sur ses jambes. Certains écrits de cette époque portent la trace de sa confusion[255].

La rumeur, qui le dit séropositif, a contraint Pierre à publier un démenti. Nul n'investira sur l'avenir d'un être aussi affaibli.

Comme un joueur de bonneteau distrait l'attention des gogos avec un cornet de dés, Pierre tient la réunion sous la pyramide du Louvre, un grand projet mitterrandien controversé qui vient d'être ouvert au public[256]. Tandis qu'un écran géant déroule des données financières sur des airs d'opéra, un agrandissement photographique en pied remplace Yves. Champagne et cadeau : un dessin d'Yves, encadré. Aucun analyste ne semble remarquer que le couturier est invisible. L'introduction en bourse d'une maison dont l'avenir repose sur un fantôme est néanmoins un succès. Les ordres d'achat seront quatre fois supérieurs à l'offre. Le plus ingénieux est le système de société en commandite élaboré par Minc, qui permet à Yves et Pierre de garder le contrôle de leur maison. Et va leur rapporter, quelque temps plus tard, un pactole. Au conseil d'administration de la commandite, Yves Saint Laurent, Pierre Bergé, Jean-Claude Collec, le directeur financier adjoint, Jean-Francis Bretelle et... Alain Minc.

Pour la première fois, Pierre Bergé existe par lui-même. Cette opération flamboyante lui permet d'endosser le chatoyant costume du grand financier, défroque tant convoitée des années quatre-vingt. Jusqu'alors, il a simplement été considéré comme le partenaire d'Yves Saint Laurent. Un compagnon idéal, certes, une éminence grise, un confident, un ami, un amant, un protecteur, un intendant ombrageux, un impresario. Pas un homme d'affaires. Or la figure du *business man* prend de la valeur. C'est l'époque où Bernard Tapie, repreneur d'entreprises en difficulté, publie *Gagner* et où Madonna chante *Material Girl*. Pierre Bergé est admiré. Il a su convertir la fragilité du couturier en un petit empire lucratif. Il a construit une illusion qui se solde en milliards. Il est perçu comme un battant.

Yves se crame

Rue de Babylone, Yves s'enferme dans un cycle masochiste. Sa consommation de whisky est exponentielle, il menace à chaque instant de se suicider. Obsédé par lui-même, il voit sa psy frénétiquement. Ses antennes sont brouillées. Sa mode est de plus en plus narcissique. Lors d'un défilé, il présente deux douzaines de versions différentes de son smoking. Ou envoie sur le podium des mannequins vêtus de la blouse transparente révolutionnaire vingt ans auparavant, tandis qu'un silence embarrassé s'empare de l'assistance. À la une du *Herald Tribune*, Suzy Menkes le dégomme. La nouvelle génération de rédactrices a d'autres chouchous. Christian Lacroix pour Menkes, Lagerfeld pour Anna Wintour, le dictateur de *Vogue*.

Les jeunes qui travaillent au studio sont fous de cette maison milanaise, Prada, qui vient de lancer un prêt-à-porter. Le concept le plus visionnaire de la décennie. Le jeune couturier français Marc Audibet a inventé un minimalisme chic et urbain, qui remporte un vif succès et vaut de grandes récompenses à la marque. Miuccia, sa propriétaire, est une fille de la grande bourgeoisie milanaise, ancienne cliente de

Rive Gauche. Audibet a proposé un vestiaire simple, élégant et soigné, aux proportions impeccables. Il impose épaules étroites et longueur au genou, redonnant une élégance à la silhouette malmenée par l'*oversize*. Saint Laurent Rive Gauche devrait s'en inspirer, disent les juniors. Yves ne s'en occupe plus depuis longtemps, il a assez à faire avec la couture. Il se réfugie à l'hôpital, où il est soigné pour une « dépression ».

À la présentation de janvier 1990, Yves Saint Laurent semble un homme neuf. Aminci, il a retrouvé le sourire et cessé de boire. Rigoureuse et élégante, la collection fait l'unanimité. « Une femme heureuse est une femme sur laquelle rien ne pèse » dit-il. Il évoque le « merveilleux silence du vêtement » lorsque le corps se fond avec lui et ne pèse plus.

Après le défilé, il improvise une fête rue de Babylone, ce qu'il n'a pas fait depuis des années. Mais à l'aube, il se réveille dans sa chambre en flammes. Un incendie provoqué par un simple court-circuit, que ses valets éteignent rapidement. Les dégâts sont psychiques. L'angoisse est réapparue. Yves est évacué en Normandie puis à la villa Oasis de Marrakech, d'où le majordome Moustapha et le cuisinier Christian envoient des rapports alarmants. Yves boit deux bouteilles de whisky par jour, il refuse de se nourrir et casse tout lorsqu'on lui demande de rentrer pour la préparation de la collection Rive Gauche. Cyrus, le garçon qui l'accompagne, est soupçonné de faire main basse sur tout ce qu'il peut. Lorsque Moustapha rapporte qu'Yves, victime de *delirium tremens*, rampe dans les allées du jardin, Pierre décide de le faire hospitaliser dans un établissement psychiatrique.

C'est Brigitte Mathieu Saint Laurent qu'il charge du rapatriement en expliquant qu'il est accaparé par sa première production à l'Opéra-Bastille. Un peu surprise par une confiance à laquelle Pierre ne l'a pas habituée, la sœur d'Yves accepte. Elle prend l'avion privé, au Bourget, accompagnée d'une infirmière et d'un homme à tout faire de la maison Saint Laurent.

La journée mélodramatique qu'elle a vécue ne s'est jamais effacée de sa mémoire. L'état de délabrement de son frère la bouleverse. Crasseux, pas rasé, Yves s'est massacré la tête. La nuque est entièrement rasée et une plaque de cheveux manque sur la tempe. Yves, lui, trouve naturel de la voir surgir : « Brigeou ! Comme je suis content ! » Son enthousiasme s'évanouit lorsqu'il comprend qu'elle veut le ramener à Paris le soir même. Il se rebiffe. Pour vaincre sa résistance, elle invente un mensonge trop gros. Leur mère vient d'avoir une crise cardiaque. Yves la traite de menteuse, se cabre et tente de la jeter dehors. Puis il appelle à son secours Marie-Hèlène de Rothschild, qui séjourne à Marrakech. Après avoir demandé à un médecin d'administrer un sédatif à son frère, ce qu'il refuse, Brigitte rentre seule à bord du Learjet. Yves prendra le chemin du retour le lendemain. D'abord hospitalisé à l'Hôpital américain où les médecins confirment à ses proches qu'il ne sera pas en mesure de s'occuper de la collection, il est envoyé dans une clinique psychiatrique pour *delirium tremens* où il passe trois mois.

Le soir de l'hospitalisation d'Yves, le 17 mars 1990, dans sa loge à l'Opéra-Bastille, Pierre Bergé assiste impavide au lever de rideau des *Troyens.* La collection Rive Gauche, préparée par Loulou et Anne-Marie, est présentée la semaine suivante devant un public clairsemé.

Lorsqu'il quitte Garches, Yves a vieilli de dix ans. Brouillé avec Brigitte, il l'accuse de l'avoir trahi. C'est injuste. Pierre l'avouera quelques années plus tard, c'est lui qui a fait interner de force le couturier : « Je l'ai enfermé contre son gré mais, après un jour ou deux, il a accepté de se désintoxiquer[257]. » Le frère et la sœur se réconcilient en octobre, lorsque Brigitte propose à Yves d'accompagner à l'autel sa fille Marianne qui se marie à Neuilly. Pour sa nièce, prénommée comme la *Marianne de ma jeunesse*, de Duvivier, film qu'il aime, il dessine une robe de Peau d'Âne. Au bras de sa princesse de taffetas couleur ciel, c'est un homme au visage soufflé, les cheveux teints en auburn, qui entre dans l'église en boitant. Pierre ne le quitte pas d'une semelle. Traité en enfant, le couturier vit désormais sous la surveillance de ses domestiques, de son chauffeur, de ses gardes du corps, de ses médecins.

Les Deux Magots

Nous sommes aux Deux Magots, le salon de plein air. Marc Audibet commande une simple tasse d'eau chaude que le serveur, impassible, convoie sur un petit plateau de zinc. Chauffés par le soleil qui illumine la place, nous regardons passer les gens. En dépit des verres fumés derrière lesquels, comme Garbo, il dissimule son regard, rien n'échappe à l'œil de Marc. Le rouge profond d'une écharpe. L'extravagance d'un manteau en macramé. Une spartiate sur une peau dorée. Le raffinement strict d'une vieille dame. Le chic en blanc d'un dandy de RER. La fantaisie kawaï d'une Japonaise. Marc a l'œil clairvoyant comme on a l'oreille absolue.

Dans les années quatre-vingt-dix, Audibet a été l'architecte des collections Prada, dont il a défini le chic urbain. Il a dessiné les collections comme des scripts de cinéma et conçu les bases des vêtements. Puis il a travaillé chez Hermès. Il a eu sa propre marque, aussi. L'indépendance était possible, avant l'arrivée des grands financiers.

Marc Audibet vient de terminer sa collection pour la maison Vionnet. Couturière des années vingt, Madeleine Vionnet a eu un jour l'idée, aussi saugrenue que maligne, de tailler les robes non pas dans le droit fil, comme on le faisait jusque-là, mais dans le biais. Elle a donné au vêtement une troisième dimension. Non seulement ses robes suggèrent les formes du corps féminin, mais leur fluidité émouvante y ajoute une touche sensuelle. Pas une chose bêtement sexy, plutôt le mystère du corps. J'ai suivi les essayages dans un atelier improbable de la rue du Chevalier-de-Saint-Georges, « un très très très bel homme, ce Chevalier », disait Marc en grimpant les escaliers du studio. Sous la houlette de Lydie, la première d'atelier, un commando de mercenaires hautement qualifiés piquaient à minuit des fermetures Éclair dans un local riquiqui. Les coulisses de la mode ne sont pas glamour. La marque jouait sa dernière carte. Deux robes seules étaient terminées à vingt-quatre heures du défilé. Dans une grande pièce nue éclairée par des néons, Marc et Lydie échangeaient en dialecte tandis qu'une Slave livide se prêtait aux essayages avec une docilité mélancolique. Un extraordinaire fourreau corail l'avait métamorphosée en sirène étrangement attirante. En partant, nous avions croisé dans l'escalier le propriétaire de la marque venu ravitailler les ouvrières qui n'avaient pas dîné avec un flacon de Nescafé et un sac de chouquettes. Lydie et les intérimaires n'étaient plus payées depuis des semaines et, cependant, elles travaillaient nuit et jour.

Dans un salon de la place Vendôme, j'ai vu défiler la collection. La couture, quand elle est réussie, c'est le bonheur du rêve éveillé. Les fourreaux en soie liquide, aussi faciles à enfiler que des tee-shirts, coulaient sur la peau. Les mannequins semblaient plus nues que si elles avaient été nues. Madeleine Vionnet a dit que lorsqu'une femme souriait, sa robe devait sourire avec elle. C'était tout à fait ça.

Je guettais en douce les réactions de deux rédactrices dont on m'avait expliqué qu'elles étaient influentes, Suzy Menkes, du *Herald Tribune*, et Cathy Horyn, du *New York Times*. La première est une forte Anglaise avec un drôle de rouleau perché sur le crâne, la seconde un colosse new-yorkais à voix rauque. Deux papesses en matière de fringues, l'équivalent de Robert Parker pour le vin de Bordeaux. Des tueuses : elles zigouillent ou consacrent en trois adjectifs. Il m'a semblé qu'elles étaient séduites, comment ne pas l'être, mais sait-on jamais ? Tout en étant imprégné du style d'une grande couturière qu'il admire, Marc en a fait autre chose : plus moderne, plus clair. Sensuel et décontracté. Il a réussi à alléger encore. Les deux prêtresses écrivirent sur la collection de Marc des choses remarquables. Lorsque leurs articles furent publiés, Audibet avait quitté la maison Vionnet.

Le crépuscule arrive, c'est l'heure bleue. « Bleu roi » précise Marc. Les murs argentés de l'abbaye se détachent contre le ciel. Voitures et autobus deviennent rares. Une Américaine en robe cocktail trébuche sur le pavé, trahie par des stilettos vertigineux. De jolis enfants, vêtus comme de grandes personnes, passent devant notre table en riant. C'est un défilé à ciel ouvert. La place est si élégante qu'elle embellit tout ce qui la traverse, les gens, les voitures, les arbres.

Marc commande un Chavignol avant de se raviser, non pas de fromage le soir, plutôt une purée accompagnée d'une salade verte. Le serveur dispose sur le guéridon une petite nappe, la corbeille de pain. Les Deux Magots appartiennent à la même famille depuis plusieurs générations. D'abord le propriétaire travaille ailleurs, puis à la retraite, il reprend le café. Aucun ne vient du monde de l'hôtellerie. Je repense à l'émerveillement des deux Papous en visite à Paris. « Regardez ce que vos ancêtres vous ont légué ! C'est incroyable ! Ces ponts, ces routes, ces églises, ces maisons de pierre, vieilles de presque mille ans ! Et avec des sculptures ! Savez-vous que nos cases à nous sont si peu solides qu'on doit les rebâtir tous les cinq ans ? Vos ancêtres ont été formidables, il vous faudra toujours les honorer. »

Dans leur liste, les Papous ont oublié le café des Deux Magots et la haute couture, mais ils ont raison. Nous sommes des enfants gâtés. Saurons-nous faire prospérer notre héritage ? Serons-nous à la hauteur ?

Trois femmes en burqa et sac à main griffé passent, accompagnées de maris en bermuda qui n'ont pas, eux, couvert leurs mollets poilus. La lune se balance dans le ciel comme sur un mobile de Calder mais Marc est triste. Lorsque la mélancolie le saisit, il raconte la chute de l'empire romain. « Les civilisations sont fragiles », dit-il.

J'admire Marc Audibet. Lorsque je l'ai rencontré, il habitait un appartement singulier près de la Seine, dans un hôtel du XVIIe siècle. J'étais un peu intimidée, c'est un grand nom de la couture, son palmarès est impressionnant. Après avoir franchi un étroit couloir maçonné de bouquins, on accédait à la pièce principale, une grotte dont les murs disparaissaient sous les livres. Des colonnes d'une hauteur invraisemblable, romans, essais historiques, biographies, monographies savantes imbriqués les uns dans les autres comme les pièces d'un Kapla de papier. Jackie Kennedy, Louis XIV, Leonardo Sciascia, toute l'histoire des arts décoratifs du XXe siècle. Appuyé sur un coussin ayant appartenu à Vionnet, Marc Audibet me montrait des dessins, des images, des prototypes, des fragments de tissu. Sa maison ressemblait au laboratoire d'un alchimiste.

Dès ses débuts, il a travaillé la matière en l'utilisant d'une façon complètement inédite. C'est à Marc Audibet que nous devons ces quelques grammes de stretch qui assouplissent nos gestes, adoucissent nos mouvements. Grâce à lui, nous sommes plus élastiques. Marc Audibet s'intéresse au corps, à son anatomie, à ce qui peut le rendre plus heureux. Le tissu est son élément. À ses yeux, la modernité commence avec le tissu. Aux industriels du textile, il a donc commandé des recherches. À sa demande, DuPont de Nemours a mêlé le lycra à des tissus comme le satin, la soie, le coton, le lin, la laine. Ainsi est né le stretch, matériau technologique, une des plus importantes innovations du textile dans les années quatre-vingt. Un vêtement nouveau est souvent une conquête technique : dans la foulée, Marc a actualisé les leggings.

« Je ne voudrais pas passer pour un raseur hyper-technique. Ma démarche était tout autant motivée par des fantasmes. Nourri de références hollywoodiennes, j'ai toujours été attiré par l'image. Pour remodeler sa ligne, Marlene Dietrich portait sous ses tenues de scène des sortes de justaucorps en tulle chair cousus par des fils de caoutchouc. Ces "secondes peaux" réalisées dans les ateliers de Balmain ont trouvé un écho dans mon imaginaire. »

Pour un créateur de mode, il n'est jamais facile d'être visionnaire.

Aujourd'hui, Marc conseille un tas de marques, anglaises, espagnoles, italiennes. En quelques heures, il imagine une collection entière. Des baskets futuristes. Un manteau impondérable. Une robe de maille dorée. C'est un ravissement de découvrir ses idées inventives. Inlassablement, il cherche. Il rentre d'Allemagne, où il a rencontré une équipe de l'Institut Max Planck de Halle qui étudie la solidité du fil d'araignée. Il sait comment utiliser leurs découvertes.

À sept ans, Marc, fou de Louis XIV, collectionnait les figurines Mokarex, des personnages historiques en plastique offerts par une marque de café. Il les transformait en courtisans du grand siècle. Il en possédait plus de deux cents, rangés dans une vitrine figurant la galerie des Glaces en 1685, l'année où le doge de Gênes est reçu à Versailles. Une date choisie dans les *Mémoires* de Saint-Simon, qu'il lisait pour tout savoir de son héros. Pour remodeler les attitudes des courtisans, Marc fondait le plastique et les figurines saluaient, ébauchaient des révérences. Chaque costume était fabriqué avec de la pâte à modeler peinte et piquée de strass, les chapeaux étaient amovibles.

« Ça m'a sauvé. J'ai passé ainsi les moments difficiles de mon enfance. »

Louis XIV, c'était lui, Anne d'Autriche sa mère et Mazarin… son beau-père.

À force de jouer avec le Roi Soleil, l'esprit du grand siècle a soufflé sur Marc. Un esprit d'invention fastueux, raffiné, civilisé à l'extrême.

Marc me quitte pour aller dessiner. Demain, aux Deux Magots, il apportera la collection conçue dans la nuit. Soixante, cent modèles que j'aurais envie de porter.

In love again

Le 14 novembre 1990, Pierre Bergé célèbre ses soixante ans. « Cher Pierre, avec les années à travers les difficultés tu es toujours le même, désormais nous sommes un aigle à deux têtes », lui écrit Yves. Cet aigle bicéphale a rendu l'un célèbre, l'autre riche. Mack Robinson, l'Américain d'Atlanta qui avait financé la première collection, envoie un message de félicitations louant Pierre, « le génie financier de notre temps ».

De surcroît, le génie est amoureux. Un nouveau garçon très sensible est entré dans sa vie… par la porte du studio d'Yves. Âgé de vingt-cinq ans, Robert Merloz, jeune homme qui travaille depuis cinq ans dans la maison, lui a déclaré un soir sa flamme en pleurant. Sans avoir l'air éthéré d'Yves – il a une grande bouche sensuelle et une pomme d'Adam en 3D –, Robert Merloz voue à Pierre une admiration sans bornes. Le samedi matin, à présent, Pierre débarque au Flore, Ficelle sous le bras, Merloz à ses côtés, tandis que la Jaguar, garée en double file, attend sur le boulevard qu'il lise ses journaux

Des soucis attendent Pierre. Carlo de Benedetti, qui a connu de gros revers et s'est séparé d'Alain Minc, souhaite vendre ses parts d'YSL. Une fois de plus, Pierre panique à l'idée que Bernard Arnault ou un autre prédateur ne mette la main sur les actions. La guerre du Golfe a ralenti les affaires. Convaincu qu'elles reprendront dès la fin du conflit, Minc lui conseille de racheter les parts de l'Italien. Bergé emprunte donc cinq cent cinquante millions de francs (quatre-vingt-trois millions d'euros) à la banque Neuflize Schlumberger Mallet pour racheter les parts de l'Italien, comptant les revendre très vite. Aucun des partenaires contactés, de Cartier à Seibu-Saison en passant par Orcofi, Unilever, Colgate, Palmolive, Elf, Sanofi et même L'Oréal, qui a longuement étudié le dossier, n'est finalement acheteur. Le prix demandé, la santé d'Yves et l'omnipotence de son associé découragent les investisseurs. L'endettement de la maison est donc lourd.

Comment séduire les financiers ? En affichant son opulence. Pour célébrer les trente ans de la maison, Pierre Bergé donne une fête à l'Opéra-Bastille. À cette occasion, Victoire et Yves posent pour *Paris Match*. Bien qu'elle soit son aînée, elle est plus fraîche que lui. Elle occupe toujours dans son cœur une place à part. À chaque défilé, il met sur la mariée ou sur la dernière robe avant la mariée le cœur en diamant gris avec des rubis imaginé pour elle en 1962. Le reste du temps, le grigri est caché chez lui dans un endroit secret. Dans *Match*, il redit à Victoire sa fidélité : « Si je m'étais marié, c'est Victoire que j'aurais épousée[258]. » Aucune autre femme, dans la vie d'Yves, n'a jamais eu droit à une telle déclaration. Elle seule le domine. Dans l'intimité, il lui a fait une offre plus crue, il est vrai. Laquelle ne s'est pas matérialisée. Lors de la soirée de gala organisée par Pierre, une Victoire attristée assiste à la prestation d'Yves, incapable de prononcer son discours devant les trois mille invités. Il a sa tête mais le corps ne suit plus. Il a veillé sur tous les détails du défilé rétrospectif donné à l'Opéra, un exercice de style virtuose, mais il s'exprime comme un simplet parce qu'il n'est plus capable d'articuler normalement. Lors des rares manifestations publiques auxquelles il assiste, Pierre ou Christophe Girard, qui ne le quitte plus, lui dictent sa conduite. Avant la cérémonie, il a répété pas à pas le parcours qu'il devait effectuer sur la scène de l'Opéra : Christophe avait marqué le sol à la craie. Avant d'entrer en scène, il a frénétiquement vidé une bombe de laque sur sa tête, comme pour ne pas la perdre en cours de route.

Le grandiloquent discours prononcé par Pierre résonne comme un éloge funèbre : « Preuves éclatantes de son talent... noces de la rigueur et de la fantaisie... sa mode n'a pas pris une ride... c'est le privilège des chefs-d'œuvre. » Pierre, c'est Erich von Stroheim qui vole au secours de Gloria Swanson, la star déchue de *Boulevard du Crépuscule*, et écrit lui-même des lettres d'admirateurs avec des formules oratoires désuètes. Yves, « le plus grand couturier de son temps », se croit toujours le roi de la Couture.

Figure de la diva fracassée par son art, il éveille l'instinct maternel des rédactrices. D'autant que l'idylle de Bergé avec Robert Merloz alimente leur empathie. En juillet 1992, Pierre organise pour son protégé un défilé de couture à l'école des Beaux-Arts. La salle est comble, chacun veut apercevoir la tête du nouveau petit ami, présenté par la rumeur comme le dauphin.

À l'issue du défilé, le compte de Merloz est scellé. Lucienne Mathieu Saint Laurent résume l'opinion générale en déclarant que les efforts du petit sont méritoires mais incomparables avec le talent de son rejeton : « Mon fils est effondré. Ca ne valait pas la peine de lui faire tant de peine. » Et d'ajouter qu'elle-même est furieuse à l'idée que Pierre ait financé ce désastre avec la cagnote de la maison Saint Laurent. L'épilogue sera douloureux pour tout le monde. Pierre se contente d'ouvrir une boutique Robert Merloz rue de Grenelle, avant de la fermer en 1997. Le jeune homme poursuivra un temps sa carrière rue de Tournon, avec T Beauty, un concept de twin sets lavables en machine. Quatre jours après le défilé de Merloz, les rédactrices feront à Yves une ovation à l'Intercontinental.

Fin de régime

En 1993, Sanofi, la filiale pharmaceutique d'Elf-Aquitaine, rachète enfin YSL pour une (très très) coquette somme. trois milliards six cent mille francs (environ six cent quatre-vingt-quatre millions d'euros). La société YSL est donc... nationalisée. En outre, Yves Saint Laurent percevra cinq pour cent de royalties sur le lancement des nouveaux parfums. Bergé et lui se font octroyer deux millions d'euros de redevance annuelle pour leurs conseils et dix pour cent des parts de la nouvelle société.

Dans la presse française, la transaction est (très très) controversée. Sans une intervention de l'Élysée, le groupe n'aurait pu être vendu à un tel prix estime *Le Monde* qui titre « Saint Laurent à tout prix » et dénonce le copinage.

La fin du mitterrandisme, marquée par les scandales et les inculpations de (très très) familiers du président de la République, amis les plus intimes, membres de sa famille, prête aux soupçons. Pierre Bergé n'arrange rien en trompettant dans *Le Figaro* qu'il vient de faire une (très très) bonne affaire. Dans *Women's Wear Daily*, il se demande encore ce qu'il va faire de tout cet argent. Une semi-vantardise, parce qu'Yves et Pierre n'ont pas reçu de cash, mais des actions Sanofi. Les revendre revient à se tirer une balle dans la Berluti.

« L'affaire était complètement propre, assure Loïk Le Floch-Prigent, l'ancien patron d'Elf. Il n'y a jamais eu l'ombre d'une intervention de Mitterrand en la matière. Je le rencontrais tous les quinze jours et jamais il n'en a été question[259]. »

Depuis la création en 1973 de Sanofi, parfums et cosmétiques figurent, avec la pharmacie, dans ses ambitions. En

1992, le pôle beauté de Sanofi reste un patchwork hétéroclite : Roger et Gallet, Van Cleef & Arpels, Oscar de la Renta, Stendhal, Perry Ellis, Geoffroy Beene et des participations dans Nina Ricci et Yves Rocher. Son patron, Jean-François Dehecq, souhaite en faire un ensemble cohérent. Racheter YSL est tentant. Certes, il le paie à prix d'or, mais il en prend le contrôle.

« La valeur était arbitraire, bien entendu, mais nous ne pouvions laisser passer cette occasion », affirme Loïk Le Floch-Prigent.

L'interventionnisme politique dans les dossiers économiques déclenche scandale et démissions aux États-Unis ou en Grande-Bretagne, que l'histoire fascine. La presse financière, du *Financial Times* au *Wall Street Journal*, mais aussi les magazines de divertissement comme *Vanity Fair* ou le *New Yorker* (sous le titre « *The Impresario's Last Act* », du 21 novembre 1994) lui consacrent de longs papiers. La britannique Alice Rawsthorn a longuement enquêté sur nos mœurs pittoresques pour un livre sur Yves Saint Laurent. Ses recherches documentées nuancent les accusations de ses homologues français. Rien ne prouve le copinage, selon elle. À l'époque, trois marques arrivent en tête du box-office, Chanel, Vuitton, Yves Saint Laurent. Racheter cette dernière, même cher, n'est pas absurde.

Ce qui est amusant, c'est que lorsqu'on est obnubilé par un scandale, réel ou imaginaire, on oublie de se poser des questions sur d'autres aspects déconcertants. Le verrou posé par Minc quatre ans auparavant va coûter une fortune à faire sauter. Pour déboucler la société en commandite, Sanofi a versé trois cent cinquante millions de francs (environ soixante-six millions d'euros) à Saint Laurent et Bergé. Selon les analystes, cent mille francs (vingt mille euros) auraient suffi… Un cadeau mirifique, donc.

Et Pierre Bergé réussit à poser… un verrou d'un troisième modèle sur la nouvelle société. Son éminence grise, Alain

Minc, lui a soufflé l'idée d'en faire une Société par actions simplifiée personnelle (SAS) !

« Selon Minc et Bergé, avec lesquels Dehecq négociait, la SAS devait protéger le génie d'Yves Saint Laurent », raille Loïk Le Floch-Prigent.

En clair, YSL passe sous le contrôle financier de Sanofi sans que Pierre Bergé et Yves Saint Laurent ne perdent le contrôle opérationnel.

Pierre, hélas, n'a pas le temps de se réjouir de sa (bonne) fortune. Avant la fin de l'année 1993, la justice l'oblige à retirer du marché *Champagne*, le « parfum des femmes pétillantes ». Un seul responsable : lui. Ou plutôt sa morgue. Seul le nom a été suggéré par Yves, dont la mère aime le champagne comme lui la cocaïne. Mais Pierre a refusé de tenir compte des mises en garde courtoises du Comité interprofessionnel des vins de Champagne, venu lui rendre visite. Le prenant de haut, il s'est adressé au bon Dieu du monde champenois, Bernard Arnault, propriétaire de Moët et Veuve Clicquot. Ils sont loin d'être amis, mais Arnault avait besoin de Bergé pour faire fabriquer le prêt-à-porter de Christian Lacroix par Indreco, qui réalise celui d'YSL. En échange de son accord, il a assuré Bergé qu'il n'y aurait pas de poursuites.

Il y a plus teigne que Pierre Bergé en France : une escouade de vignerons énervés. À l'Intercontinental, une douzaine d'entre eux piratent la conférence de lancement de *Champagne*, hurlant : « Au voleur ! Au voleur, Saint Laurent nous vole. » Évacués par le service d'ordre, les viticulteurs organisent dans la pièce voisine leur propre meeting.

En matière d'agit-prop et d'intimidation, les gens du vin n'ont pas de leçon à recevoir de Pierre Bergé. Ce jour-là, il perd ab-so-lu-ment son calme devant un parterre de journalistes ébahis.

En France, *Champagne* restera en vente trois mois, avant que la justice ne condamne YSL pour « parasitisme ». Ainsi le droit des marques qualifie-t-il un comportement fautif où l'auteur usurpe la notoriété d'autrui, profite de son investissement publicitaire et capte son travail, se comportant en véritable parasite pour tirer un bénéfice d'actions qu'il n'a pas financées[260].

Comparé aux parfums lancés au même moment, le bel *Eternity* de Calvin Klein, fragrance moderne qui souffle le chaud et le froid dans un flacon minimaliste et élancé, ou au premier parfum de Jean Paul Gaultier dans une bouteille en forme de buste gainé, hommage au *Shocking* de Schiaparelli, *Champagne*, dont le flacon reprend le bouchon, la plaque et le muselet du célèbre vin, évoque le kitsch terne d'un bibelot-souvenir. Jusque-là, les parfums YSL ont toujours été utra-contemporains. *Champagne* est un peu ringard, pour utiliser un mot du moment. Les antennes d'Yves ne fonctionnent plus du tout. La mésaventure, outre qu'elle traduit la pauvreté créative de la maison Saint Laurent, démontre que le caractère entêté de Bergé n'est pas celui d'un authentique *businessman*.

Délits d'initiés

Au même moment, un nouveau scandale atteint Pierre Bergé, mis en examen pour délit d'initiés. Un rapport documenté de la Cob[261] indique qu'au cours de l'été 1992, Pierre Bergé a vendu en douce cent vingt mille actions Saint Laurent en Suisse, juste avant la publication des (mauvais) résultats de l'entreprise. Au pénal, il risque deux ans de prison, et une amende qui peut atteindre dix fois le montant des profits réalisés, soit trois cents millions de francs (cinquante-sept millions d'euros)... Dans le *Women's Wear Daily*, Pierre déclare qu'il se fiche des juges. « Je n'ai jamais aimé la réussite pour elle-même et, d'une certaine façon, je l'ai cambriolée », n'hésite-t-il pas à déclarer. Qui a-t-il cambriolé, au juste[262] ? Bergé se sent au-dessus des lois[263].

Le vent socialiste a tourné. Les instructions pour corruption concernant les très proches du président de la République se multiplient et Pierre Bérégovoy, le Premier ministre, lui-même mis en cause, se suicide au printemps.

1993 est une drôle d'année. La France traverse sa plus forte récession depuis la Seconde Guerre mondiale : le chômage, qui a doublé durant les années Mitterrand, touche 11,6 % de la population active et les déficits publics se creusent. La gauche inspire déception, voire répulsion. Un scandale épouvantable secoue le pays. La journaliste Anne-Marie Casteret, médecin, révèle que, pour écouler un excédent de stocks, le Centre de transfusion sanguine a délibérément distribué à des hémophiles des poches de sang contaminé, notamment par le virus du sida. Un hémophile sur deux est atteint. Les procès se succèdent et trois ministres, dont Laurent Fabius, l'ex-Premier ministre, sont poursuivis. En mars, les socialistes perdent les élections. Un gouvernement de cohabitation est formé avec à sa tête Édouard Balladur, dont Alain Minc, qui a changé de camp, devient le conseiller.

Pierre perd un poste de prestige, la présidence de l'Opéra de Paris.

Pierre et Yves

Yves Saint Laurent, à qui on fait remarquer que Pierre Bergé est un excellent homme d'affaires, répond avec ironie : « Oui, mais il est tombé sur un bon fromage. » Pierre s'occupe du beurre, et de l'argent du beurre. Dans leur histoire ne manque qu'un peu de bon pain.

Bergé et Saint Laurent forment un couple homosexuel mythique. L'artiste et le financier dévoué. L'un crée, l'autre lui donne les moyens de sa création. Tout est faux dans ce cliché. Yves, qui entretient avec l'argent des rapports puérils, dépense sans avoir la moindre notion de son patrimoine et n'a jamais d'argent sur lui. Il ne règle même pas les bouquets qu'il choisit chez le fleuriste et il lui est arrivé de vendre des objets de sa propre collection à Mick Jagger, son voisin de la rue de Babylone, pour se faire de l'argent de poche. Ce qui ne l'empêche pas d'être matérialiste, ses richesses l'attestent. Il laisse à Pierre les cordons de la bourse, se conformant naïvement à une caricature bourgeoise, celle de l'artiste désintéressé. Proust en personne, dans la correspondance qui fait ses délices, passe des ordres d'achat à son banquier afin de tirer profit des informations soutirées dans les dîners mondains. Ni Minc ni Bergé n'ont inventé le *délit d'initié*.

Quant à Bergé, la légende lui attribue le démarrage financier de la maison Saint Laurent. Les choses sont plus complexes. Pierre n'a pas trouvé l'argent mais il a fait mieux : il a cru en Yves et l'a soutenu de son énergie infatigable. En même temps, il a encouragé ses faiblesses et l'a rendu dépendant.

Sur le plan amoureux, Pierre et Yves ne sont pas exactement des *super-lovers*. Séparés depuis près de vingt ans, chacun conduit sa vie amoureuse. Yves souffre de solitude et les liaisons de Pierre le rendent malheureux. Leurs relations sont si dures que leurs amis les qualifient de sado-masochistes. Ils ont des mobiles communs : ils aiment l'argent et les honneurs. De leurs fêlures, ils ont fait des forces. Avec leurs névroses, bâti une entreprise qui fait rêver.

Quelle est la nature de leur relation ? Sont-ils uniquement liés par l'intérêt ? Ont-ils un portefeuille en croco à la place du cœur ? Pierre Bergé est-il un cynique qui veille sur Yves Saint Laurent par avidité ? Ont-ils au contraire respect et tendresse l'un pour l'autre ? Qui est le fort, qui est le faible ? Un jour, l'actrice et chanteuse Ingrid Caven fait un essayage avenue Marceau. Pierre Bergé, resté en retrait, s'approche de la jeune femme pour effacer un pli de l'étoffe. D'une tape sur la main, Yves le renvoie. Congédié d'une pichenette. Ingrid est à peine surprise : aux côtés de Fassbinder dont elle a été la compagne, elle a appris qu'on ne peut créer et être gentil. Qu'imposer sa volonté exige de la combativité, et même de la cruauté. Elle pense que c'est un dilemme dans la vie des créateurs : concilier violence et sensibilité[264].

Intriguée, le mannequin Anna Bayle a observé les deux hommes : « Le mélange des deux me semblait étrange mais il en émanait quelque chose de profondément symbiotique. C'était plus qu'une relation d'affaires et plus qu'une amitié. On avait l'impression qu'Yves Saint Laurent était sous la tutelle de M. Bergé. Le comportement de M. Bergé était très protecteur et très préoccupé du moindre ennui. C'était comme s'il prenait soin d'un enfant, ou d'un malade. Cela ajoutait au mystère d'Yves Saint Laurent. Jamais on ne le laissait voler de ses propres ailes. Il y avait toujours M. Bergé[265]. »

Le pouvoir des faibles, toujours. Parler très bas pour contraindre l'autre à écouter.

À l'automne 1994, *The Sunday Times Magazine* dépêche avenue Marceau l'écrivain américain Edmund White. Chacun des deux hommes en profite pour évoquer leur relation. L'écrivain repart saisi par la gentillesse et la solitude d'Yves, mais abasourdi par la véhémence de Pierre, dont il se repasse en boucles les accusations vitriolesques.

« Yves n'a pas peur des gens, lui explique Bergé. Il est terriblement égocentrique. Il est suprêmement indifférent aux autres. Lorsqu'il donne un dîner chez lui, je l'appelle le lendemain pour savoir comment ça s'est passé. "Un cauchemar." C'est toujours un cauchemar. Pourquoi ? Non pas parce que la cuisine était mauvaise ou la compagnie désagréable (Yves ne voit que ses plus vieux et plus chers amis). Mais, un cauchemar parce qu'il a dû faire un effort. Il a dû montrer de l'intérêt pour les autres, poser des questions sur leur vie. Les autres ne l'intéressent pas. Je suis la seule personne à pouvoir dîner avec lui trois fois par semaine. Parce que je le connais depuis près de trente-sept ans... Avec moi, il n'a pas besoin de faire d'effort[266] », a déclaré Pierre.

Le plus précieux des deux hommes est présenté à l'écrivain dans son écrin : Edmund White a droit au grand jeu, qu'il raconte avec humour. Introduit dans le petit bureau d'Yves, réservé aux seuls visiteurs, avec ses chandeliers en cristal et ses fauteuils Louis XVI, il s'installe sur le sofa mais Saint Laurent l'invite à prendre place derrière le bureau Louis XV, ajoutant que sur cette table a été signé le contrat de mariage entre Napoléon et Joséphine. Il lui fait le coup du baron de Mauvières. Le meuble appartenait à son ancêtre, dont il lui montre le grand portrait peint par David. En 1994, les lettres de noblesse d'Yves dépassent largement celle du notaire de Seine-et-Oise.

« Saint Laurent ressemblait au *Penseur* de Rodin, avec des kilos, des années et des soucis en plus. Il était certainement lucide et se rappelait sans peine noms et dates, mais il semblait sous l'emprise de puissants tranquillisants ou bien totalement dépressif ; d'énormes silences surgissaient dans la conversation. Je rongeais nerveusement mon frein en attendant ses réponses. C'était comme une séance de psychanalyse où le patient aurait pris du lithium et le psy, du speed. »

Plusieurs fois, la tête de Saint Laurent retombe sur sa poitrine. L'écrivain le croit assoupi mais non, le couturier reprend bravement le cours de la conversation. Pour combler les blancs, Edmund White lui raconte sa vie. Il a eu peur de vieillir, de perdre son inspiration, de gagner du poids. Saint Laurent ponctue mécaniquement ses confidences de « merveilleux »,

« intéressant », « magnifique », qualificatifs qui feraient illusion dans un cocktail, mais laissent son interviewer perplexe. White le questionne alors sur Cocteau : « une énorme personnalité », répond Saint Laurent, concis. Chanel ? « Elle voulait me rencontrer. » Warhol ? « La dernière chose qu'il ait peinte, c'est mon chien Moujik. Puis il est mort. » Pierre Bergé ? Ouh là là. La réponse arrive en deux temps, avec un crescendo saisissant : « Un homme merveilleux. Un ami intime. Nous avons démarré la maison ensemble. Il est très artiste, il lit beaucoup, il a une culture universelle, c'est un homme universel. Pauvre chose, il est devenu homme d'affaires à cause de moi. Nous nous aimons tant. Mais nous ne vivons plus ensemble. L'affaire [Edmund White emploie le mot « *business* »] est un aigle à deux têtes. » L'archer s'assombrit et marque une pause, avant, dans un souffle, d'envoyer une flèche au curare : « Même mort, un aigle me terrifierait. Les prédateurs me terrifient. »

Comme tout couple, Bergé et Saint Laurent forment un hybride opaque dont il est difficile de saisir les lois internes. Surtout lorsqu'elles sont morbides. Fernando Sanchez, qui les connaît depuis le début, avance une explication qui a le mérite d'en prendre en compte la complexité : « Ils sont complices, capables l'un comme l'autre de se sauter à la gorge sans qu'aucun des deux renonce. Ils mourront en s'asphyxiant. Chacun aimerait être la victime de l'autre, mais il n'y a pas de victimes. Et je suis capable de le leur dire en face : ce sont deux monstres[267]. »

Dernière séance

Florence Touzain jette un coup d'œil du côté de M. Saint Laurent. Assis à sa table de travail, il feuillette *Gala*. Lorsqu'il aura trouvé la page qu'il cherche, il poussera un long gémissement. Couché à ses pieds, Moujik II mordille un jouet. Une calamité, ce chien… Assise à côté de M. Saint Laurent, Mme Muñoz, dont Florence aime le chic austère, le cheveu très noir, le teint très pâle. Des talons toute l'année. En vacances, elle remplace les escarpins par des espadrilles compensées lacées sur la cheville.

M. Saint Laurent est très proche de Mme Muñoz. Dans l'ombre, il se nourrit de cette relation intime et privilégiée. Lorsqu'il arrive vers dix heures, il a déjà parlé une ou deux fois avec elle au téléphone. Ils échangeront encore à l'heure du déjeuner, lorsque son chauffeur l'aura reconduit rue de Babylone, puis le soir une fois rentré. Deux employés modèles au service de la Saint-Laurentie. Séparés par des vacances, ils s'écrivent. Toute la journée, ils la passent côte à côte depuis quarante ans. Heureux et malheureux à la fois, ils étaient ensemble le soir de la mort de Christian Dior. Même lorsque Anne-Marie a travaillé chez Givenchy pour gagner sa vie, elle revenait l'aider le soir.

Le plus dur, au début, c'est le silence complet. Pour ne pas déranger M. Saint Laurent, on travaille sans parole jusqu'au déjeuner. Lorsque Florence est entrée avenue Marceau, elle avait envie de hurler pour briser le calme. Tout à l'heure, M. Saint Laurent et Mme Muñoz ont passé dix minutes à examiner six crêpes noirs pour savoir lequel se tenait le mieux. Les chuchotis étaient durassiens : « oui », « non », « peut-être ». M. Saint Laurent ne fait aucun effort. Mme Muñoz tient le studio. Une main de fer dans un gant de velours, disent les filles. Elle gère la partie technique, les ateliers et la créativité. « Comme une maman, elle fait partie de son confort journalier, elle lui offre un espace paisible et elle sait qu'il gagnera toujours[268] », dit Loulou. Elle le laisse gagner, pensent d'autres. Il vampirise.

Anne-Marie est une éponge. Si M. Saint Laurent va mal, elle va mal. Lui, c'est Peter Pan. Elle, c'est Wendy.

Florence Touzain travaille au studio depuis douze ans. Si Anne-Marie l'a engagée, ce n'est pas par hasard. Il faut de l'endurance pour travailler avec une personnalité aussi complexe que M. Saint Laurent. Anne-Marie choisit des personnalités aussi solides que des infirmières psychiatriques, capables d'entendre et de voir certaines choses. Le mal-être de M. Saint Laurent, les colères de M. Bergé. Lui, il fait peur à tout le monde. Entouré d'une cour de garçons, il aime le scandale, le spectacle, la désapprobation publique. C'est un homme de théâtre. L'un pleure, l'autre pique des crises de nerfs. Le chien lui-même est caractériel. M. Saint Laurent n'élève pas ses compagnons. Florence a vu un chef d'atelier se faire mordre au sang sans une plainte.

Le drame ne la galvanise pas. « Je ne suis pas une théâtrale », dit-elle. La maison Saint Laurent est une grande famille, disent certains. Oui, aussi piquée, aussi vénéneuse qu'une famille. C'est son père, Jean-Paul Touzain, qui a présenté Yves Saint Laurent à Florence un soir, au Palace. Elle avait treize ou quatorze ans et déjà elle voulait faire ce métier. Son père, bel homme brillant, pilier du Club 7, avait eu une liaison avec Yves Saint Laurent. Il est mort après une longue dépression.

« Regardez cette horreur ! », s'exclame enfin M. Saint Laurent. Son égérie officielle devient une matrone et il ne l'aime pas assez pour imaginer des robes qui flatteraient sa plastique. Depuis plusieurs jours, la même photo de l'actrice, boudinée dans une robe or qu'il a dessinée, déclenche la même réaction. Il souffre de voir ses créations portées par des femmes qui les habitent mal. Selon M. Jean-Pierre, sa cliente favorite est Nan Kempner, parce que, maigrissime, elle met en valeur les vêtements qu'il dessine. Le couturier a dit qu'elle était la femme la plus élégante du monde[269].

Nan Kempner, c'est l'anorex-chic new-yorkaise dans toute sa splendeur. *Never too rich never too thin* est sa devise. Si sa mère était une beauté, Nan ressemblait à son père, un concessionnaire automobile de San Francisco, qui lui asséna : « Jamais tu ne réussiras avec ton physique. Tu as donc intérêt à être intéressante. » Et de lui offrir pour ses dix-neuf ans sa première robe griffée Dior. Avenue Montaigne, elle rencontra Yves Saint Laurent, à peine plus jeune qu'elle. La haute couture devint sa raison de vivre. Ou de se laisser mourir... de faim. À quatorze ans, sa mère l'avait mise au régime. Elle commença à fumer, ce qui lui permit de sauter des repas[270].

Dans les sandwichs, Nan remplace le pain par d'épaisses couches de feuilles de laitue et mange le hamburger sans le *bun*. Depuis 1964, cette femme de banquier n'a manqué aucun défilé d'Yves Saint Laurent sauf en 1993, année de la disparition de son père. En 1968, elle adopta un tailleur tunique-pantalon pour aller dîner à la Côte basque, un restaurant de la Cinquième Avenue dont le *dress code* interdisait les pantalons. Arrêtée à la porte par madame Henriette, employée de la maison célèbre pour sa rigidité, Nan ôta son pantalon et le laissa au vestiaire. Elle rejoignit sa table, portant la tunique en guise de robe, recouvrit ses genoux d'une serviette de table et évita de se pencher. M. Saint Laurent, qui adore cette anecdote, la raconte souvent.

Au studio, il n'est pas bavard. Lorsque M. Saint Laurent est fermé ou énigmatique, Florence sait que ce n'est pas son problème à elle. Avec un père maniaco-dépressif, elle a appris à reconnaître les signes de la maladie et à ne pas se laisser entamer par la souffrance de l'autre. Après une psychanalyse, elle a cessé de croire qu'on pouvait sauver un être, surtout quand il va mal et qu'il est sous camisole chimique. Si le couturier reste taciturne une journée entière, si même Loulou ou Anne-Marie n'arrivent pas à le faire sortir de lui-même, Florence ne s'inquiète pas. Il s'est réfugié dans le passé, dans ce qu'il aime et le rassure. Elle ne juge pas. Elle connaît la souffrance. Et puis elle a conscience de travailler avec un créateur sans égal.

Immobile une partie de la journée, M. Saint Laurent fixe le grand miroir. De la porte ouverte, il aperçoit les gens qui passent dans le couloir. Il voit le va-et-vient de ses collaborateurs qui s'affairent entre le petit studio voisin, la photocopieuse et le grand studio. Il regarde l'ensemble de la pièce, son monde familier avec les rayonnages, les rouleaux de tissu et les tables de travail. Il regarde les autres qui le regardent travailler.

À leur table, Audrey Seknazi et Elie Top sont en train de redessiner des modèles. Elie sort de l'école de la Chambre syndicale de la couture. Il a fait un stage avenue Marceau et il est resté. Lui, ce qui le trouble, c'est le bloc immobile fixé sur eux. Toute la journée, derrière les lunettes, deux yeux gris l'observent dans la glace. Elie, qui a l'impression d'être traversé par un rayon X, est mal à l'aise. Le soir, lorsqu'il rentre chez lui, il est lessivé.

Remarquablement organisés par Anne-Marie Muñoz, les ateliers vivent en osmose avec le couturier. Cet entourage sur mesure protège la maison du chaos. Certaines collections, le couturier est absent et les choses sont difficiles. Mme Muñoz se débrouille. Parfois, il fait porter consignes et dessins par M. Paul. Il ne dessine plus, à cause des médicaments. Mais il y a une base de croquis et les archives avec des idées qui n'ont jamais été réalisées.

Il faut du temps pour s'habituer à ce microcosme où tout est ritualisé, où chaque acte, chaque moment est théâtralisé. Dès que M. Saint Laurent est annoncé, les filles se recoiffent ou se remaquillent. Florence a dû s'habituer au rouge à lèvres flamboyant à tout instant, aux bas noirs douze mois sur douze y compris en juillet dans l'autobus surchauffé – douze ans de jambes blanches. Un jour, une fille est sortie du studio à reculons parce que son collant était troué. Lorsqu'elle a attendu un bébé, Florence a reçu son uniforme de femme enceinte, des tuniques-maison qui avaient été taillées pour Loulou. On ne rigole pas avec le *dress code*, avenue Marceau. Si Paule Monory adopte les blouses de crêpe blanc, M. Saint Laurent lui fait savoir que c'est trop… Chanel. Chez lui, c'est un sweater qu'on glisse dans une jupe noire, pas un chemisier. Au fond, chacun est, comme lui, prisonnier des codes Saint Laurent. Le studio est une bulle imaginaire où se meuvent des femmes impeccables, qui ne boivent pas de Coca et ne grignotent aucun biscuit, qui retiennent leur souffle tandis que le maître, à sa table, feuillette *Gala*.

Pendant ce temps, la mode file un drôle de coton. La création de grands groupes de luxe est la nouveauté des années quatre-vingt-dix. Financier génial, Bernard Arnault a inventé un nouvel espace financier, le luxe. Il mise sur des créateurs qui jouent la carte de la performance, des champions de la représentation médiatique. La star planétaire, c'est Karl Lagerfeld, chez Chanel, l'as peau de vache du badinage mitraillette. Performer brillant, il s'est fabriqué un personnage de gourou *fashion* qui colle au nouvel esprit de l'époque dominé par l'image. La recherche de création vestimentaire n'est plus une priorité. Médiatique, le mot n'existait pas lorsqu'Yves a démarré. Givenchy et Balenciaga, les deux couturiers à la mode quand Dior est mort, détestaient la presse. Craignant d'être copiés, ils interdisaient l'accès de leurs défilés aux journalistes. Balenciaga n'a pas accordé une interview de sa vie.

En matière de médias, Saint Laurent a été un maître. Mais ça ne l'a pas dispensé d'être un bon couturier, ni de se rendre malade pour ça. On peut, comme certains, penser qu'il n'est qu'un égocentrique. Toutefois, tant que sa santé le lui a permis, il a été si attentif aux femmes qu'il anticipait leurs désirs et comblait leurs besoins. L'attention à l'autre, c'est la définition de l'amour. Ses vêtements, ses défilés sont des preuves d'amour.

Mme Colette, la première de l'atelier *flou*, vient de frapper à la porte, accompagnée du mannequin-cabine. Tandis que la seconde et l'ouvrière se tiennent respectueusement sur le seuil, le mannequin, robe de tulle marron piqué d'une grosse fleur violette, défile sans bruit. Lorsque le silence s'étire, c'est terrible. Que pense M. Saint Laurent ? Parfois, on lit la consternation dans son regard. Mais ce matin, M. Saint Laurent se lève, applaudit, embrasse Colette : « Je vous ai demandé un saucisson, vous m'avez fait un chef-d'œuvre. » Mme Colette fond. Il lui remet la Légion d'honneur. Travailler avec M. Saint Laurent, c'est l'aboutissement de la carrière de la première, qui à quatorze ans était apprentie chez Mademoiselle Chanel. Elle aime la gentillesse, la courtoisie du couturier. Lorsqu'il a accueilli Colette dans la maison, il l'a présentée à une de ses collaboratrices avec cette recommandation : « Je vous confie Colette, j'y tiens comme à la prunelle de mes yeux. »

Mais le plus important, à la prunelle de ses yeux, c'est le privilège qu'il lui octroie : la liberté. La liberté d'interpréter les modèles. Lors de sa première collection, Colette avait choisi un dessin, une chose longue qu'elle avait prise pour un *jump-suit*. M. Saint Laurent fut drôlement surpris de voir surgir non le long manteau qu'il avait imaginé, mais une combinaison-pantalon. Nouvelle dans la maison, Colette ne savait pas encore décoder ses croquis. La toile lui plut et fut retenue pour le défilé : au lieu d'un lainage marron, elle fut taillée dans un satin rouge. Une fois, M. Saint Laurent a confié le même dessin à Colette et à Georgette, premières de deux ateliers différents. Chacune en a donné une interprétation, il aimait les deux, les deux modèles ont défilé. Leur ingéniosité technique exalte son talent artistique. Pour un artisan amoureux de son métier, ces occasions mémorables l'encouragent à donner toujours davantage. Colette n'a pas connu les années les plus créatives. Lorsqu'elle est arrivée, M. Saint Laurent retravaillait déjà ses classiques. Comme Elvis à Las Vegas, il n'interprète plus que ses tubes. À Colette, il offre l'occasion de solos virtuoses. Elle travaille au chic, comme elle le sent.

Au studio, il y a des moments de douce rigolade, comme le matin où M. Saint Laurent est arrivé en leur recommandant le Lyxansia. En matière de drogues, il teste toutes les nouveautés. « Vous savez, ce nouveau produit, le Lyxansia, ça vous met vraiment dans un état étonnant. Vous devriez essayer. » Anne-Marie a pâli sous la poudre ivoire et attendu que le chauffeur vienne chercher M. Saint Laurent à l'heure du déjeuner pour réunir le studio et enjoindre à tous et à toutes de ne jamais suivre ce funeste conseil.

Florence s'occupe des accessoires avec Loulou, qui elle aussi a connu son père. Si le couturier doute, Anne-Marie et Loulou l'aident à trancher et à décider. Dans le trio, chacun connaît sa partie. Ensemble, elles offrent des cadeaux à M. Saint Laurent. Des croix, des cœurs en cristal ou en corail qu'elles font réaliser chez Gossens. Un imperméable Burberry's, un cachemire, c'est facile de lui faire plaisir. Yves n'est pas tendre, mais il a des tendresses pour elles. Avec Pierre, c'est plus difficile, elles se disent qu'il a tout et qu'en plus il n'est pas sentimental.

Florence attrape un gâteau en douce. À la cantine, au troisième étage, les menus sont austères, aussi cache-t-elle des paquets dans son tiroir. Manger au studio est interdit. Marie-Thérèse Herzog, qui s'occupe des sacs et des broderies, fait la même chose. Moujik les a trahies, aussi parfois M. Saint Laurent leur en chipe-t-il. Lui, il arrive avec de grandes boîtes de chocolats Fouquet ou des ballotins de truffes offerts par les fournisseurs, soit-disant. Toujours dans l'excès, il s'en tape la moitié. Il en offre au chien, exige que tout le monde en prenne, comme le Lyxansia. Le reste du temps, il est à la diète. À l'époque du régime « pommes », il en mangeait vingt par jour. S'il faut cacher les bouteilles de Coca (sauf celle du patron) et même les bouteilles d'eau, il est permis de fumer grâce à M. Saint Laurent, qui grille trois paquets de Peter Stuyvesant Menthol par jour. L'après-midi, parfois, il se repose dans son bureau. Il a une petite salle de bain particulière, qu'il est seul à utiliser. Il y vérifie régulièrement son brushing.

« Malgré son angoisse et son mal-être, il y avait un vrai plaisir à travailler ensemble », dit Florence Touzain.

Une fois, elle l'a vu sans pantalon. Les deux assistants de M. Caraceni, son tailleur milanais, avaient besoin d'une traductrice. Au milieu du studio d'essayage, elle a découvert son patron en caleçon Charvet. Elle dut, sous sa férule, expliquer leur métier aux deux Italiens ébahis.

Un monde d'images[271]

Il pleure dans mon cœur
Comme il pleut sur la ville ;
Quelle est cette langueur
Qui pénètre mon cœur ?

Dans le dressing, Yves attrape un pyjama. Chaque tiroir propose un type de vêtement : les chemises d'été ou d'hiver, à grands ou à petits carreaux, blanches ou à rayures, polos Ralph Lauren, caleçons Charvet, pulls en cachemire, chaussettes d'été, chaussettes d'hiver. Les pyjamas, commandés chez Charvet par douzaine, sont en coton égyptien blanc marqué à son chiffre, un minuscule y.s.l.

En dînant silencieusement dans la salle à manger, tout à l'heure, Yves a observé Adil[272] à la dérobée dans le miroir où scintillaient les cristaux du lustre. Le beau type brun, recruté par Pierre à Tanger, où il était barman, semblait un motif exotique sorti de la tapisserie des Gobelins. Yves s'assoit toujours au milieu de la grande table de marbre, face au miroir, pour profiter des objets qui s'y reflètent. De là, le couturier embrasse tout le décor d'un seul coup d'œil. Le lustre en cristal qui scintille dans la lumière, la tapisserie derrière lui, les œuvres de part et d'autre du miroir. Et Adil qui se gratte le nez. D'ailleurs, il lui a demandé de changer l'ampoule d'un candélabre. En somme, il regarde son serviteur le regarder manger. Mais c'est dans sa chambre qu'il passe le plus de temps.

Dans la salle de bain entièrement tapissée de miroirs, plafond compris, Yves examine soigneusement ses cheveux, vérifie la teinte des racines et brosse l'excès de laque. Grâce aux miroirs, il a une vue panoramique sur son crâne. Son dos le fait souffrir. Le médecin a proposé d'envoyer un masseur, mais il n'aime pas qu'on le touche. Yves ne dormira pas tant que le chien ne sera pas rentré. Moujik est parti se promener avec Adil. En l'attendant, il va regarder un film. Il inspecte la chambre éclairée avec douceur. La présence des objets le rassure. Comme un enfant arrange ses doudous autour de son oreiller, il vérifie que tout est en place. À gauche de la tête de lit, mêlées aux crucifix précieux, les photos de son père, d'Albert et de Bernard, les deux maîtres d'hôtels. Bernard est mort chez Yves, laissant un Albert veuf, puis c'est Albert qui a disparu. Sur le bureau, à côté d'un précieux nécessaire en argent et galuchat, la photo d'Anne-Marie et, sous son agenda, celle de Betty. Tout à l'heure, comme chaque soir depuis des années, il a téléphoné à l'une puis à l'autre. Il a toujours beaucoup de choses à raconter. Il peut être plus tendre si ses amies traversent une passe difficile, mais il est beaucoup plus malheureux que tout le monde. Il se plaint beaucoup. « J'ai le cafard », a-t-il dit. L'avantage, avec la souffrance, c'est qu'il n'est jamais responsable de ses fautes.

Voisinant avec la photo de Christian Dior, des instantanés des prédécesseurs de Moujik III et de Ficelle, le chien de Pierre – mais aucune photo de Pierre. À main droite sur un tabouret, une pile de photographies de Lucienne, dans des cadres dépareillés. Sa photo favorite n'est pas à sa place. Celle qui le représente enfant avec sa mère à Oran. Il la trouve dans la pile et la pose sur le dessus. Parfois, Adil se trompe en les époussetant. Il y a tant d'objets, rue de Babylone.

Le père, la mère, les sœurs adoptives et les chiens disparus, telles sont les présences qui l'accompagnent. Près de la tête, la famille de cœur.

Les grands ancêtres campent en périphérie. Au pied du lit, un volume de *L'Allure de Chanel*, la biographie de Paul Morand. Chanel, la mère spirituelle. Dans la bibliothèque en forme de pyramide, des livres des cousins et cousines de cœur, Françoise Sagan, Jean-Claude Brialy, pied-noir comme lui. Au-dessus des photos de sa mère, une image de la Callas. La tante imaginaire. La Callas a intériorisé une douleur qu'elle offre, comme lui la restitue sous forme de robes.

De toutes les pièces d'une maison, la chambre est la plus intime, la plus secrète. Elle est le refuge, le berceau, l'abri, elle invoque la protection des puissances tutélaires, réunit les livres ou les objets les plus personnels, les souvenirs, les amulettes, les photos de famille. Dans celle d'Yves, deux grands crucifix, l'un d'ivoire, l'autre de corail, surmontent le lit, chacun agrémenté d'un rameau de buis rapporté de Saint-François-Xavier, l'église de son quartier où chaque dimanche il va prier la Vierge Marie. Yves est superstitieux. Le dix et l'as de trèfle sont de bons signes. L'as de pique porte malheur, comme les chats noirs ou les oiseaux. « Si vous voulez me tuer, enfermez-moi dans une chambre avec un corbeau[273]. »

Un fourmillement de croix délicates transforme la table de chevet en oratoire d'argent et de cristal. Une accumulation extraordinaire, une pensée magique, la religion de la relique, le côté crâne de Saint Yves exposé dans une chasse à Tréguier.

Sur une table où les objets scintillent, Yves attrape une boîte de Line Vautrin et souffle sur le couvercle. Une fine poussière s'élève des mots de Verlaine sur le couvercle.

> Il pleure sans raison
> Dans ce cœur qui s'écœure.
> Quoi ! nulle trahison ?...
> Ce deuil est sans raison.

Un message mélancolique abandonné au milieu des objets sur la table favorite. À l'exception du pilulier, tous les objets rassemblés proviennent de la boutique des frères Kugel. Un jour, Yves leur a apporté la photo de Marie-Laure par Maywald, celle où elle est appuyée contre une table couverte d'orfèvrerie. Il leur a demandé de la reconstituer. Un à un, ils ont réuni les tabatières en or, en lapis-lazuli à décor de feuillage, en agate rouge aux bordures gravées d'arabesques, en nacre gravée de rosaces ou bien serties de diamants en motif rocaille, le cerf en vermeil, le lion dressé et bien d'autres trésors. Un jour de défilé, Nicolas Kugel a vu surgir dans son magasin, situé alors près de l'hôtel Intercontinental, un Yves hors de lui. Rien ne se passait comme il le voulait, le défilé serait une catastrophe. Yves venait se réfugier au milieu des antiquités admirables que cet antiquaire et son frère savent rassembler. Il repartit deux heures plus tard, rasséréné, un nouvel objet dans chaque poche. Pierre finit par protester : « Ça coûte beaucoup d'argent, tout de même. Tu sais, on ne va pas chez Kugel comme à Prisunic[274] ! »

Tout cet argent pour rien ! Résidant dans une vie de rêve, celle qu'il imagine aux Rothschild, aux Noailles, ses grands-parents imaginaires, Yves n'habite pas sa propre vie, mais un monde d'images dépourvu de substance. La réalité compte si peu que, lorsqu'un de ses bouledogues meurt, il baptise le suivant du même nom, Moujik. À ses yeux, cela reste le même chien. Son beau-frère Gérard a d'ailleurs réalisé un désopilant photomontage d'Yves avec tous ses chiens, les vivants et les morts. Comment sortir d'une chimère lorsqu'on est affreusement riche ? Miné par un déclin physique prématuré, de plus en plus malheureux, Yves a abandonné depuis longtemps l'organisation de son existence à Pierre, et donc sa liberté. « Il ne sait pas vivre[275] », dit Loulou.

À part promener son chien, il ne sait pas faire grand-chose de normal, pas même se bouillir un œuf. « À sa naissance, de nombreux anges se sont penchés sur son berceau, a dit Fernando Sanchez. Il en manquait un : celui de l'art de vivre. Prendre du bon temps, jouir de l'existence, Yves en est incapable. »

Il attrape une boîte de chocolats soustraite à la vigilance de Pierre. Faire pénétrer avenue Marceau ou rue de Babylone des confiseries est plus difficile qu'une barrette de shit à Fleury-Mérogis. Toute une affaire pour s'approvisionner. Yves a sa stratégie. Qu'il choisisse ou envoie le chauffeur dans la boutique Fouquet de la rue François-Ier, il raconte aux vendeuses que l'assortiment est destiné à être offert. Souvent, il choisit la boîte la plus grosse et la rapporte au studio en prétendant avoir reçu un cadeau. Il avale des truffes en regardant la photo de Zidane, découpée dans *Match*. Il est fou de Zidane. En vacances à Tanger, il n'a emporté qu'un livre : la biographie du footballeur[276].

Les tentures ont été tirées sur le paysage de la fenêtre, cachant les feuillages noirs qui frôlent les vitres.

> Ô bruit doux de la pluie
> Par terre et sur les toits !
> Pour un cœur qui s'ennuie,
> Ô le chant de la pluie !

En attendant le retour de Moujik, Yves choisit un film dans le pêle-mêle de DVD, sous le téléviseur grand écran. Un Gaby Morlaix ? Une petite salope, peut-être, mais une si grande actrice. Ou un film d'Edwige Feuillère, *L'Aigle à deux têtes. La Duchesse de Langeais.* Ou encore *Les Visiteurs du soir*, *Les Enfants du paradis.* « C'est un homme qui vit entièrement dans le passé. Présent et futur ne concernent que son travail. Il ne va jamais au cinéma, ne regarde jamais la télévision, tout ce qu'il fait, c'est voir et revoir toujours les mêmes films à la maison : *Les Damnés* de Visconti pour la quinzième fois, ou Maria Casarès dans *Les Dames du bois de Boulogne* », a raconté Pierre à un journaliste.

Pierre ne comprend pas grand-chose à la mode, ni au cinéma, d'ailleurs. Tous les amoureux de mode connaissent chaque plan des *Dames du bois de Boulogne*, à cause des costumes d'Elsa Schiaparelli et de Mme Grès. Un hiver, sans doute celui de 1992, Yves leur a rendu hommage dans un défilé. Il se souvient, au final, du mannequin blond et émouvant apparu dans une robe de velours noir doublée de tulle, Karen, Karen Mulder qu'il coiffait comme Veronica Lake. Ce qu'il préfère, ce sont les films noirs des années quarante, dont la guerre a rendu les scénarios plus noirs et plus troubles. Les personnages dépourvus de scrupules, garces parcourant des rues désertes sur de hauts talons ou détectives ambigus, les jeux d'ombres et de lumières expressionnistes. Et puis il prend plaisir à revoir les costumes d'Edith Head ou de Jean Louis. *Assurance sur la mort*, voilà ce qu'il va regarder. Il connaît les premières images par cœur. Les rues d'une ville, la nuit, trempées dans un noir d'encre. Après avoir ramené le chien, Adil est rentré dans le logement réservé au personnel.

Tandis que Moujik grimpe sur le lit et s'installe du côté gauche, Yves referme la boîte. Depuis qu'un des chiens est mort de diabète, il évite de partager les sucreries. Il s'endort sur les images de Barbara Stanwyck, qui défilent dans l'obscurité.

> C'est bien la pire peine
> De ne savoir pourquoi
> Sans amour et sans haine
> Mon cœur a tant de peine !

Un play-boy tout neuf

Sur le trottoir luisant, le trafic des limousines déverse une cargaison cosmopolite de gens de mode, qui s'agrègent le long des barrières de sécurité. Malgré la pluie, l'atmosphère est électrique : le vendredi 13 octobre 2000, on vient voir le premier défilé Saint Laurent sans Yves mais avec Tom Ford. Le carton d'invitation au musée Rodin, une plaque de rhodoïd noir dans une gaine de carton, ressemble à un faire-part conçu par une veuve excentrique. La pluie laque le gravier noir dont la cour d'honneur a été couverte. Pareil à un trait d'encre, un long tapis est bordé d'une phalange de jeunes gens fraîchement clonés qu'abritent des parapluies ruisselants. Devant une boîte de toile d'un noir étouffé de crêpe, Domenico de Sole, le patron de Gucci Group, qui a pris le contrôle d'YSL au printemps, ressemble à un présentateur commentant des funérailles nationales. Sous la tente, dans une lumière mauve, les invités s'arsouillent au champagne et à l'encens. Le gabarit des plateaux où s'entrechoquent flûtes et gobelets de jus, le format des gerbes de lys à l'arôme entêtant, tout semble surdimensionné, calculé à l'excès pour impressionner.

Les traditionnelles chaises de défilé ont fait place à des canapés tendus de satin noir très film X. En jupe fendue et bustier de cuir sur des jambes nues malgré la saison, une amazone de Gucci Amérique attend les invités du premier rang d'un pied cambré dans une sandale bondage.

En face, François Pinault et Charlotte Rampling disparaissent sous l'éclat des flashs. Un peu éméchés, les invités regagnent leur place numérotée. De minuscules scandales éclatent çà et là. Entourée d'un commando de vigiles agitant leurs talkies-walkies, une Japonaise refuse une déportation.

Backstage, visage lisse et bronzé émergeant d'une chemise au blanc éclatant, Tom Ford semble droit sorti de la cabine de gommage du Ritz Health Club. Acteur accompli, il mime pour les caméras les derniers gestes avant le défilé, pieds nus dans des mocassins italiens.

Le designer texan sait que la presse va l'éreinter. Il s'en fiche. Jamais il n'a rêvé de devenir styliste. Tom Ford désire être riche et célèbre. Et il est sur la bonne voie. Telle la star indispensable au montage financier d'une production hollywoodienne, il est le directeur artistique le mieux rémunéré au monde. Son niveau de stock-options dépasse celui de Domenico de Sole.

À dix-huit ans, le beau Tom Ford s'est inscrit dans une école de théâtre, à New York, pour devenir une star de cinéma. Il n'a décroché que des pubs. Après six années d'insuccès, il s'est recyclé à la Parson's School of Design en section graphique. Comme toutes les écoles américaines, elle l'a armé. En plus de certaines normes de goût, elle lui a appris à s'exprimer en public et lui a donné de l'assurance. À l'inverse, Yves a toujours douté cruellement. C'est en même temps sa force.

En 1990, Ford est entré chez Gucci, une maison italienne décatie et, en une décennie, s'y est fait une place, la première. Le photographe Mario Testino et sa styliste, Carine Roitfeld, l'ont aidé à élaborer pour Gucci une nouvelle image porno-chic, moderne et dure. La marque a dupliqué habilement un vestiaire des années soixante-dix piqué à Halston ou… à Yves Saint Laurent. Comme disait Mlle Bertin, l'habilleuse de Marie-Antoinette, « il n'y a de nouveau que ce qui est oublié ». La griffe Gucci, héritière directe du *revival* initié par Saint Laurent en 1971, remporte un vif succès. Chaque soir, Ford consulte les ventes du jour des boutiques Gucci de New York, Londres et Tokyo. Elles croissent en moyenne de huit pour cent par an. Dans les interviews, il affirme qu'il arrêtera bientôt la mode pour diriger des films. En attendant, il filme les campagnes publicitaires du groupe. Tom Ford ne fait pas de vêtements, il produit du divertissement. Symbole des années deux mille, matérialiste et sans état d'âme, il se construit un patronyme *bankable*.

Avec Domenico de Sole, il vient de prendre le contrôle de Saint Laurent Rive Gauche. Un duo conquérant, héritier du tandem Saint Laurent-Bergé, mais gonflé aux stéroïdes. Encore plus de fric, encore plus de sexe, encore plus d'efficacité, encore plus de pouvoir. « Yves Saint Laurent et Pierre Bergé sont des modèles pour moi », a d'ailleurs déclaré Tom Ford. En amour aussi puisque Ford forme un couple depuis quinze ans avec son éminence grise et pygmalion, le journaliste de mode Richard Buckley, homme agréable et élégant de treize ans son aîné. Leur terrier, John, dort dans un panier Gucci.

Le bel Américain photogénique réalise d'importants scores médiatiques. Il sait construire les silhouettes graphiques qui plaisent aux directeurs artistiques des journaux. Chouchou de la presse américaine, il importe chez YSL un rigoureux *business model.* Positionnement de la griffe, maîtrise totale de l'image, de la création, de la production et de la distribution. Contrôler totalement l'image, Tom Ford n'y parviendra jamais. Bergé et Saint Laurent sont trop remuants et lui-même a trop de charisme pour se fondre dans leur paysage. Mais il incarne jeunesse et excitation, alors qu'Yves Saint Laurent représente passé et assoupissement.

Au premier rang, la présence de Loulou, Anne-Marie, Betty et Pierre Bergé souligne l'absence d'Yves. Officiellement, il est à Marrakech. En réalité, il attend rue de Babylone le compte rendu de Pierre[277]. *The show is about to start*… En hommage à Betty Catroux, les mannequins sont coiffés comme elle. La collection est intégralement noire. Un noir éteint de négatif photo. De hâves girafons issus de la même souche génétique flottent sur le podium, nippés de frusques funèbres. Pas un accessoire, un bijou, un petit sac à main, une plume. Une seule paire de chaussures. Pousses de soja sur un germoir, les filles vêtues par Tom Ford avancent l'air absent, étrangères à elles-mêmes. Pourquoi noir ? La couleur de Saint Laurent, c'est ébène. Ou marron glacé, comme ses premières collections. Noir, c'est le morne triomphe de la logistique et du marketing. Un formatage pour zones *duty free*. Et la mort, non pas d'Yves Saint Laurent, mais d'un certain raffinement. À peine quinze minutes plus tard, c'est terminé. Tom Ford vient saluer. Par coquetterie, le sex symbol gay freine au milieu du podium et rebrousse chemin sans un sourire, très homme fatal. Un acteur interprétant le rôle du créateur de mode.

« Yves et son associé, Pierre Bergé, étaient si difficiles et si diaboliques, qu'ils ont fait de ma vie un enfer… Je n'ai jamais raconté cela avant, mais ça a été pour moi une période horrible. J'ai des lettres d'Yves Saint Laurent qui sont si méchantes, vous ne pouvez même pas croire qu'un tel vitriol soit possible. Je pense simplement qu'il était jaloux. Yves et moi étions amis avant, mais quand la société a commencé à avoir du succès, il est devenu incroyablement jaloux… Pierre et Yves étaient simplement diaboliques[278] », dit Tom Ford.

Une chose est sûre, face à Tom Ford, Yves Saint Laurent se comporte en enfant gâté et multiplie les vexations. « Tom Ford m'a tué », gémit-il. En janvier, alors que la veille il a refusé d'assister au défilé du Texan, il se fait ostensiblement photographier à celui d'Hedi Slimane pour Dior Hommes, marque du groupe LVMH, concurrent de celui de François Pinault. Dur à l'égard d'un homme qui vient de signer à Pierre Bergé et Saint Laurent un chèque de soixante-huit millions et huit cent mille euros. En 1999, Pierre Bergé a réussi à vendre la maison Saint Laurent… pour la troisième fois en cédant la propriété intellectuelle de la marque. Sans ce bonus, le Gucci Group, dont PPR, le groupe de François Pinault, est actionnaire, ne pouvait conclure d'accord avec Sanofi. La maison a été rachetée pour six milliards de francs (près d'un milliard d'euros).

Menant double jeu, Alain Minc a bien négocié. Il était à la fois conseiller de François Pinault, administrateur d'Yves Saint Laurent et partenaire secret de Pierre Bergé dans Oléron Participations. La haute couture reste dans Artemis, le holding de Pinault, qui verse au tandem de coquets émoluments et s'engage à financer une fondation destinée à promouvoir la vie et l'œuvre du couturier.

Quarante ans jour pour jour après l'ouverture de la rue Spontini, le 7 janvier 2002, Yves Saint Laurent annonce son départ lors d'une conférence de presse un brin mélodramatique, avenue Marceau.

Noir ou violet ?

« Tout homme pour vivre a besoin de fantômes esthétiques. Je les ai poursuivis, cherchés, traqués. Je suis passé par bien des angoisses, bien des enfers. J'ai connu la peur et la terrible solitude. Les faux amis que sont les tranquillisants et les stupéfiants. La prison de la dépression et celle des maisons de santé. De tout cela je suis sorti un jour, ébloui, mais dégrisé. Marcel Proust m'a appris que la magnifique et lamentable famille des nerveux est le sel de la terre », dit-il.

Si Anne-Marie est au premier rang avec Loulou et Betty, les ouvrières n'ont pas été conviées. Beaucoup sont venues à la maison de couture vêtues de noir ou de violet en signe de deuil. Comme Elie Top dans *Le Monde* du week-end, elles ont appris la nouvelle par les médias. La semaine précédente, rien n'avait filtré, pas même au studio. Rien dans le comportement de M. Saint Laurent n'annonçait un changement imminent. Il buvait des litres d'eau, comme d'habitude. En l'observant, Elie Top imaginait ce que Saint Lolo devait descendre à l'époque où il buvait.

Quand ils étaient seuls avec lui dans le studio, c'était la franche rigolade. Toujours plein d'esprit, il a fait une vanne sur une de ses collaboratrices. « L'été ne lui va plus », a-t-il remarqué, alors qu'elle quittait le studio vêtue d'une blouse à manches courtes. Tout le monde s'est esclaffé.

Il y a eu des moments de grâce pendant les essayages. Avec un ou deux accessoires, M. Saint Laurent peut fabriquer une silhouette extraordinaire. Ou élaborer un total look noir d'une simplicité, d'une évidence admirables. C'était beau de le regarder travailler. Comme la vieille Chanel, s'est dit Elie, il enlève tout. Sur certaines pièces de vêtements, ça tenait de l'épure. Le chic est une algèbre : on le démultiplie en soustrayant. Le couturier a feuilleté *Gala* avec des soupirs, piqué les gâteaux des assistantes, plaisanté avec tous et laissé retomber sa tête d'un air accablé dès que Pierre Bergé ou Anne-Marie Muñoz étaient en vue. Il continuait à exiger l'attention et à manipuler son entourage avec ses humeurs.

Le 22 janvier a été présenté à Beaubourg un grand défilé rétrospectif. Les ateliers ont remis en état les anciens modèles et terminé ceux de l'été 2002. Deux mille personnes ont été invitées. Carla Bruni dans une splendide cape jaune, Lætitia Casta, Naomi Campbell et d'autres ont défilé. Puis on a tout rangé.

La maison comporte encore cent cinquante-huit collaborateurs. Certains travaillent dans la maison depuis plusieurs décennies. Trente ans, pour Nicole Dorier. Ce qu'elle éprouve pour Yves Saint Laurent ressemble à de la passion. Rentrée dans la maison en 1973 comme mannequin, elle est restée, pour devenir responsable des castings de mannequins.

« Il m'habillait en kaki, en bleu marine, en marron : j'ai porté ça toute ma vie. On devenait quelqu'un de Saint Laurent et on le restait. »

Le soir, elle retrouvait ceux avec lesquels elle avait travaillé dans la journée.

« Nous étions ses mères, ses sœurs, ses filles. »

Pas un jour elle ne l'a croisé sans rouge à lèvres.

« Lorsqu'on rencontrait son regard, on avait envie qu'il manifeste l'admiration de la première fois. »

L'histoire s'achève dans la tristesse d'un plan social. L'équipe pense vivre dans une grande famille, mais les familles ne sont pas forcément solidaires, surtout quand l'argent entre en jeu. Elle le découvre avec tant d'étonnement et, parfois, de chagrin, que certains tombent malades. Dans la couture, les gens se donnent pour se rendre compte, à la fin, que leur don ne repose pas sur grand-chose.

Fidèles à leur discipline, les ateliers achèvent les commandes. Cherchant à se débarrasser des salariés à moindres frais, on leur a proposé un repreneur si douteux qu'ils l'ont refusé. L'homme a fini en prison après avoir abusé d'autres ouvrières du textile.

Dix mois plus tard, la maison de couture est fermée. M. Paul, le chauffeur d'Yves Saint Laurent, est congédié. Anne-Marie et M. Jean-Pierre prennent leur retraite. Loulou crée sa propre maison et travaille pour Target, le Monoprix pour bobos américains. Colette ouvre un atelier avec Martine, où s'habillent sur mesure de fidèles clientes. Georgette travaille chez Azzedine Alaïa, authentique grand couturier. Une douzaine d'ouvrières ont rejoint Jean-Paul Gaultier, avant d'être licenciées. Elie Top a retrouvé Albert Elbaz et signe des accessoires pour Lanvin et Roger Vivier. Ses beaux bijoux surdimensionnés ont beaucoup de succès. Nicole Dorier vit au pied du mont Ventoux, sans rouge à lèvres.

Les choses merveilleuses

Après leur départ, Yves Saint Laurent a continué à venir chaque jour au studio. Seul au milieu des rouleaux de tissus, il laissait le temps s'écouler. Il dînait parfois chez Gerald Nanty avec Philippe Munier, son homme de compagnie. Le week-end, Pierre l'emmenait prendre le thé à la Closerie, ils commandaient des gâteaux et de la glace, Yves gâtait son chien Moujik[279]. Le styliste Kenzo Takada l'a croisé à Tanger. Il paraissait si seul que, chaque soir, le décorateur Alberto Pinto le conviait à dîner[280]. Une photographie montre les deux figures des années soixante-dix chez Pinto. Kenzo, en chemise turquoise décolletée sur une peau bronzée paraît détendu, épanoui. Yves, en veste framboise, ressemble à une retraitée en goguette. Jean-Luce Huré, qui pendant quarante ans a photographié la mode pour *The New York Times*, lui a rendu visite avenue Marceau. De tous les couturiers, Jean-Luce a toujours trouvé Yves le plus adorable. « Te souviens-tu des choses merveilleuses qu'on a faites ensemble ? », lui a demandé Saint Laurent. Huré a été touché par cette association disproportionnée avec lui, un photographe qui n'a jamais eu le sentiment de faire des *choses merveilleuses*. Yves, lui, était conscient de ce qu'il devait aux autres.

Puis le couturier est tombé malade. Les troubles neurologiques se sont aggravés et il a fait une pneumopathie compliquée. Environ un an et demi avant son décès, une IRM a détecté un glioblastome, tumeur très agressive du cerveau qui, en l'absence de traitement, tue en moins de six mois. Yves en a vécu dix-huit, ignorant tout de son mal. Deux médecins et un infirmier veillaient sur lui.

Chaque jour, Pierre Bergé lui a rendu visite. En septembre 2007, les deux hommes se sont pacsés. Acte d'amour *in extremis* ou optimisation fiscale ? Près de la moitié de la fortune d'Yves Saint Laurent et de sa collection seraient revenues au Trésor public.

Le 10 décembre, lorsque Brigitte Mathieu Saint Laurent a déjeuné avec son frère pour la dernière fois, il s'était fait beau dans un polo noir Ralph Lauren. Elle-même s'était préparée pour lui plaire. Ils ont déjeuné en tête à tête dans la salle à manger. Fait rare, ni Philippe Munier, ni Lucienne n'étaient présents. Brigitte ignorait la maladie de son frère. Durant tout le déjeuner, ils ont évoqué l'Algérie et leur père. Lucienne n'a pas revu son fils. À quatre-vingt-quatorze ans, le cérémonial requis pour paraître avec éclat devant lui outrepassait ses forces. Demande d'audience, grande toilette conforme à l'étiquette, bijoux, coiffeur. Les dernières semaines, on posait le téléphone sur l'oreiller d'Yves pour qu'il entende la voix de sa mère.

Le 17 mai 2008, Brigitte a appris que son frère était condamné. Yves Saint Laurent est mort le 1er juin 2008, à 23 heures, dans son lit en galuchat. Il n'a pas souffert. Adil a ôté les montures d'écaille, et les a posées sur le bureau, très délicatement, à côté de la belle photo d'Anne-Marie Muñoz. Elle était là, ce 1er juin, avec son mari, Betty et Pierre.

À Brigitte, la dernière fois, Yves a dit qu'il aimerait revoir la petite Simone, son premier amour.

Marrakech express

« L'enterrement de cet homme n'est pas le sien. Il est mort solitaire, totalement méconnu[281] », dit Serge Lutens. Alors qu'à Marrakech, des *happy few* dispersent les cendres d'Yves Saint Laurent dans les jardins Majorelle, dans un autre jardin à Paris, Lutens présente ses nouveautés. Chaque printemps, un même cérémonial se déroule dans un dispositif de prestidigitation entièrement tatoué de chimères, les salons du Palais-Royal. Serge Lutens offre de nouvelles fragrances. Des djinns surgissent des flacons, on aime ou on n'aime pas, mais c'est toujours délicat, inédit, déroutant. Posé sur un petit siège tel une poupée Peynet, Serge Lutens reçoit sagement les éloges gourmés. La raie de côté bien peignée, il tient ses hôtes à distance derrière de petites lunettes rondes à monture d'écaille. Il se surveille et s'ennuie. Oiseau rare, Lutens a réussi à interdire sa principauté aux mercenaires du marketing. « On me dit qu'il faut faire des choses pour la consommatrice. Je n'ai jamais réussi à définir ce machin. Si elle existait, la consommatrice, je me tuerais. » Il n'en fait qu'à sa tête ou qu'à son nez. « La raison n'est pas ma raison, ni ma maison », dit-il. Un grand patron japonais, M. Fukuhara l'a choisi, imposé et protégé il y a bien longtemps. Il lui a donné les moyens d'une parfumerie d'auteur. Serge en use et en abuse.

Sous les frondaisons au feuillage tendre, des tables sont dressées. Flûtes embuées et violettes en sucre. Célébrant le parfum autant que la saison, deux femmes jouent à se souvenir en croquant des cerises en forme de cœur. *Calèche* (1961), *Eau Sauvage* (1966), *Opium* (1977), *Eternity* (1988), *Féminité du bois* (1992).

« Vous dire que nous étions amis, non. Je veux bien vous en parler, toutefois. Il appartient à un temps et à un monde auxquels je suis lié. »

Saint Laurent est de cinq années l'aîné de Lutens. Les deux hommes ont travaillé chez Christian Dior. À Marrakech où il édifie une extravagante folie, Serge rencontrait Yves chez Tami Tazi, la créatrice de caftans. Chacun a laissé son empreinte olfactive sur une époque. Saint Laurent avec *Opium* dans les années soixante-dix, Lutens avec *Féminité du bois* vingt ans après. À force de creuser des chemins de traverse, Serge a tracé de nouvelles routes olfactives. Son *Féminité du bois*, chaud et glacé, a généré une kyrielle de copies. Le *Dolce Vita* de Dior, par exemple. Les plus poétiques des parfumeurs, Jean-Claude Ellena ou Olivia Giacometti, citent *Féminité du bois* comme un grand classique du parfum qui les a marqués.

« Le charme d'Yves Saint Laurent… Même dans le visage empâté de la fin, le sourire d'enfant gourmand, méchant et drôle était intact. Oui, il pouvait être méchant. Cela ne semblait jamais grave, parce qu'au fond, il n'était pas coupable. » Un casier vierge, jusqu'à la fin.

Pierre Bergé a affrété un avion pour Marrakech et embarqué des invités triés sur le volet.

« Triés sur le volé », corrige Serge, en souriant.

Des gens de la maison Saint Laurent, mais aussi l'ex-ministre de la Culture Jack Lang, la présentatrice Claire Chazal, Madison Cox ou Pierre Thoretton. Plutôt que les intimes d'Yves Saint Laurent, des proches de Pierre Bergé.

« Même sa mort, on la lui a subtilisée : les vrais amis n'y étaient pas. »

Dans la cour où Bergé l'avait rassemblé, le petit groupe s'est trouvé nez à nez avec l'urne contenant les restes d'Yves Saint Laurent. À l'aide d'une cuillère en bois, chaque invité a dispersé les cendres dans les jardins Majorelle.

Outre leur passion pour Marrakech, Yves et Serge partagent un destin béni par l'univers du luxe, et maudit par la même chose. « En réussissant, il ratait. Sa révolte se transformait en réussite, ce qui est la pire chose qui puisse arriver à une révolte. Un triomphe mortel, qui l'a paralysé en lui-même. »

Un peu comme Serge Lutens, au fond, qui construit à Marrakech une étrange forteresse. Sculpté et carrelé de zelliges, un labyrinthe sombre, magnifique, impraticable. Pareille à un grand roman étouffé de digressions qui ne sera jamais publié.

Lutens y passe les après-midi dans la pénombre d'un salon orné de toiles de Majorelle. Il surveille l'entretien, il bouquine. Le soir, son chauffeur le reconduit dans une autre maison, une suite au milieu d'un grand jardin, dans la palmeraie, où il regarde des films des années trente.

La vente du siècle

> « Lorsque nous avons monté notre maison de couture, j'ai tout contrôlé. Je veux contrôler tout jusqu'à la fin. »
> Pierre Bergé, *Challenges*, 20 février 2009

Yves Saint Laurent a eu une grande influence sur ses contemporains, autant par son talent que par sa légende. Le talent, c'était lui. La légende, Pierre Bergé. Il a été l'auteur, l'acteur et le metteur en scène de la mythologie du grand couturier. L'aboyeur, aussi. Dix ans de règne, vingt ans d'agonie pendant lesquels Bergé a parfois surjoué son personnage. Dans son grand bureau sombre, un Yves pensif peint par Warhol domine la table de travail art déco au pied cerclé de métal, semblable à la volonté de Bergé. Vêtu d'un costume aux teintes amorties et d'une chemise épinard, selon l'idée qu'il se fait du chic anglais, Pierre Bergé frotte ses mains l'une contre l'autre. Il rentre de Marrakech, où avec l'aide de Madison Cox, il embellit les jardins de la villa Majorelle. « Des jardins ad-mi-ra-bles », dit-il en séparant théâ-tra-le-ment les dentales.

« Yves n'avait pas le goût du bonheur. Moi, j'aime la vie. »

Pierre Vital Georges Bergé possède une vitalité hors norme. Ses proches vantent ses dons de conteur. À Thadée Klossowski, qui le connaît depuis quarante ans, il racontait les années cinquante. À la cour de jeunots qui l'escorte aujourd'hui, il narre les années Mitterrand. Il a seriné le mot « génie » en parlant de Saint Laurent, et tout le monde a fini par le croire, y compris l'intéressé. À la fin, Saint Laurent parlait de lui-même à la troisième personne. Bergé et Saint Laurent, c'est Peter Ustinov et Lola Montès. Pourtant, Bergé n'était pas dupe.

« Le grand drame de la mode, c'est qu'elle n'est pas un art mais qu'il faut un artiste pour la faire. »

Paradoxal Bergé, capable de dire une chose et son contraire. Les yeux mi-clos, il revisite l'envers du décor.

« Nous n'habitions plus ensemble depuis longtemps, mais nous nous appelions sans cesse. »

En vieillissant, il ressemble à un sénateur romain.

« Je lui consacrais mes week-ends. J'avais un vrai besoin d'Yves, je ne pouvais pas m'en détacher. C'est peut-être névrotique... Je n'ai pas de difficultés à l'accepter... Je ne ferai croire à personne que nous avions des discussions passionnantes, mais c'était une présence... Même si elle m'empêchait de... » De quoi, au fait ?

De part et d'autre de la cheminée barrée d'un grand sigle YSL, des photos en noir et blanc d'Yves à vingt ans. « Il était comme ça, quand je l'ai rencontré », dit Pierre Bergé. Avec une tête d'enfant sage. « Oh oui, très sage. C'est moi qui l'ai dévergondé. » Bergé approche de la photo de Luc Fourniol. De près, Saint Laurent n'a pas une tête d'enfant sage. Dans la longue figure dont l'ossature se devine à travers la peau, le regard est sournois. « Vous avez raison, il n'était pas si sage. » Pierre Bergé raconte n'importe quoi et s'en amuse. Cet homme catégorique ne manque pas de charme, quand il veut. Il possède un magnétisme sourd, qui enveloppe son interlocuteur et l'anesthésie.

Du passé, Bergé a fait table rase. La maison de Tanger face à la mer, l'appartement d'Yves, rue de Babylone, le manoir normand, les décors désaffectés ont été démantelés. Il conserve seulement le premier objet acheté avec Yves en 1960, le magnifique dieu-oiseau Senoufo, ce symbole de fécondité, qui leur a porté chance.

Avec *la vente du siècle* chez Christie's, Bergé a ajouté un nouveau chapitre à la légende. Comme d'habitude, il s'est mêlé de tout. Le catalogue, les boîtes d'emballage, les visites d'acheteurs rue de Babylone. « Mme Tupperware organisant chez elle des réunions », raille Christophe Girard, devenu adjoint au maire de Paris. Après avoir travaillé ensemble durant vingt ans, les deux hommes se sont brouillés au point que Girard fut interdit d'obsèques. Bergé se fâche lorsqu'on lui déplaît. Pour avoir refusé de disperser les cendres du couturier, Clara Saint qui a peur de l'avion, est en disgrâce.

« Pierre est une mante religieuse. Il tue les gens qu'il aime », dit Girard. Tous les gens très riches ou très célèbres commettent des abus de pouvoir. Pire pour les riches *et* célèbres. Alain Minc reconnaît que Bergé est tout-puissant. « Entier, il exige l'autorité totale quand les gens dépendent de lui, dit-il. Il peut être dur avec les autres, mais est fidèle aux siens ». Et généreux, aussi. De vieux complices comme Philippe Collin ou Charlotte Aillaud partagent ses vacances à Saint-Rémy de Provence.

Séduisante et impérieuse, la combativité de Pierre Bergé ne faiblit pas. Si l'un des hémisphères de l'aigle bicéphale a cessé d'émettre, l'autre est en grande forme. Bergé préside le Sidaction, finance à perte *Têtu, « le magazine des gays et des lesbiennes »*, s'occupe des maisons de Zola et de Cocteau, de SOS Racisme, qu'il parraine, de l'Institut français de la mode, de sa maison de ventes, Pierre Bergé & Associés, de sa galerie d'art bruxelloise, et de Caviar House & Prunier, premier producteur français de caviar, dont il est devenu en 2004 le copropriétaire. Avec un courroux ontologique qui ne désarme pas, il est devenu un professionnel de l'indignation, invention des années Mitterrand qui virent les postures compassionnelles remplacer l'engagement politique.

À quatre-vingts ans, Bergé conserve le besoin de dominer, de s'imposer socialement, d'impressionner. « Il n'a pas cicatrisé les blessures de son adolescence et de son enfance, diagnostique Christophe Girard. C'est un homme qui ne s'aime pas beaucoup et, comme les hommes qui ne s'aiment pas, cela peut le rendre agressif. »

À sa demande, le Conseil d'État a transformé le nom de la fondation Yves Saint Laurent-Pierre Bergé et désormais, son nom passe avant celui d'Yves. Au fil du temps, il a obtenu les mêmes récompenses ou presque que son compagnon. Sur le cartel du tableau de Goya qu'Yves a souhaité (oralement) offrir au Louvre, seul figure son propre nom : « Don de M. Pierre Bergé ». L'Académie française lui a refusé le fauteuil qu'il convoitait. Bergé est condamné à rester entre deux chaises.

Giscardien sous giscard, mitterrandolâtre sous Mitterrand, chiraquien sous Chirac[282], en 2007, il rechange de côté et soutient la socialiste Ségolène Royal, qu'il finance. Quelle est sa position, au juste ? Avec Pierre Bergé, tout est équivoque. « Pierre admirait Mitterrand. Au début, en tout cas : pour la première fois, il voyait le pouvoir de près. Il n'admire pas Ségolène Royal, dit Alain Minc qui conseille Nicolas Sarkozy. Jouer un rôle auprès d'elle l'amuse. Le plaisir d'être là où ça se passe. »

Comme le colonel Parker, manager d'Elvis, Bergé joue les faiseurs de rois. Il change de bord en fonction de pulsions ou d'intérêts. Chaque dimanche, à dix heures, il téléphone à Minc. L'un raconte Ségolène, l'autre Sarkozy.

« Ce que je pense de Nicolas Sarkozy ? Étrangement, du bien. Force m'est de constater qu'il n'est pas très aimé des gens de son camp, ce qui est un bon point pour lui. »

Comme Charlus, le héros de Proust, tour à tour dreyfusard et antisémite, Pierre Bergé est ambivalent. « Si Pierre Bergé n'avait pas été homosexuel, il serait de droite », affirme Christophe Girard. Pierre Bergé est-il homosexuel ? Oui, il aime les messieurs. Mais… Il a été proche de certaines dames.

De son enfance, il n'aime pas parler. « Le passé m'ennuie, les personnes de mon âge m'ennuient, je ne vois que des gens jeunes. » Sa mère est centenaire. Dans une édition spéciale du magazine *Globe*[283], elle lui taillait avec férocité un costume rêche. Bébé ? « Insupportable. » Écolier ? « Infernal. Paresseux. Velléitaire. » Son père était employé d'une perception, sa mère institutrice (et pas commode). « Les élèves sont bruyants mais le plus bruyant est le propre fils de la maîtresse », rapporta un inspecteur d'académie.

« La classe de ma mère ? Un cauchemar… Je devais donner l'exemple… »

Victoire et Pierre, un demi-siècle après

Émergeant d'un cardigan de vison noir aussi doux qu'une houppette, le joli visage dessiné par Gruau fait face à celui du vieux sénateur. Victoire salue Pierre, qui accueille ses hôtes au Grand-Palais pour la visite privée de la collection qui va être dispersée. Après qu'elle a patienté trente minutes dans le froid humide de février, le salut sec que Bergé lui accorde ne risque pas de réchauffer celle qui fut son amie. Du trio qui lança la maison, il y a près de cinquante ans, ils sont les deux survivants. Puis la foule absorbe Victoire, sa peau de jeune fille, son beau port de tête et ses grands yeux maquillés de sombre. D'autres figures de la Saint-Laurentie sont là, Betty Catroux, Charlotte Aillaud, Violetta Sanchez, mais Victoire a été la toute première de cette longue chaîne sans laquelle le nom d'Yves Saint Laurent n'aurait pas cet éclat. Nous aimons personnifier la réussite, mais celle d'une maison de couture est une œuvre collective.

« Regardez bien, tout cela est un peu à vous », dit un visiteur taquin à Colette, l'ancienne première d'Yves Saint Laurent, que cela n'amuse pas. Étaler une telle splendeur aux yeux d'employés qui ont consenti des sacrifices à la fermeture de la maison est une drôle d'idée. Intérieurement, Colette bout. La foule piétine devant les vitrines, s'agglutine devant les tableaux, les femmes s'éventent, « avancez en regardant, avancez », crient les agents de sécurité pour fluidifier les grumeaux.

Il y a des tabatières en veux-tu en voilà, des couverts de voyage en cristal de roche, des brûle-parfums, des coupes en noix de coco et vermeil, des tabourets africains, une foison faramineuse d'orfèvrerie, des camées, des fourchettes à melon et des pelles à asperge, des fragments de têtes de Christ et des crucifix, des aiguières, des pique-cierges, des forêts de bronzes, des ostensoirs, une futaie sexy de dents de narval, un couvercle de sarcophage, un Bouddha, des poignards moghol, le nécessaire en galuchat du roi Léopold III de Belgique et les lampes modernistes du Maharadja d'Indore, des amphores rafistolées, un service à thé de l'Oural et encore et encore bien des choses dont l'usage s'est perdu.

Au milieu de ce bazar splendide, un objet insolite mis en scène sur un podium. Le lit dans lequel le couturier a rendu son dernier souffle, quelques semaines plus tôt. Imprésario jusqu'au bout, Pierre Bergé avait promis de le montrer. Gainé de galuchat compartimenté d'ivoire, reposant sur un socle d'ébène, la pièce trois cent dix de la vente est aussi pathétique que les sanglots de la Callas qui ambiancent l'exposition.

Comme certains collaborateurs, les sœurs d'Yves et sa mère ont refusé de se rendre à la visite privée pour s'épargner le spectacle. D'autres ont le cœur serré.

Si la collection traduit un goût, c'est celui des must : Manet, Degas, Cézanne, Mondrian, Douanier Rousseau, Braque,

Fautrier, Picasso, Matisse, Chirico, Paul Klee, Léger, un mobile de Calder, une sculpture de Brancusi, un ready-made de Duchamp... Des marques, de la came griffée. La plupart figuraient avant leur acquisition dans des catalogues référencés. Aucun risque, donc aucune erreur. Toujours le bon choix au bon moment. L'inverse même de Jacques Doucet, le modèle du couturier-collectionneur, qui finança une machine de Marcel Duchamp et les *Demoiselles d'Avignon*. Son choix était si audacieux que les musées nationaux n'en voulurent pas...

Une vente est un spectacle, une chorégraphie, un conte de fée débité par lots. VRP de ce show, Pierre Bergé a multiplié les interviews, sélectionnant minutieusement les anecdotes suggestives. Avec Christie's, la maison de vente Pierre Bergé & associés participe aux enchères. Mémorable, certainement, la campagne de marketing scénarisée par ses soins. Surprenante, parce que la mystification a bénéficié de relais sans faille. La vente du siècle ? Mais le siècle vient à peine de commencer ! Toutes les télévisions, les journaux, les radios de France ont repris sans guillemets un slogan commercial qui a le mérite d'être simple, indestructible, capable de traverser le temps. Un magazine sérieux est même allé plus loin, titrant sur « La plus grande vente aux enchères de tous les temps ». Comme l'a souligné Cocteau, à force de répétition, un mensonge finit par devenir une vérité. L'événement de la semaine (ou de l'année) est institué épisode historique.

Ni en quantité ni en qualité, cette vente n'est la plus grande de ces dernières années. Des ventes cataloguées de sept cents lots, il y en a trente par an à New York et Londres. Les maisons de vente chinoises, elles, écoulent facilement deux mille cinq cents lots d'un coup. La qualité, c'est plus subjectif. La vraie vente du siècle est celle de la collection qu'André Breton, véritable sourcier, avait rassemblée dans son appartement de la rue Fontaine et qui nourrissait son âme. Traversé d'une vie faite de rencontres, d'échanges, d'amour, l'atelier de Breton vibrait de sève spirituelle.

La vente a rapporté trois cent soixante-treize millions et neuf cent mille euros. Une seconde dispersion, à l'automne 2009, en a rapporté près de neuf, montre d'Yves Saint Laurent comprise. Soit au total trois cent quatre-vingt-trois millions d'euros environ pour les seuls objets possédés en France.

En octobre 2009, Pierre Bergé a annoncé la création d'un fonds de dotation pour le Sida portant son nom. « Toute ma vie, j'ai eu la naïveté de suivre mes convictions », a-t-il déclaré. Naïveté n'est pas un nom qu'on lui associe spontanément. À 3,79 % le taux d'intérêts légal en 2009, le seul produit des deux ventes rapporte quatorze millions cinq cent mille euros par an. Même s'il en verse deux à son fonds de dotation, comme il s'y est engagé, Pierre Bergé peut mener grand train et faire des dons sans entamer son capital.

À combien s'élevait la fortune d'Yves Saint Laurent au moment de sa mort ? Pierre Bergé en ayant reçu l'usufruit intégral, le Fisc l'ignore. La collection d'objets n'est qu'une petite partie de ses trésors. À titre indicatif, la fortune de Bernard Arnault s'élève à quatorze milliards sept cent quatre-vingt-trois millions d'euros, celle de la famille Hermès s'élève à sept milliards six cent soixante-seize millions d'euros, celle d'Alain Wertheimer, propriétaire de Chanel, à trois milliards cinq cents millions d'euros, celle de Lacoste à un milliard six cents millions d'euros, celle de Pierre Cardin trois cent dix millions d'euros[284].

Le bureau du baron de Mauvières appartient aujourd'hui à Michèle, la sœur d'Yves, et le portrait à Brigitte. Le porte-documents du baron, qui avait disparu, a resurgi dans le catalogue de la seconde vente Christie's, en novembre 2009. C'est la pièce deux cent dix-sept, portefeuille d'époque Charles X de la maison Alphonse Giroux. Michèle a pu le retrouver. Son fils, Laurent Levasseur, a reçu la chevalière des Mathieu

Saint Laurent et Brigitte une écharpe, un pull et un crucifix de cristal qui se trouvait sur le bureau de son frère.

Si le nom d'Yves Saint Laurent appartient aujourd'hui au groupe PPR de François Pinault, l'image d'Yves Saint Laurent est brouillée. La perpétuelle commémoration organisée par Pierre parasite le marketing de la marque au point qu'en interne, chez YSL, on n'utilise que l'acronyme anglais d'YSL. Ouaille esse aile.

Sur le plan symbolique, notait le sociologue Pierre Bourdieu, il y a des similitudes entre peinture et couture. Dans les deux cas, un produit prend une valeur magique grâce à un nom. La griffe du couturier, la signature du peintre. Un discours célèbre la création et le créateur, et fait valoir les produits. Pierre Bergé voulait devenir un David Copperfield, le petit garçon malheureux qui rêvait d'écrire. Il est venu à Paris pour être homme de lettres. Son goût de l'invention, il l'a mis au service d'un peintre puis d'un couturier et contribué à l'invention de leur légende. Il a sans doute réalisé une des plus grosses fortunes dont un imprésario puisse rêver, car le colonel Parker lui-même n'a pas hérité d'Elvis.

Toute sa vie, Pierre Bergé a créé des fictions. Insatisfait de lui-même, il est toujours en bagarre contre quelqu'un ou quelque chose. Il n'est pas sûr de lui. C'est sa force. Pierre Bergé a tout, mais il lui manque le plus important. Il n'est pas écrivain. Toutefois, il a fait de sa vie un roman.

La petite Simone

Il suffit à Simone Tronc de feuilleter ses albums remplis de photos au bord dentelé pour revivre les dimanches sur la plage, en Algérie. Sa famille et celle d'Yves possèdent des maisons mitoyennes à Trouville. Le banc du tennis est leur salon.

Bronzés, avec de grands yeux bleus, ils sont nuls en tennis. Cuisse contre cuisse, ils jacassent des après-midi entiers en regardant les échanges de balles sur le court en ciment rose. Lui en short et chemise repassée à la perfection qu'il roule sur les avant-bras. Le lacet des espadrilles blanches se découpe sur sa peau mate. Simone ne trouve pas Yves tellement beau, deux grosses verrues, l'une sur l'oreille, l'autre sur le doigt, la dégoûtent un peu. Mais il est mystérieux, secret. Il a toujours lu des choses avant elle, il est plus mûr qu'elle. Réservé et drôle, il est pris de fous rires soudains et l'amuse avec un terrible esprit critique. D'une remarque cocasse, il épingle les défauts. Il décoche des fléchettes pour faire rire, pas pour blesser. Lorsqu'il perd une partie de tennis, de dépit il jette en l'air sa raquette.

Il est capable de « grosses bêtises », comme il dit. Un jour qu'ils raillent la grande et dédaigneuse cousine de Simone en applaudissant à chaque fois qu'elle manque une balle, Gaston, l'oncle de Simone, à qui le court appartient, prie sa nièce de quitter le tennis sur le champ. « Je te vengerai », promet Yves, chevaleresque. Quelques jours plus tard, le téléphone sonne chez Simone : l'oncle Gaston a été cambriolé. On n'a pas pris grand-chose, on soupçonne des gamins. La très sage Simone songe aussitôt à Yves. Le téléphone re-sonne : c'est le petit Mathieu Saint Laurent qui a fait le coup. Quelle honte ! il n'a volé que des écrins vides. Pourquoi ? C'est la seule belle chose d'une maison meublée de bric et de broc. Il a tenu parole et a vengé son amie ! En cas de « bêtises », Yves n'a rien à craindre de ses parents, sinon quelques remontrances : ils sont indulgents à l'extrême. Simone, fille d'instituteurs sévères, l'envie de n'être jamais grondé, elle qui craint sa mère, si exigeante. Les compliments d'Yves la ravissent et la consolent : « À table, aujourd'hui, ma mère et mes sœurs ont dit que tu étais très jolie », lui rapporte-t-il. Elle a un visage d'ange : un grand regard clair et les dents du bonheur.

À six ans, ils jouent à la dînette avec des pétales de géranium et des tiges de kikuyu, à dix ans, ils nagent autour du vieux radeau abandonné par l'armée américaine, à douze ans, ils apprennent à danser la samba. À trois ans, à douze ans, à quinze ans, ils sont inséparables. On les appelle les fiancés. « Il avait avec elle des liens très sincères. Et elle aussi », dit leur ami Robert Guérido. Simple et douce, elle lui convient.

L'été 1951, Yves aménage le garage de ses parents en night-club, la Licorne. Les murs ont été peints de fresques et ornés de poèmes de Prévert, et un bar où l'on sert du Coca-Cola a été installé. Simone, qui est en métropole, rate l'inauguration : elle en est malade. Pour rien au monde, la petite bande ne voudrait manquer un été à Trouville. Robert Guérido et Yves Mathieu Saint Laurent ne sont encore jamais allés en métropole. Ils nagent, vont jusqu'à Saint-Roch en barque, nagent au large. Le soir, ils vont à Bouisseville, au Neptune-Ciné en plein air. En rentrant à pied, ils refont le monde assis sur l'asphalte chaud. Yves déclare qu'il fera des décors de théâtre. Il a déjà dessiné les affiches et des costumes pour les fêtes de la Ruche, qu'organise la tante de Simone au théâtre municipal.

Chaque dimanche à seize heures, désormais, les mêmes amis se retrouvent pour une surprise-partie à la Licorne : Simone, Robert Guérido, Martine Ducrot qui deviendra la photographe Martine Barrat, actrice de Warhol. On passe des disques de jazz, Duke Ellington, Louis Armstrong, Benny Goodman, Fat Wallers, et on danse le be-bop. Coquet, Yves glisse un foulard dans le col de sa chemise de popeline blanche comme Jean Marais. Pour éclaircir ses cheveux, il les peigne à l'eau de Cologne. Dans la bande, on le trouve un peu efféminé, sans plus. Jamais il n'a été question de son homosexualité, même dans son dos. Pour leurs sorties, il dessine une tenue à Simone : jupe cerise et décolleté de velours noir, que réalise la couturière des Mathieu Saint Laurent. Volontiers farceur, il raconte en enjolivant : il est un peu mythomane.

Loin d'être effacé, il aime attirer l'attention. À l'occasion d'une de leurs nombreuses fêtes costumées, Yves veut arriver avec Simone déguisés en la Belle et la Bête. Son costume est extraordinaire. Il a vraiment répliqué le masque de Bérard. Simone, elle, doit se contenter du pyjama chinois de sa tante.

Les Mathieu Saint Laurent sont fêtards : chaque dimanche, des bandes d'amis se réunissent dans leur villa. À travers le feuillage des bellombras, Simone entend les rires et la musique, tard la nuit. Charles et Lucienne ont la réputation d'être assez libres. Gai et enjoué, Charles passe pour être « un peu coureur[285] », Lucienne, elle, sort de son côté, avec son amie Irène.

« Lucienne était charmante plus que belle. Gaie, pimpante. Son rire était légendaire », dit Simone.

« Une belle femme », dit Robert Guérido, de son côté.

Un dimanche, Simone et Yves reviennent de la messe à l'église de La Colombière lorsqu'au détour du chemin, résonne un rire très reconnaissable. La mère d'Yves s'avance vers eux au côté d'un bel homme. Le silence s'installe entre les deux enfants. Simone, solidaire de la détresse muette de son ami, se tait. Entre eux, depuis l'enfance, ce sont des sentiments délicats, sans mots. Simone revoit ces matinées tendres et lumineuses, la marche côte à côte sur les petits chemins poudreux indissociable du souvenir d'Yves. Un jour, dans une exposition, la sensation a resurgi, nette et fraîche, devant une toile de Nicolas de Staël. Une bouteille au bord de la mer, ça devrait être ça, le titre. Du bleu, du rose, du vert… Jamais Yves et Simone ne reparleront de cette rencontre.

À la Licorne, un jour, un petit groupe est agglutiné autour de lui. Il fait un éloge fanatique de Marie-Ange, jeune déesse que, depuis son apparition récente sur le court de tennis, il place sur un piédestal. Belle, elle arrive de France et porte des sandales compensées de femme.

Simone écoute, en retrait. « Et Simone ? », demande quelqu'un. La réponse d'Yves fuse comme un coup de rasoir :

« Simone, c'est un pou. » Jeune fille timide, Simone se fait aussi petite qu'un insecte. Elle a treize ou quatorze ans, âge du doute dont elle ne reviendra jamais, et ne devine pas combien sa silhouette de gazelle éclairée de grands yeux doux est exquise. Très vite, Yves revient vers elle. Mais cinquante ans plus tard, Simone se remémore avec précision chaque détail de la scène.

« Avec l'adolescence, Yves est devenu plus sombre. Il passait de la surexcitation à l'abattement. »

Au cours d'une fête à Trouville, il démonte le bidet des toilettes et le fait rouler dans l'escalier, provoquant un scandale. Une autre fois, il danse avec une essoreuse sur la tête.

À Paris, Yves et Simone continuent de se voir. Inscrite en hypokhâgne, elle l'accompagne à la Comédie française, puisqu'il rêve d'y travailler. Mais de temps à autre, il lui pose un lapin. Un soir de Noël, elle l'attend en vain toute la soirée, qu'elle passera seule. Un jour qu'il lui a donné rendez-vous chez lui, elle l'aperçoit qui file dans une voiture. Elle lui pardonne tout : sans doute, quelqu'un l'a-t-il contraint à partir. Il est égocentrique et faible de caractère, mais il a tant de charme.

Le 5 août 1961, Yves assiste au mariage de Simone à Oran. C'est son dernier voyage en Algérie. Il a dessiné la robe de mariée en piqué blanc, la fait réaliser et expédier chez lui, rue Stora. Sous le voile court et les longs gants blancs qui gainent les bras, Simone est une délicate épure dont le regard clair illumine le hâle. Yves, pourtant, lui a interdit le soleil : « Sinon tu ressembleras à une mouche tombée dans du lait. » Il veut une poupée neuve, sortie de sa cellophane. Pour ne pas froisser l'étoffe, il installe lui-même sa première égérie dans la voiture.

Sa robe de mariée, Simone la conserve à Paris, dans une boîte qu'elle n'ouvre jamais. Les souvenirs liés à Yves lui font mal. Un jour, il a raconté à un journaliste qu'il avait essayé de l'embrasser, mais que Simone l'avait repoussé. Non, il n'a jamais essayé. Le jour où on lui a dit que son ami débauchait des petits garçons, à Marrakech, elle a refusé de le croire.

Il y a une chose inoubliable. Un secret délicat qu'elle garde au fond de son cœur. Quel âge ont-ils ? Treize, quatorze ans ? Lors d'une féerie de la Ruche, Simone est déguisée en M. Printemps : redingote, pantalon et haut-de-forme. Un smoking. Un photographe est là mais, après la représentation, impossible de retrouver la photo de Simone. Des mois plus tard, Yves est malade et Simone lui rend visite. On l'envoie dans la chambre de son ami qui, alité, lui demande un livre posé sur son bureau. Entre les mains de Simone, le livre s'ouvre… sur la photo de M. Printemps… Le cœur battant, elle le referme sur l'image manquante et tend le volume à Yves sans un mot.

NOTES

1. Nicolas Sarkozy, son épouse Carla Bruni Sarkozy, le maire de Paris Bertrand Delanoë et Christophe Girard adjoint à la Culture (non invité pour cause de disgrâce, il s'est glissé dans l'église), l'épouse de l'ancien président de la République Bernadette Chirac, la dernière impératrice d'Iran Farah Pahlavi et la ministre de la Culture Christine Albanel, l'actrice Catherine Deneuve, les académiciens Angelo Rinaldi et Erik Orsenna, Bernard-Henri Lévy et son épouse Arielle Dombasle, les stylistes et couturiers Kenzo Takada, Hubert de Givenchy, Christian Lacroix, John Galliano, Vivienne Westwood, Valentino, Jean-Paul Gaultier, Sonia et Nathalie Rykiel, Stefano Pilati, Albert Elbaz, Vincent Darré et Franca Sozzani du *Vogue* italien, Lætitia Casta et Inès de La Fressange, la présentatrice de TF1 Claire Chazal, les financiers François Pinault et Bernard Arnault, Alain Minc, l'ex-ministre de la Culture Renaud Donnedieu de Vabres.

2. Yves Saint Laurent demanda un droit de réponse. Un mois plus tard, dans le « Dim Dam Dom » du 10 mars 1968, il renvoie la perfidie : oui, il est flatté que Mlle Chanel le déclare son successeur. Non, il ne la copie pas. Il est jeune, lui. Il vit avec son temps. Il va en boîte. Et n'a pas atteint son niveau d'excellence : le tailleur Chanel est un classique comme le costume Louis XV. Au musée, la vieille. Yves Saint Laurent n'a rencontré Chanel qu'une seule fois au Ritz, « où j'ai été obligé d'aller la saluer. J'étais avec Lauren Bacall qui portait une minijupe qui n'était pas... de mise. Chanel m'a dit : "Et surtout, Saint Laurent, pas de minijupes." Pour elle, le genou était une des choses les plus laides du monde. » Janie Samet et Franz-Olivier Giesbert, *Le Figaro*, 11 juillet 1991.

3. Janie Samet et Franz-Olivier Giesbert, *Le Figaro*, 11 juillet 1991.

4. Entretien avec l'auteur, 16 décembre 2008.

5. Janie Samet et Franz-Olivier Giesbert, *Le Figaro*, 11 juillet 1991.

Victoire, rue de Verneuil

6. Entretien avec l'auteur, 6 octobre 2009.

29 janvier 1962, rue Spontini

7. Entretien avec l'auteur, 12 janvier 2008.
8. Entretien avec l'auteur, 16 décembre 2008.
9. Entretien avec l'auteur, 16 décembre 2008.
10. *Elle*, 3 mars 1980.
11. Jerry Schatzberg, *Paris 1962 : Yves Saint Laurent et Christian Dior, les premières collections*, Textuel, 2009.
12. Entretien avec l'auteur, 12 décembre 2008.
13. Entretien avec Charlotte Aillaud, 12 janvier 2008.

Esbroufe n° 1

14. Dont une robe qu'elle porte au mariage de Philippine de Rothschild.
15. Zizi Jeanmaire, *Et le souvenir que je garde au cœur*, Les Arènes, 2008.
16. Matthieu Galey, *Journal, 1953-1973*, Tome I, Grasset, 1987.
17. Zizi Jeanmaire, *Et le souvenir que je garde au cœur*, op. cit.

Boussac le saque

18. Janie Samet et Franz-Olivier Giesbert, *Le Figaro*, 11 juillet 1991.
19. Entretien avec l'auteur, 17 septembre 2009.
20. Entretien avec l'auteur, 14 décembre 2009.
21. Janie Samet et Franz-Olivier Giesbert, *Le Figaro*, 15 juillet 1991.
22. Toujours chez Dior au départ de Boussac en 1978, Marc Bohan ne quittera la maison qu'en 1989.
23. Pierre Bergé, *Les jours s'en vont, je demeure*, Gallimard, 2003.
24. Cathy Horyn, « *Yves of destruction* », *The New York Times*, 24 décembre 2000.
25. Jean-Claude Lamy, *Bernard Buffet : le samouraï*, Albin Michel, 2008.
26. Jean-Claude Lamy, *Bernard Buffet : le samouraï*, op. cit.
27. Entretien avec l'auteur, 6 janvier 2009.
28. Matthieu Galey, *Journal*, op. cit.

Diététique amoureuse

29. Entretien avec Simone Tronc-Lamy, 20 septembre 2009.
30. Entretien avec l'auteur, 2 décembre 2009.

Beau Boualem

31. Entretien avec l'auteur, 16 décembre 2008.
32. Janie Samet et Franz-Olivier Giesbert, *Le Figaro*, 15 juillet 1991.
33. Entretien avec l'auteur, 15 avril 2009.
34. Janie Samet et Franz-Olivier Giesbert, *Le Figaro*, 15 juillet 1991.
35. Janie Samet et Franz-Olivier Giesbert, *Le Figaro*, 15 juillet 1991.
36. Laurence Benaïm, *Yves Saint Laurent*, Grasset, 2002.

Yves s'encrapule

37. Cité par Paul Morand, *Journal inutile*, p. 253.
38. Entretien avec Victoire Doutreleau, 3 décembre 2008.
39. Entretien avec l'auteur, 16 décembre 2008.

Un QG de l'OAS

40. *Le Nouvel Observateur*, 28 février 2002.
41. Emmanuel Berl, *La France irréelle*, Grasset, 1957.
42. Entretien avec l'auteur, 16 décembre 2008.
43. Matthieu Galey, *Journal*, op. cit.
44. Entretien avec l'auteur, 16 décembre 2008.
45. Dior est condamné à verser cinq cent cinquante mille francs d'indemnités de départ pour rupture abusive de contrat. Yves Saint Laurent en réclamait six cent quatre-vingt mille, selon le site de la fondation.
46. En effet, le tribunal ne rendra son jugement que le 21 mars 1963.

Esbroufe n° 2

47. Entretien avec l'auteur, 17 février 2009.
48. Janie Samet et Franz-Olivier Giesbert, *Le Figaro*, 15 juillet 1991.
49. Entretien avec l'auteur, 18 novembre 2008.
50. *Yves Saint Laurent par Yves Saint Laurent*, dessins d'Yves Saint Laurent, préface de Bernard-Henri Lévy, Herscher / Musée des Arts de la Mode, 1989.
51. Entretien avec l'auteur, 17 avril 2009.
52. *Corriere della Sera*, 30 janvier 1962. Cité dans *Yves Saint Laurent par Yves Saint Laurent*, op. cit.
53. Entretien avec l'auteur, 27 février 2009.

Un cierge à saint François-Xavier

54. Janie Samet et Franz-Olivier Giesbert, *Le Figaro*, 15 juillet 1991.
55. Yvonne Baby, *Quinze hommes splendides*, Gallimard, 2007.
56. *Paris Match*, 6 février 1992.

5 juillet 1962, massacre à Oran

57. Assia Djebar, *Oran, langue morte*, Actes Sud, 1997.
58. *Le Nouvel Observateur*, 28 février 2002.
59. *Paris Match*, n° 692 du 14 juillet 1962.
60. *Le Nouvel Observateur*, 28 février 2002.
61. Yvonne Baby, *Quinze hommes splendides*, op. cit.

Château Courrèges

62. Entretien avec l'auteur, 14 février 2009.

Gina Lollobridgida

63. Entretien avec Louis Bozon, 23 septembre 2008.
64. *Paris Match*, 4 décembre 1981.

Dani-elle Luquet de Saint Germain

65. *Le Journal du Dimanche*, 2 février 1969.
66. Entretien avec l'auteur, 14 novembre 2008.
67. Entretien avec l'auteur, 27 février 2009.
68. *Le Journal du Dimanche*, 2 février 1969.
69. Yvonne Baby, *Quinze hommes splendides*, op. cit.
70. Entretien avec l'auteur, 1er trimestre 2009.
71. *Yves Saint Laurent par Yves Saint Laurent*, op. cit.
72. Yvonne Baby, *Quinze hommes splendides*, op. cit.

Une robe réussie, c'est quoi ?

73. Yvonne Baby, *Quinze hommes splendides*, op. cit.
74. Entretien avec l'auteur, 30 octobre 2008.
75. *Yves Saint Laurent par Yves Saint Laurent*, op. cit.
76. David Teboul, *Yves Saint Laurent, 5 avenue Marceau, 75116 Paris, France*, La Martinière, 2002.
77. Pierre Bourdieu, « Le couturier et sa griffe, contribution à une théorie de la magie », *Actes de la recherche en sciences sociales*, année 1975, volume I, numéro 1.

Les thés de la place Vauban

78. Entretien avec l'auteur, 9 mars 2009.
79. Site Fondation Pierre Bergé – Yves Saint Laurent.
80. Entretien avec l'auteur, 3 décembre 2008.
81. Entretien avec l'auteur, 9 janvier 2008.

Rive gauche

82. Entretien avec l'auteur, 11 septembre 2008.

83. Entretien avec l'auteur, 2 octobre 2008.

84. Comme chez Ragtime, tenue par Françoise Auguet, une experte de la haute couture, 23, rue de l'Échaudé, à Paris.

Belle de jour

85. Pierre Lary, *Belle de jour, histoire du film*, Studio Canal, 2003.

86. Laurence Benaïm, *Yves Saint Laurent*, op. cit.

87. Yves Saint Laurent réalisa les costumes d'Anny Duperey dans *L'Affaire Stavisky* d'Alain Resnais, en 1974.

Betty Catroux

88. Alice Rawsthorn, *Yves Saint Laurent : A Biography*, Harper Collins, 1996.

89. *Time*, 27 septembre 1968.

90. Alice Rawsthorn, *Yves Saint Laurent : A Biography*, op. cit.

91. Alice Rawsthorn, *Yves Saint Laurent : A Biography*, op. cit.

Talitha Getty en 1967

92. Elle a été prise par François-Marie Banier en 1972.

93. Alice Rawsthorn, *Yves Saint Laurent : A Biography*, op. cit.

94. Paul Bowles, *Romans*, Quarto, Gallimard, 2008.

95. Yvonne Baby, *Quinze hommes splendides*, op. cit.

96. Entretien avec l'auteur, 11 septembre 2008.

97. Matthieu Galey, *Journal*, op. cit., 21 octobre 1967.

98. Robert Murphy, *Les Paradis secrets d'Yves Saint Laurent et de Pierre Bergé*, Albin Michel, 2009.

99. *Interview*, « *Yves Saint Laurent talks to Bianca Jagger* », janvier 1973.

100. Jean-Paul Enthoven, *Ce que nous avons eu de meilleur*, Grasset, 2008.

101. « Dim Dam Dom », 10 mars 1968.

102. John Hopkins, *Carnets de Tanger*, La Table Ronde, 1995.

103. Entretien avec l'auteur, 30 octobre 2008.

104. Judith Watt, *Ossie Clark, 1965-1974*, V & A Publications, 2003.

105. Laurence Benaïm, *Yves Saint Laurent*, op. cit.

La blouse en cigaline

106. « Dim Dam Dom », 10 mars 1968.

107. On la trouve alors chez Emmerton and Lambert, au Chelsea

Antiques Market ; voir l'exposition *The London Look*, Museum of London, 2004.

Loulou fée clochette

108. Léguée par Yves Saint Laurent et Pierre Bergé au musée d'Orsay.
109. Entretien avec l'auteur, 19 février 2008.
110. Entretien avec l'auteur, 3 décembre 2008.
111. Service de presse de Loulou de La Falaise.
112. Laurence Benaïm, *Yves Saint Laurent*, op. cit.

Yves rencontre Warhol (et ses copines)

113. Alice Rawsthorn, *Yves Saint Laurent : A Biography*, op. cit.
114. Site : www.ina.fr
115. Acheté en 1969.
116. Andy Warhol, *Ma philosophie de A à B et vice-versa*, Flammarion, 2007.
117. Robert Vallois, entretien avec l'auteur, 10 mars 2009.
118. Entretien avec l'auteur, 6 avril 2009.
119. Entretien avec l'auteur, 11 septembre 2008.
120. Alicia Drake, *Beautiful People. Saint Laurent, Lagerfeld, splendeurs et misères de la mode*, Denoël, 2008.
121. Entretien avec l'auteur, 6 avril 2009.
122. Yvonne Baby, *Quinze hommes splendides*, op. cit., interview de 1983.

Le jour où Yves est devenu roi

123. Conférence de presse, 15 novembre 1972.
124. Entretien avec l'auteur, 4 novembre 2008.
125. Entretien avec l'auteur, 4 novembre 2008.
126. Alicia Drake, *Beautiful People*, op. cit.
127. *L'Allure de Chanel*, Paul Morand, Hermann, 1976.
128. *New York Herald Tribune*, 13 janvier 1960.
129. Entretien avec l'auteur, 25 mai 2009.

La rue envahit la couture

130. *Paris Match*, 4 décembre 1981.
131. *Concerto pour Balenciaga en noir majeur*, un film réalisé par Antoine Gallien, produit par Françoise Castro, 1998.
132. *Histoire du costume en Occident*, François Boucher, Flammarion, 2008.
133. Visite du 5 octobre 2009.
134. *Les Cahiers de médiologie, une anthologie*, CNRS Éditions, 2009.

135. Entretien avec l'auteur, 3 décembre 2008.

136. Entretien avec l'auteur, 27 février 2009.

137. Entretien avec l'auteur, 9 janvier 2008.

Une révolution française

138. Henri Mendras, *La Seconde Révolution française, 1965-1984*, Gallimard, 1988.

Miracles

139. Article de Guy Monréal, *L'Officiel Hommes*, n° 16, 1979.

140. Pierre Bourdieu, « Le couturier et sa griffe, contribution à une théorie de la magie », op. cit.

Yves tout nu

141. Entretien avec l'auteur, 25 mai 2009.

142. Alice Rawsthorn, *Yves Saint Laurent : A Biography*, op. cit.

143. Robert Murphy, *Les Paradis secrets d'Yves Saint Laurent*, op. cit.

Le Hell's Angel du Club 7

144. Yves Navarre, *Lady Black*, Flammarion, 1971.

145. Inauguré rue Sainte-Anne par Fabrice Emaer le 18 décembre 1968.

146. Paquita Paquin, *Vingt ans sans dormir : 1968-1983*, Denoël, 2005.

147. Jorge Lago disparut après avoir tourné dans *Le Dernier Amant romantique* de Just Jaeckin (1978) et enregistré un disque, *Je veux que toutes les filles m'aiment*.

148. Paquita Paquin, *Vingt ans sans dormir*, op. cit.

149. Paquita Paquin, *Vingt ans sans dormir*, op. cit.

150. Cathy Horyn, « *Yves of destruction* », op. cit.

151. *Elle*, 22 septembre 2008.

152. Entretien avec l'auteur, 9 janvier 2008.

153. Cathy Horyn, « *Yves of destruction* », op. cit.

154. Alicia Drake, *Beautiful People*, op. cit.

155. Entretien avec l'auteur, 23 janvier 2009.

156. Cathy Horyn, « *Yves of destruction* », op. cit.

Fashion victim

157. Pierre Bergé, Laure Adler, *Histoire de notre collection de tableaux*, Actes Sud, 2009.

158. Pierre Bergé, Laure Adler, *Histoire de notre collection de tableaux*, op. cit.

159. Le *Portrait de Don Luis Maria de Cistue*, de Goya, qui date de 1791, se trouve actuellement au Louvre.

160. Balzac, Lettre à Joseph Méry, 1846.

161. Pierre Bergé, Laure Adler, *Histoire de notre collection de tableaux*, op. cit.

162. Entretien avec l'auteur, 12 janvier 2008.

163. Commandé à Jacques Grange après un voyage en Bavière dont les Schatzkammer princières l'ont ébloui.

164. Pierre Bergé, *Les jours s'en vont, je demeure*, op. cit.

165. Entretien avec l'auteur, 30 septembre 2008.

166. Entretien avec l'auteur, 28 octobre 2008.

Une photo de Helmut Newton

167. Helmut Newton, *Autoportrait*, Robert Laffont, 2004.

168. *Vogue*, États-Unis, décembre 1983.

169. Chez Knize, tailleur pour hommes, elle commandait des vestons, des pyjamas, des robes de chambre masculines. Dietrich a collaboré avec les plus grands costumiers de Hollywood, n'hésitant pas à leur imposer ses goûts. « On ne crée pas des costumes pour Marlene Dietrich, a dit Edith Head, mais avec Marlene. » Hermès lui a fourni ses tenues de sport, Lucien Lelong ses fourrures, Paquin, Elsa Schiaparelli, Maggy Rouff, Caroline Reboux, Christian Dior, Balenciaga, Chanel ses robes et ses tailleurs. Si Josef von Sternberg, son pygmalion, a sculpté Dietrich avec la lumière pour la transformer en une créature au charme équivoque, c'est elle qui a défini son allure. Uniforme militaire ou fourreau pailleté, manteau de cygne ou costume tyrolien, pyjama ou vaporeux négligé d'intérieur, toute sa carrière, elle a été une leçon d'*élégance*. « Elle détestait la mode, adorait le style, écrit sa fille, Maria Riva, mais le style ne peut se suffire à lui-même ; il faut qu'un goût singulier lui donne ses contours, afin qu'il soit toujours conforme aux exigences de la célébrité. En cela, Marlene Dietrich triompha. » (Maria Riva, *Marlene Dietrich par sa fille*, Flammarion, 1993.)

170. *Les Cahiers de médiologie, une anthologie*, op. cit.

Une journée à l'atelier

171. David Teboul, *Yves Saint Laurent, 5, avenue Marceau, 75116 Paris, France*, op. cit.

172. Entretien avec l'auteur, 4 décembre 2008.

173. Louis XIV, super DA : Ce savoir incomparable est né en France sous l'impulsion du plus grand directeur artistique de tous les temps, le roi Louis XIV. Dans les dernières décennies du XVIIe siècle, celui-ci décida de faire de la France la capitale mondiale de l'élégance et du raffinement. À ses côtés, il avait un hyper-Pierre Bergé : Jean-Baptiste Colbert, son

ministre des Finances. « Ce fut, en quelque sorte, à l'échelle de toute une nation, la première grande opération de marketing », écrit l'historienne américaine Joan DeJean (*Du style, Comment les Français ont inventé la haute couture, la grande cuisine, les cafés chic, le raffinement et l'élégance*, Grasset, 2005). C'est la première, et sans doute la dernière fois, qu'un pays entier fut façonné par un seul homme : entre 1660 et 1715, Louis XIV en fit une affaire d'État. Pour le Roi-Soleil, c'était une entreprise de communication : il voulait impressionner par son éclat et sa magnificence. En mettre plein la vue, avec des produits de luxe d'une perfection absolue. Pour préserver la balance commerciale du pays et ses réserves d'or, Colbert fit en sorte qu'ils soient fabriqués en France par des artisans français.

C'est à cette époque que sont nés les ancêtres de M. Jean-Pierre : couturières, plumassiers, soyeux, drapiers, brodeurs, dentellières, bottiers, chefs cuisiniers, grands joailliers, coiffeurs, marchands de luxe, décorateurs d'intérieur. Louis XIV a financé lui-même le démarrage de ces activités, avançant de l'argent aux manufacturiers de drap fin ou de dentelle. Lors de la première collection d'hiver digne de ce nom, 1676-1678, les jupes devaient être entièrement brodées de soie. Pour lancer cette industrie nouvelle, des ouvrières furent enlevées en Flandre et à Venise. Dans la foulée, la France kidnappa quelques maîtres-verriers de la Cité des Doges pour inventer les grands miroirs qui permettaient de se regarder en pied, outils sans lesquels ni la vanité ni ses artisans n'auraient prospéré avec tant d'enthousiasme. Louis XIV a transformé la France en chef-d'œuvre. Dans les doigts d'or de M. Jean-Pierre, dans les hélices de son ADN, l'histoire respire toujours.

174. M. Jean-Pierre a réalisé de nombreux vêtements culte. Un tailleur Mondrian, par exemple, dont il a conservé le croquis dédicacé par le couturier : *Pour Jean-Pierre qui a sculpté avec une merveilleuse maîtrise ce Mondrian*. Agrafés au croquis, les échantillons de jersey de laine Racine qui ont servi à sa fabrication. Il le garde dans sa chambre, en face de son lit. Le premier smoking, en 1966, c'est encore lui. « J'avais une passion pour les smokings. Nous les avons déclinés de tant de façons... » Il aime travailler le grain de poudre, qui ne trahit jamais le dessin d'Yves Saint Laurent. La critique les accuse de toujours se répéter. « Nous sommes au moins trois, vous, Anne-Marie Muñoz et moi, à savoir que cela n'est pas vrai... » lui dit Yves Saint Laurent en riant, après un essayage compliqué.

Il a aussi façonné le mini-manteau en renard vert de la collection Quarante. « Des années plus tard, M. Saint Laurent m'a demandé de le refaire... J'en ai été incapable... » Comme beaucoup d'ouvriers, il travaille au chic, au doigté.

Yves Saint Laurent a un si grand respect pour son savoir-faire qu'il lui confie parfois une photo, par exemple celle de Lauren Bacall en tailleur de tweed, en lui demandant de s'en inspirer librement. Il sait que l'artisan voudra se dépasser et le surprendre, pour entendre ces quelques mots :

« C'est merveilleux, mon Jean-Pierre. »
Coupé dans un tweed de Holland & Sherry, le costume est présenté dans la collection d'hiver 1974. M. Jean-Pierre est aux anges. Par mimétisme, lorsque le couturier doute au moment des collections, lui-même se ronge les sangs.

175. André Fraigneau, *En bonne compagnie*, Le Dilettante, 2009.

176. « Dim Dam Dom », 10 mars 1968.

177. Selon Rosa Burger, les rayures expriment le désir de « rester dans la ligne », elles expriment l'organisation, l'ordre, le contrôle masculin. (*Film costume*, thèse, Université de Vienne, 1997).

178. Laurence Benaïm, *Yves Saint Laurent*, op. cit.

179. Une centaine d'heures de travail ont été nécessaires pour parvenir à ce résultat élégamment suggestif. Soixante heures pour la veste, quarante heures pour le pantalon.

Exotique Kirat

180. Entretien avec l'auteur, 30 octobre 2008.

181. Entretien avec l'auteur, 30 octobre 2008.

182. Entretien avec l'auteur, juillet 2009.

183. Entretien avec l'auteur, 6 janvier 2009.

184. « *Fantasy living* », *Women's Wear Daily*, août 1976.

185. Nathalie Bondil, John E. Buchanan, Hamish Bowles, *Yves Saint Laurent, style, style, style*, La Martinière, 2008.

Mme Felissa au volant

186. Entretien avec l'auteur, 30 octobre 2008.

187. Entretien avec l'auteur, 30 octobre 2008.

188. Entretien avec Katell Le Bourhis, 26 mai 2009.

189. *Yves Saint Laurent par Yves Saint Laurent*, op. cit.

190. John Fairchild, *Chic Savages*, Simon and Schuster, 1989.

191. *The Times*, 2 juin 2008.

192. Yvonne Baby, *Quinze hommes splendides*, op. cit.

193. Jérôme de Missolz, *Yves Saint Laurent, tout terriblement*, Lieurac/Arte, 1994.

194. *The Times*, 2 juin 2008.

195. *Yves Saint Laurent par Yves Saint Laurent*, op. cit.

Un ouragan médiatique

196. Nathalie Bondil, John E. Buchanan, Hamish Bowles, *Yves Saint Laurent, style, style, style*, op. cit.

197. Fred Hughes, Jay Johnson, Corey Tippin, et d'autres.

198. Entretien avec l'auteur, 9 janvier 2008.

Le mariage des seventies

199. Entretien avec l'auteur, 9 janvier 2008.

200. Andy Warhol, *Journal*, entrée du 26 mai 1977, Grasset, 1990.

201. Pierre Bourdieu, « Le couturier et sa griffe, contribution à une théorie de la magie », op. cit.

202. *Paris Match*, 21 août 2007.

203. Entretien avec l'auteur, 9 janvier 2008.

Un dimanche avec Sagan

204. Entretien avec l'auteur, 6 janvier 2009.

205. Yvonne Baby, *Quinze hommes splendides*, op. cit.

206. Janie Samet et Franz-Olivier Giesbert, *Le Figaro*, 11 juillet 1991.

207. Entretien avec l'auteur, 22 septembre 2008.

208. *Elle*, 3 mars 1980.

209. Voir note Louis XIV n° 173.

210. *Elle*, 3 mars 1980.

211. Entretien télévisé accordé à « Cinq Colonnes à la Une », le 6 février 1959 (voir www.ina.fr).

212. *Elle*, 3 mars 1980.

213. Lorsque PPR rachètera la maison en 1999, 167 licences avaient été signées (voir : Dana Thomas, *Luxe & Co, comment les marques ont tué le luxe*, Les Arènes, 2007).

214. « Dim Dam Dom », 10 mars 1968.

Caviar et concorde

215. Alice Rawsthorn, *Yves Saint Laurent : A Biography*, op. cit.

216. Entretien avec Christophe Girard, 7 janvier 2009.

217. Selon Christophe Girard, qui vient de rejoindre la maison. Entretien avec l'auteur, 7 janvier 2009.

Tais-toi, Yves !

218. « *The designer at home* », *Time*, 12 décembre 1983.

219. *Les Cahiers de médiologie, une anthologie*, op. cit.

220. Diana Vreeland, *Yves Saint Laurent, catalogue du Metropolitan Museum of Art*, exposition du 14 décembre 1983 au 2 septembre 1984.

221. Alice Rawsthorn, *Yves Saint Laurent : A Biography*, op. cit.

222. Entretien avec l'auteur, 26 mai 2009.

223. Entretien avec l'auteur, 26 mai 2009.

224. Entretien avec l'auteur, 20 mars 2009.

225. John Fairchild, *Chic Savages*, op. cit.

226. Debora Silverman, *Selling Culture*, Pantheon, 1986.

Gauche caviar

227. Pierre Bergé, *Les jours s'en vont, je demeure*, op. cit.
228. Entretien avec l'auteur, 22 janvier 2009.
229. Entretien avec l'auteur, 8 janvier 2009.

Un grand chagrin célèbre

230. Yves Saint Laurent, interview, *Time*, 12 décembre 1983.
231. Entretien avec l'auteur, 30 septembre 2008.
232. *Elle*, 22 septembre 2008.
233. Laurence Benaïm, *Yves Saint Laurent*, op. cit.
234. Alice Rawsthorn, *Yves Saint Laurent : A Biography*, op. cit.
235. Laurence Benaïm, *Yves Saint Laurent*, op. cit.
236. David Teboul, *Yves Saint Laurent, 5, avenue Marceau, 75016 Paris*, op. cit.

Garçon manqué

237. Laurence Benaïm, *Yves Saint Laurent*, op. cit.
238. Laurence Benaïm, *Yves Saint Laurent*, op. cit.
239. Entretien avec l'auteur, 14 décembre 2009.

Cap Falcon

240. Entretien avec l'auteur, 18 novembre 2008.
241. Françoise Sagan, *La Petite Robe noire*, l'Herne, 2008.
242. Laurence Benaïm, *Yves Saint Laurent*, op. cit.
243. David Teboul, *Yves Saint Laurent, 5 avenue Marceau, 75116 Paris, France*, op. cit.

Légionnaire de la hype

244. Documents fournis par Myriam Provence, généalogiste qui a étudié les ancêtres d'Yves Saint Laurent sur cinq générations.
245. Entretien du 2 novembre 2009.
246. Documents de Myriam Provence.
247. David Teboul, *Yves Saint Laurent, 5 avenue Marceau, 75116 Paris, France*, op. cit.

Cousu Minc

248. Né en 1952, Jean-Francis Bretelle, expert-comptable, est entré chez Yves Saint Laurent en 1976 comme contrôleur de gestion. Il y a fait toute sa carrière.
249. En 2001, Alain Minc a été condamné à verser quinze mille euros à Patrick Roidel, dont il avait plagié le livre sur Spinoza.

250. Oléron Participations, créée en 1996, année où Jean-Francis Bretelle quitte la société YSL pour s'occuper du patrimoine et des affaires d'Yves et de Pierre. Durant l'hiver 2008, Oléron Participations a été condamnée pour opération frauduleuse. La société de capital-risque avait surtout risqué les fonds d'un tiers, Carlo de Benedetti.

251. Cent trente-cinq mille exemplaires vendus, du jamais vu pour un rapport administratif. Offrant une culture générale à peu de frais, il mettait l'informatique à la portée du public. Cet outil ambigu suscita essentiellement des débats sociologiques, les enjeux techniques restant peu discutés. Il n'en reste qu'une chose : le mot « télématique », inventé selon Minc par lui-même.

252. En 1973, deux ingénieurs français, François Gernelle et André Truong mirent au point le Micral N, le tout premier micro-ordinateur.

253. Stéphane Marchand, *Le Commerce des illusions : enquête sur les réseaux de pouvoir en France*, Lattès, 1999.

254. Le 6 novembre 1986, Cerus prend 25 % du capital d'YSL porté à un milliard de francs. Grâce à l'entregent de Carlo de Benedetti, Indo Suez, la First Boston et la BNP prêtent les deux milliards et cinq cent mille francs – trois cent quatre-vingts millions d'euros – nécessaires au rachat de Charles of the Ritz.

255. Dédicace Christophe Girard, voir cahier photos.

256. La pyramide a été inaugurée en mars 1988 et ouverte au public le 29 mars 1989.

Yves se crame

257. Edmund White, *Arts and letters,* Cleis Press, 2004, p. 317.

In love again

258. *Paris Match*, 6 février 1992.

Fin de régime

259. Entretien avec l'auteur, 24 août 2009.

260. Outre le budget de dix-sept millions d'euros consacrés au lancement, Sanofi doit en débourser deux autres pour rappeler les flacons. Même si, durant les trois mois de mise en vente, il en a rapporté cinquante, l'affaire est un désastre économique.

Les scandales de la gauche caviar

261. La Commission des opérations de bourse, dans un rapport documenté, reproche à Pierre Bergé d'avoir cédé cent vingt mille actions de Saint Laurent sans recourir à une société de Bourse, comme l'exige la loi du 22 janvier 1988. En prime, elle estime que l'ancien patron de Saint

Laurent a commis un délit d'initié. En effet, informé de la mauvaise santé de l'entreprise, il ne pouvait, selon l'ordonnance du 28 septembre 1967, en céder le moindre titre. Le parquet ouvre une information judiciaire. Au cours de l'instruction, Bergé parvient à montrer sa bonne foi. En substance, s'il reconnaît avoir cédé des titres Saint Laurent, c'était, jure-t-il, uniquement pour réduire son endettement personnel faramineux, qui atteignait soixante-dix millions de francs au 30 juin 1992. Quant à une violation éventuelle du monopole des sociétés de Bourse, l'avocat de Pierre Bergé fait valoir que seule la violation du monopole de négociation de titres peut être sanctionnée pénalement. Et non pas la cession. Or c'est cette dernière opération qu'a réalisée Bergé. Le juge a donc fini par partager cette analyse. Il va même très loin, puisqu'il précise dans son ordonnance que, « en raison de la médiatisation donnée à cette affaire, il serait regrettable que Pierre Bergé [...] aille en correctionnelle et qu'on le poursuive pour un délit qui n'existe pas ». Gilles Gaetner, *L'Express*, 16 décembre 1993.

262. Sabine Delanglade, *L'Express*, 2 juin 1994.

263. La suite, d'ailleurs, lui a donné raison. Alain Minc l'a recommandé à son complice Jean-Michel Darrois, remarquable avocat d'affaires. Il obtiendra un non-lieu, le 16 octobre 1995.

Pierre et Yves

264. Entretien avec l'auteur, 11 septembre 2008.

265. Anna Bayle, blog.

266. Edmund White, *Arts and letters*, Cleis Press, 2004.

267. Cathy Horyn, « *Yves of destruction* », op. cit.

Dernière séance

268. Entretien avec l'auteur, 3 décembre 2008.

269. « Qui est pour vous la femme la plus élégante du monde ? – Mme Thomas Kempner à New York, peut-être... », Janie Samet et Franz-Olivier Giesbert, *Le Figaro*, 15 juillet 1991.

270. Elle est d'ailleurs morte en 2005 d'un cancer du poumon, laissant un vestiaire de trois mille pièces couture, dont trois cent soixante-seize griffées Saint Laurent. « Elle portait la haute couture comme du Gap », a dit une de ses amies.

Un monde d'images

271. Pour ce chapitre reconstitué à l'identique, je remercie tout particulièrement François de Ricqlès, chez Christie's, qui m'a permis de visiter longuement l'appartement de la rue de Babylone en octobre 2008, et Adil Debdoubi qui, dans la chambre même d'Yves Saint Laurent, m'a décrit ses habitudes. Je remercie aussi les vendeuses de la maison Fouquet

qui, contrevenant à leurs habitudes, ont bien voulu me confirmer celles d'Yves Saint Laurent.

272. En réalité, le bel Adil a été recruté par Pierre Bergé trois ans avant la disparition d'Yves.

273. Janie Samet et Franz-Olivier Giesbert, *Le Figaro*, 11 juillet 1991.

274. Chez Christie's, le 26 septembre 2008.

275. Entretien avec l'auteur, 3 décembre 2008.

276. Entretien avec Thadée Klossowski, 9 janvier 2008.

Un play-boy tout neuf

277. Cathy Horyn, « *Yves of destruction* », op. cit.

278. *The Advocate*, 15 novembre 2009.

Les choses merveilleuses

279. Entretien avec l'auteur, 6 janvier 2009.

280. Entretien avec l'auteur, 15 avril 2009.

Marrakech express

281. Entretien avec l'auteur, 11 juin 2008.

La vente du siècle

282. En 1995, Pierre Bergé appelle à voter pour le Corrézien plutôt que pour Lionel Jospin.

283. 14 novembre 1990.

Victoire et Pierre, un demi-siècle après

284. Classement *Challenges* 2009.

La petite Simone

285. Robert Guérido, 15 avril 2009.

BIBLIOGRAPHIE

Livres

BABY Yvonne, *Quinze hommes splendides*, Gallimard, 2007

BENAÏM Laurence, *Le Pantalon ou le XXe siècle en marche*, L'Amateur, 1999

BENAÏM Laurence, *Marie-Laure de Noailles, la vicomtesse du bizarre*, Grasset, 2001

BENAÏM Laurence, *Yves Saint Laurent*, Grasset, 2002

BENAÏM Laurence, BOULAT Pierre, BERGÉ Pierre, *Yves Saint Laurent : la naissance d'une légende*, La Martinière, 2002

BERGÉ Pierre, *Les jours s'en vont, je demeure*, Gallimard, 2003

BERGÉ Pierre, Adler Laure, *Pierre Bergé, Yves Saint Laurent : Histoire de notre collection de tableaux*, Actes Sud, 2009

BERL Emmanuel, *La France irréelle*, Grasset, 1957

BLANC Odile, *Vivre habillé*, Klincksieck, 2009

BONDIL Nathalie, Buchanan John E., BOWLES Hamish, *Yves Saint Laurent, style, style, style*, La Martinière, 2008

BOUCHER François, *Histoire du costume en Occident : des origines à nos jours*, Flammarion, 2008

BUFFET Bernard et BERGÉ Pierre, « Bernard Buffet vu par Pierre Bergé et par Bernard Buffet », *Art et style* n° 45, 1958.

CHAPON François, *C'était Jacques Doucet*, Fayard, 2006

DEJEAN Joan, *Du style : comment les Français ont inventé la*

Haute Couture, la grande cuisine, les cafés chic, le raffinement et l'élégance, Grasset, 2006
DESLANDRES Yvonne, *Le Costume, image de l'homme*, Albin Michel, 1976
DOUTRELEAU Victoire, *Et Dior créa Victoire*, Robert Laffont, 1997
DRAKE Alicia, *Beautiful People. Saint Laurent, Lagerfeld : Splendeurs et misères de la mode*, Denoël, 2008.
EHNI René-Nicolas, *Algérie roman*, Denoël, 2002
ENTHOVEN Jean-Paul, *Ce que nous avons eu de meilleur*, Grasset, 2008
ERNER Guillaume, *Victimes de la mode ? : comment on la crée, pourquoi on la suit*, La Découverte, 2004
FIETTE Alexandre, *Mode, passion et collection : le regard d'une femme*, Somogy, 2003
FAIRCHILD John, *Chic Savages*, Simon and Schuster, 1989
FRAIGNEAU André, *En bonne compagnie*, Le Dilettante, 2009
GALEY Matthieu, *Journal, 1953-1973*, Tome I, Grasset, 1987
GRACQ Julien, *Proust considéré comme terminus ;* in : *Proust, Stendhal, Balzac, Flaubert, Zola*, Complexe, 1988
HARDY Françoise, *Le Désespoir des singes et autres bagatelles*, Robert Laffont, 2008
JEANMAIRE Zizi, *Et le souvenir que je garde au cœur : mémoires*, Les Arènes, 2008
KOCHNO Boris, *Christian Bérard*, Herscher, 1987
LAMY Jean-Claude, *Bernard Buffet : le samouraï*, Albin Michel, 2008
LASCH Christopher, *La Culture du narcissisme*, Flammarion, 2006
LE BOURHIS Katell, *Yves Saint Laurent, exotismes*, (catalogue de l'exposition), Musée de la mode de Marseille, 1993
MARCHAND Stéphane, *Le Commerce des illusions : enquête sur les réseaux de pouvoir en France*, Lattès, 1999
MAUDUIT Laurent, *Petits conseils*, Stock, 2007

MENDRAS Henri, *La Seconde Révolution française, 1965-1984*, Gallimard, 1988
MISHIMA Yukio, *L'École de la chair*, Gallimard, 1993
MORAND Paul, *L'Allure de Chanel*, Hermann, 1996
MORAND Paul, *Journal inutile*, Gallimard, 2001
MURPHY Robert, *Les Paradis secrets d'Yves Saint Laurent et de Pierre Bergé*, Albin Michel, 2009
NEWTON Helmut, *Autoportrait*, Robert Laffont, 2004
NURIDSANY Michel, *Andy Warhol*, Flammarion, 2001
ORSENNA Erik, *Courrèges*, Xavier Barral, 2008
PAQUIN Paquita, *Vingt ans sans dormir*, Denoël, 2005
PROUST Marcel, *Correspondance*, Tome 9, Plon, 1982
RAWSTHORN Alice, *Yves Saint Laurent : A Biography*, Harper Collins, 1996
RIOUX Jean-Pierre, Sirinelli Jean-François, *Histoire culturelle de la France, Tome 4. Le temps des masses*, Seuil, 1998
RIVA Maria, *Marlene Dietrich par sa fille*, Flammarion, 1993
SAILLARD Olivier et MARINEAU Guy, *Histoire idéale de la mode contemporaine. Les plus beaux défilés de 1971 à nos jours*, Textuel, 2009
SAINT LAURENT Yves, *Yves Saint Laurent et le théâtre*, préface d'Edmonde Charles-Roux, catalogue de l'exposition, Herscher, 1986
SAINT LAURENT Yves, *Yves Saint Laurent et la photographie de mode*, préface de Marguerite Duras, Albin Michel, 1988
SAINT LAURENT Yves, *Yves Saint Laurent par Yves Saint Laurent*, préface de Bernard-Henri Lévy, commentaires d'Hélène de Turckheim, catalogue de l'exposition, Herscher Arts de la mode, 1989
SCHATZBERG Jerry, *Paris 1962 : Yves Saint Laurent et Christian Dior, les premières collections*, Textuel, 2009
SILVERMAN Debora, *Selling Culture*, Pantheon, 1986.
SCHUHL Jean-Jacques, *Ingrid Caven*, Gallimard, 2000
TEBOUL David, *Yves Saint Laurent, 5, avenue Marceau 75116 Paris, France*, La Martinière/Atalante, 2002

THOMAS Dana, *Luxe & Co, comment les marques ont tué le luxe*, Les Arènes, 2008.
TOUSSAINT-SAMAT Maguelonne, *Histoire technique et morale du vêtement*, Bordas, 1990
VEILLON Dominique et RUFFAT Michèle dir., *La Mode des sixties : l'entrée dans la modernité*, Autrement, 2007
VOLTAIRE, *Le Siècle de Louis XIV*, LGF, 2005
WARHOL Andy, *Journal*, Grasset, 1990.
WARHOL Andy, *Entretiens 1962 / 1987*, Grasset, 2006
WARHOL Andy, *Ma philosophie de A à B et vice versa*, Flammarion, 2007
WARHOL Andy, HACKETT Pat, *Popisme*, Flammarion, 2007
WATT Judith, *Ossie Clark, 1965-1974*, V & A Publications, 2003
WHITE Edmund, *Arts and letters,* Cleis Press, 2004
Women's Wear Daily, *W, The designing life*, établi par Lois Perschetz, Potter Publishing, 1987

Documentaires

AVERTY Jean-Christophe, *Zizi Jeanmaire : Plumes et diamants*, BelAir Classiques, 2008.
MISSOLZ Jérôme de, *Tout, terriblement*, Lieurac/Arte, 1994.
TEBOUL David, *Yves Saint Laurent, 5, avenue Marceau 75116* Paris, Movimento productions, 2002.
TEBOUL David, *Yves Saint Laurent de fil en aiguille*, Movimento productions, 2002.

Blog

www.annabayle.com : « *The King and I* », 5 juin 2008.

REMERCIEMENTS

Merci à

Jean-Paul Kauffmann, dont la lecture amicale est si précieuse, et à Charles Genton, pour son amitié.

Alice d'Andigné, dont la vitalité et la gaieté ont accompagné ce manuscrit.

Teresa Cremisi, héroïne stendhalienne.

Et à Philippe Abastado, Laure Adler, Gaby Aghion, Charlotte Aillaud, Marc Audibet, Françoise Auguet, François-Marie Banier, Patricia Barbizet, Martine Barrat, Anne de Bascher, Brigitte Bastian, Gérard Bastian, Pierre Bergé, Christine Blanc, Marc Bohan, Valence Borgia, Claire Bougaran (pour son accueil insolite), Louis Bozon, Claude Brouet, William Burke, Gabrielle Buchaert, Marianne Capuano, Betty Catroux (pour son aide involontaire), Ingrid Caven, Noëlle Chatelet, Philippe Collin, Coqueline Courrèges, Adil Debdoubi, Jacques Delahaye, Jean-Pierre Derbord, Nicole Dorier, Victoire Doutreleau, Pépita Dupont, Gerry Dryansky, Jean-Claude Ellena, Thierry Ehrmann, Loulou de La Falaise, Judy Fayard, Robin Fournier-Bergmann, Christophe Girard, Tan Giudicelli, Jacques Grange, Robert Guérido, Thadée Klossowsky, Katell Le Bourhis, Daniele Leclercq, Loïk Le Floch-Prigent, Serge Lutens, Colette Maciet, Gerard Malanga, Florence Malraux, Liliane Menard, Jean-Claude Meyer, Capucine Milliot, Alain Minc, Anne-Marie Muñoz, Carlos Muñoz, Marie Muñoz, Lucien Pellat-Finet, Martine Perez, Myriam Provence, Marco de Riveira, François de Ricqlès, Clara Saint, Janie Samet (pour sa belle interview des 11 et 15 juillet 1991, réalisée avec Franz-Olivier Giesbert), Danielle Sauvageon-Varenne Saint-Germain, Kenzo Takada, Elie Top, Simone Tronc Lamy, Robert Vallois, Kirat Young.

TABLE

9603

Composition
PCA

Achevé d'imprimer en Slovaquie
par NOVOPRINT SLK
le 8 mai 2011.
Dépôt légal mai 2011.
EAN 9782290031179

ÉDITIONS J'AI LU
87, quai Panhard-et-Levassor, 75013 Paris

Diffusion France et étranger : Flammarion